韓國文學代表作選 ⑦

아베의 家族

全 商 國

韓國文學代表作選 ⑦／全商國

아베의 家族

영내(營內)를 벗어나면서 나는 키가 팔 척이 넘는 것 같은 우월
감을 맛보았다. 정문의 지피들은 사복으로 바꿔 입은 나를 용케
도 알아봐 외출증을 확인하는 일까지 건성으로 했던 것이다.

일을 마치고 나가는 한국인 종업원과 노무자들이 줄로 늘어서
서 옷뒤짐을 당하고 있었다. 나는 어깨를 펴고 그들 곁을 지나쳐
나갔다. 이 우쭐한 기분은 한 달 전 오산 비행장 트랩을 내릴 때
의 흥분 상태 그대로였다. 낮은 코 짧은 키로 해서. 어쩔 수 없이
감수해야만 했던 신병 훈련소에서의 그 좌절감이 한꺼번에 씻겨
나가는 기분이었다. 4년 만에 다시 고국 땅을 밟아 보는 감회가
어금니에 지그시 섭혔다. 가는 날이 장날이라고, 부대 배속을 받
고 도착해 보니 바로 시피엑스에 걸려 외출이 허가되지 않은 그
이십여 일을 나는 뒤숭숭 뜬 마음으로 보냈다. 그런 속에서도 나

는 새삼 내 자신의 위치를 확인해 둘 필요를 느꼈고 감상에 젖거
나 비굴한 짓거리에 말려들지 않기 위해 이를 악물었다.

「헤이, 킴, 언제 미국에 갔어?」

카추샤들이 아는 체 악수를 청했다. 나는 대답 대신 웃으며 손
만 흔들어 주고 그 자리를 피했다.

「헤이, 킴, 웰컴! 내가 뭘 도와줄까?」

피엑스의 한국 사람이 내게 접근해 왔다. 나는 그들이 보는 앞
에서 내게 배당된 쿠폰을 찢어 버렸다. 미국에서 고모가 내게 일
러주던 그 돈 버는 방법을 스스로 포기해 버린 것이다. 나와 함
께 신병 훈련을 받고 한국에 건너온 깜둥이들마저 이미 돈 버는
방법을 냄새 맡고 코를 벌름거리고 있는 게 구역질이 나 견딜 수
없었던 것이다.

영내를 벗어나 철조망을 끼고 시가지 쪽으로 뻗은 신작로를 걸
었다. 가슴이 탁 트였다. 여름 오후의 햇볕은 아스팔트 바닥을
눅진눅진 녹이고 철조망 밑으로 무성한 잡초들이 짙은 풀 냄새를
훅 풍겼다. 들뜬 마음과는 달리 나는 일부러 걸음을 천천히 옮겼
다. 어금니로 비집고 올라오는 희열을 되도록 서서히 즐기고 싶
었던 것이다.

정확히 3년 10개월 전 우리 가족들이 이 땅을 떠나면서 품었던
소박한 꿈 중의 그 하나가 이제 실현된 것이다. 그것은 한국에서
양공주였다가 국제결혼을 해 미국에 가 영주권을 얻은 고모의 계
획 중의 하나였다. 돈 안 들이고 한국에 나갈 수 있는 길은 미군
에 들어가 한국 파견을 지원하는 것이었다. 한국 월급장이들보다
더 많은 돈을 주머니에 넣고 거드럭거리며 1년쯤 지내다가 미국
이라면 껌벅 죽는 계집애 하나 얻어 가지고 돌아오면 좀 좋겠느
냔 고모의 생각이었다.

「그래, 난 사람을 찾으러 한국에 가는 거다.」

미국을 떠나기 전 나는 동생들한테 말했다. 다 학교에 다니고
있었다. 정희와 진구는 하이스쿨 과정을 밟고 있었고 막내는 중

학교였다. 돈 한푼 안 들이고 공부를 할 수 있었다. 그리고 한국에서는 어림도 없는 대학 진학의 꿈으로 동생들은 부풀어 있었다. 그러나 문제는 많았다. 자식들을 위해서 미국에 왔다는 아버지의 한국적 자위는 빛을 잃었다. 동생들은 굉장히 빠른 시간에 미국화 됐다. 정희가 특히 그랬다.

「오빠, 미국까지 와서 다시 한국 여자와 결혼해 살겠다는 거야?」

정희는 그런 생각을 가진 계집애였다. 우리 식구 중에서 적응력이 제일 빨랐다. 정희는 보이프렌드를 여럿 우리 아파트까지 끌어들였다. 모두 백인 아이들이었다. 우리 아파트 근처에는 흑인들이 많이 살았다. 흑인 애들이 정희의 뒤를 따라다녔다. 저희들끼리 껄껄거리며 골목에 지키고 섰다가 정희를 둘러싸고 희롱을 했다. 스페니쉬 계 녀석들까지 그랬다. 정희는 놈들의 희롱을 잘 받아 주었다. 그게 정희의 생리였다. 그러다가 일을 당했다. 내가 일하고 있는 야채가게의 주인 이씨의 귀띔으로 우리 아파트까지 달려갔을 때 그 깜둥이들은 정희를 윤간하고 있었다. 나는 피가 거꾸로 흘렀다. 출입문을 막아섰다. 세 놈이 능글능글 웃으며 다가왔다. 나는 품에서 야채 다듬는 칼을 뽑아들었다. 그리고 그 칼로 왼쪽 팔목에 상처를 냈다. 한국에서 재두, 형표, 석필이와 함께 남긴 담뱃불 자국이 있는 근처를 쩬 것이다. 팔뚝에서 피가 흘러 현관 바닥에 흥건히 고였다. 능글능글 웃던 깜둥이 애들 눈이 금세 겁에 질렸다. 깜둥이들은 미개하고 천한 만큼 겁이 많고 비열했다.

「컴온, 컴온!」

나는 칼을 들지 않은 왼쪽 손으로 그들을 손짓했다. 아무것도 보이지 않았다. 손끝으로 불 같은 증오가 뻗쳐 온 몸이 떨렸다. 나는 며칠 전 정희와 함께 어머니의 수기를 훔쳐 보았다.

나는 밤낮 없이 그들을 칼로 질러 죽이는 환상으로 치를 떨었다. 그들의 검고 끈적끈적한 살갗 그 깊숙한 데서 콸콸 쏟아지는 피를 두 손으로 받아 이웃 사람들 눈앞에 보여주고 싶었다. 내가 그때 살아 있을 수 있었던 것은 가슴으로 치미는 증오와 복수심 그것 때문이었다.

어머니가 한국에서 식구들 몰래 노트장에 틈틈이 쓴 그 글에 그렇게 적혀 있었던 것이다. 나는 칼 든 손을 벌벌 떨면서 깜둥이들 앞으로 다가섰다. 깜둥이들이 너무 쉽게 무릎을 꿇었다. 많이 보던 놈들이었다. 내가 일하고 있는 이씨네 식품가게와 같은 블럭에 사는 아이들이었다. 식품점에 들어와 물건을 훔쳐내다가 이씨한테 들키자 골목까지 쫓아오는 이씨의 이빨을 두 개씩이나 부러뜨린 놈들이었다. 이씨가 잡아 넣겠다고 하니까 그놈들 떼거지가 몰려와 가게에 불을 놓겠다고 엄포를 놓던 일도 있었다.

「병신 같은 새끼들!」

정희가 흐트러진 아랫도리를 추스르며 일어났다. 계집애는 내 앞에 무릎을 꿇은 깜둥이들 머리 위에 침을 뱉은 다음 나를 향해 내쏘았다.

「오빤 뭐가 잘났다구! 한국에서 오빠가 한 일 생각 안 나? 그 꼴에 왜 자꾸 내 일에 참견이야?」

정희는 분명 「내 일」이라고 했다. 악쓰는 계집애를 바라보면서 나는 어깨에 힘이 빠졌다. 정희는 이렇게 뻔뻔스럽게 변해 있었다. 내가 한국에서 재두, 형표, 석필이와 함께 벗겼던 계집애는 그냥 울었을 뿐이다. 그리고 부모한테 제 몸이 더럽혀진 것을 일러바쳤던 것이다. 나는 정희 계집애를 죽이고 싶었다. 그러나 마음과는 달리 입에서는 애원이 담긴 신음이 흘러 나왔을 뿐이다.

「정희야, 우리가 여기 와서 이렇게 살려고 왔냐?」

「한국에 살았으면 이것보다 더 더럽게 살았을 거야. 엄마두 아버지두 나처럼 더럽게 살았던 거야.」

정희는 앙칼지게 내뱉었다. 어머니가 쓴 글을 함께 읽고 난 뒤에 부쩍 변해 버린 정희였다. 어린 계집애 가슴에 파인 상처는 치유 불가능한 것이었다. 나는 공범자로서 몹시 괴로왔다. 그 글

을 함께 읽은 것이 몹시 후회가 됐다. 그러나 쏘아 놓은 화살이
었다. 정희와 나는 어머니의 글을 읽고 나서 다 같이 우리가 벗
어날 길 없는 깊은 늪 속에 빠져 버렸음을 깨달았다. 우리는 그
때부터 우리가 읽은 그 글에 대해서 단 한마디도 의견을 나눈 일
이 없었다. 입을 떼어 말할 필요가 없었던 것이다. 그 글 속의
내용들은 이미 우리들 각자의 몸 속에 전염되어 그 뿌리를 그악
스럽게 박아 버렸기 때문이다.

이제 그 글 속의 내용들은 전연 우리들의 문제였다.

물론 우리는 어머니를 이해하기 위해서 그것을 훔쳐 읽었던 것
이다. 미국에 오면서부터 그렇게 어처구니없이 사람이 바뀌어 버
린 어머니에 대해서 우리 식구들은 아연할 수밖에 없었다. 환경
이 바뀐 데서 오는 일시적인 조울증이겠거니 하고 그냥 대수롭지
않게 생각했던 게 잘못이었다. 그러나 어머니는 3년 세월이 흘러
가기까지 처음과 똑같이 멍청한 얼굴로 무기력한 사람이었다. 꼭
넋 나간 사람이 그럴 것이다. 어머니는 한국에서 우리와 함께 익
힌 그 몇마디의 영어조차 입에 올리지 않았다. 그네는 집안 식구
들하고도 필요한 말만 했다. 자기의 의견을 내놓거나 남이 하는
일에 대해서 이렇다 저렇다 간섭을 하는 일도 없었다. 한국에서
그처럼 부지런히 뛰어다니며 식구들을 먹여 살리기 위해 안간힘
하던 그네의 생활력은 거품처럼 꺼지고 그네는 빈 쌀자루처럼 휘
주근하게 늘어져 버렸다. 우리 식구들은 그렇게 변해 버린 어머
니를 향해 애원도 해 보았고 때로는 윽박질러 보기도 했지만 어
머니는 한결같이 멍청했다.

「아베 귀신이 붙은 거야.」

중학교 다니는 막내가 엄마 문제에 대해서 한마디 했다. 우리
식구들은 막내의 말을 못 들은 척했다. 아베에 대한 얘기는 누구
의 입에서도 꺼내기 겁내는 하나의 터부처럼 돼 있었던 것이다.
우리가 처음 이민 올 때 공항까지 마중 나온 고모마저도 아베에
대해서 말하지 않았다. 이민 초청장을 보낼 때부터 아베의 얘기

는 빠져 있었는지도 모른다. 어떻든 우리들은 어머니의 그 우울
증이 아베에게서 비롯되었다는 것을 너무나 명확히 알고 있으면
서도 그 사실을 입 밖에 내기를 꺼렸다. 그러나 막내가 어머니한
테 아베 귀신이 붙었다고 했을 때 우리들은 찔끔했다. 그러나 그
것은 지극히 순간적인 것이었다. 우리들은 곧 머리를 저어 그 생
각을 단연 부인했다. 아베 때문에 어머니가 그렇게 됐다고 생각
하기엔 우리들의 자존심이 허락하지 않았던 것이다.

　우리들은 단 한번도 아베를 우리와 똑같은 사람이라고 생각해
본 적이 없었다. 다만 아베가 숙명적으로 우리 집에 태어났을 뿐
우리와 같은 형제라는 생각을 가져 본 적이 없었다. 아베는 우리
에게 있어서 한 마리 쓸모 없는 짐승이나 다름없었다. 그렇다. 쓸
모 없는 강아지 한 마리보다 더 귀찮고 역겨운 그런 존재였을 뿐
이다. 나를 비롯해서 우리 남매들은 태어나 철들면서부터 아베를
보고 살아왔다. 우리 어린 눈에도 그것은 더러운 짐승에 불과했
다. 물론 아버지나 엄마는 우리들을 위해서 그 짐승이 살 수 있
는 데를 여러 군데 찾아다녔고 실제로 아베를 거기 집어넣기도
했었다. 정신박약아 수용소에서는 아예 아베를 받아들이지 않거
나 어쩌다 받아들였다 하더라도 며칠 못 가 찾아가라는 통고가
왔다. 최소한 지능이 20은 넘어야 그곳 수용소 생활을 할 수 있
다는 것이었다. 대개 그런 수용소는 만 6세부터 18세까지의 정신
박약아를 받아 수용 겸 교육을 시키고 있었다. 어떤 데는 테스트
를 해서 지능이 40 이상은 돼야 받아들였다. 그러나 아베는 지능
이란 단어를 쓸 정도의 그런 인간이 아니었다. 백치 중에도 가장
심한 정도였다. 그리고 우리가 한국을 떠날 때 이미 그는 스물여
섯 살이란 나이를 주워먹고 있었던 것이다. 26세의 갖은 병신이
사지를 뒤틀어 가며 입을 벌려 말할 수 있는 것은 「아베」란 두 음
절의 음성뿐이었다. 입을 어렵게 벌려 얼굴을 온통 우그러뜨리며
「아…아…아베」라고 소리내는 것이 그의 의사 표시의 전부였다.
그는 물론 대소변을 가리지 못했다. 몸의 균형이 불완전해 먼 곳

까지 걸어가지도 못했다. 그는 죽으나 사나 방구석에만 박혀 지독한 냄새를 피우고 있었을 뿐이다. 아베로 인해서 우리 집은 저주받은 집처럼 항상 침침하고 휘휘했다. 내가 문제아로 낙인찍힌 것도 우리 집의 가난에서 온 것만은 아니었다. 아베가 있는 그 질식할 것 같은 집안 분위기 때문에 나는 매일매일 미쳐 가야만 했던 것이다. 그때 형표들과 산에서 계집애를 벗긴 것도 아베에 대한 분노였다고 나는 구실을 찾아 가지고 있었다. 아베에게 정상적으로 발달돼 있는 것은 그의 성기였다. 그는 어렸을 적부터 여자만 보면 그것이 어머니고 누이동생이고를 막론하고 달라붙어 사타구니를 비벼댔다. 낮잠을 자는 정희의 몸에 달라붙은 아베를 직접 내 눈으로 보았을 때(정희는 그때 다섯 살이었다) 나는 이미 그를 인간으로 생각하지 않았던 것이다.

그러한 인간 이하의 아베를 한국에 버리고 왔다 해서 우리 식구들이 죄의식으로 피로와야 한다는 것은 있을 수 없는 일이라고 나는 못박아 생각해 왔다. 아무리 자기 몸에서 난 자식이라고 해도 아베 같은 동물로 해서 어머니가 그처럼 괴로와하고 정말 백치처럼 사람이 변해야 한다는 것은 우리로서는 도저히 이해할 수가 없었던 것이다.

그럴 즈음 정희가 어머니의 트렁크 밑바닥에서 그 노트를 찾아낸 것이다. 우리는 숨을 죽이며 그 노트를 읽어 나갔다. 단숨에 읽었다. 그리고 황황히 그 노트를 덮어 버렸다.

우리가 알아낸 비밀은 아베가 우리 아버지의 피를 받지 않았다는 사실이다. 어머니의 먼저 남편의 씨가 아베였던 것이다. 가봉자. 이 놀라운 사실은 어떻게 생각하면 아베를 한국에 버리고 온 우리들의 죄의식이 다소 가벼워질 수 있는 성질의 것이었는지도 모른다. 그러나 문제는 그 반대였다. 정희와 나는 그 사실을 안 순간부터 진정 아베에 대해서 생각하기 시작했던 것이다.

「헤이, 지노 킴!」

내가 무척 느리게 걸었던 모양이다. 시가지에 이르기도 전에
토미가 따라붙었던 것이다. 나는 그와 약속을 했었다. 첫 외출시
서울 나들이를 함께 할 것을 신병 훈련소에서부터 약속했다. 지
난 밤에도 사병 클럽에서 그는 그것을 일깨웠다. 오우케이, 나는
다시 한번 다짐했다. 그러나 오늘 나는 토미 몰래 영내를 빠져나
왔던 것이다. 공연히 그런 심사가 나를 충동질했다. 그것은 이제
까지 내가 그들에게서 받은 수모에 대한 앙갚음이었는지도 모른
다. 그러나 토미는 내 친구였다. 나보다 한 살 아래인 스물 하나
에 몸집이나 키는 나의 거의 두 배에 가까웠다. 그는 미국 사람
치곤 정확한 영어 발음을 가지고 있었다. 그는 애틀랜타 출신으
로 하바드 대학 재학중에 한국 지원 입대를 했다. 미국 밑바닥
인생이 기어드는 데가 한국 지원병인 전례와는 달리 그는 내가
아는 한 뭘가 얻으러 한국에 온 게 분명했다. 내가 미국에서 4년
간 겪은 미국인은 대개 두 가지 유형이었다. 하나는 상류사회를
형성하고 있는 전형적인 미국인으로서 가히 초강대국의 국민다운
풍모를 갖춘 청교도풍의 도덕적으로 거의 완전무결해 뵈는 사람
들이었고, 그 반대는 우리에게 대체로 짚이는 그런 자유분당하면
서 반도덕적인 면을 다분히 갖춘 사람들이었다. 후자의 인간들은
그 어떤 한국인보다 철저하게 파렴치하고 난폭했다. 토미는 전자
에 속하는 인간이었다. 그는 유색인종에 대해서 아무런 편견을
가지지 않고 있는 것처럼 보였다. 그러나 그러한 태도가 바로 그
네들의 우월감에서 비롯되는 것이라는걸 알기란 어렵지 않다. 그
는 처음부터 내게 호의를 보여 왔다. 자기가 가는 한국에 대해서
많은 걸 알고 싶어했다. 우리가 생각하는 것보다 미국 사람들은
한국에 대해서 무지하거나 알고 있더라도 그 내용이 터무니 없는
것이기 일쑤였다. 토미만 해도 나를 만났을 때, 헤이 차이니즈——
라고 불렀다. 얼굴이 넓적한 동양인은 다 차이니즈였다. 그들은
고집스럽게도 미국 속의 한국인을 잘 인정해 주려 들지 않았다.
한국 문화와 중국 문화를 같은 것으로 보려 했다. 토미는 내가

써 보이는 한글에 흥미가 없었고 유독 그 어려운 상형 문자인 한문 글자에 호기심을 보였다. 더 분통이 터지는 것은 일본에 대한 그들의 동경이었다. 대부분의 지아이들은 일본에 휴가를 나가 아름다운 추억을 남기는 게 꿈이었다. 그들은 한결같이 한국을 이야기할 때는 언제나 중국과 일본의 일부로서 전제를 삼았다. 미국 사람을 만나 한국을 얘기하면 국력이 어떤 것인가를 실감하게 되는 것은 그 때문이다.

「코리아, 아름다운 미인의 나라.」

토미는 내게 우정의 표시로 한국을 아름답게 얘기하기도 했다. 그것은 그가 어린 시절 자기 집 정원사였던 흑인 영감을 통해서 얻은 생각이었다. 아마 그 흑인은 한국 전쟁이 일어났을 때 참전했던 용사였던 모양이다. 그 늙은이의 입을 통해서 묘사된 한국은 아름다운 나라였던 것이다. 그것은 그 늙은이가 만년에 외로움을 느끼면서 왕년의 그 한국전 참전 시절이 마치 영웅의 그것처럼 회상되었기 때문에 그럴 수밖에 없었을 것이다. 추억은 아름다운 것이니까. 그러나 추억이 결코 아름답지 못한 사람도 많다. 바로 어머니의 과거가 그런 것이다. 어머니를 범한 그들에게 있어서 한국은 아름다운 여인의 나라일 수도 있겠지. 나는 길바닥에 침을 뱉었다.

「헤이, 킴, 우리 서울에 가는 거지?」

그들 꺽다리들 속에서 그렇게도 똑똑하고 의연해 보이던 토미가 막상 한국 땅 한국 사람들 틈에 끼이자 그렇게 얼뜨기처럼 보일 수가 없었다.

「토미, 나 오늘 서울 가는 게 아니다. 나 다른 약속이 있다.」

토미는 어린애처럼 시무룩해졌다. 무척 실망한 얼굴로 어쩔 줄 몰라했다.

「토미, 내가 서울 가는 버스에 널 태워 주겠다.」

토미는 즐거운 얼굴을 했다. 미지의 세계에 대한 호기심이 그의 얼굴 가득 넘쳐 보였다.

우리들은 시외버스 정류장에 와 있었다. 서울과는 정반대의 시골이 종점인 구형 버스가 텅텅텅 발동을 건 채 출발을 서두르고 있었다. 나는 매표소로 뛰어가 그 시골행 표를 끊었다.

「토미, 저거 서울 가는 차다. 여기 표가 있다. 내가 너를 위해 끊었다.」

토미가 댕큐를 연발하며 그 커다란 덩치를 그 시골행 버스 속에 집어넣자 나는 그의 등 뒤에 대고 소리쳤다.

「헤이, 토미, 한국은 아름다운 나라다. 재미 많이 보거라!」

버스는 만원이었다. 땀냄새 나는 시골 사람들이 꾸역꾸역 들어박힌 그 낮고 헌 시골 만원 버스 속에서 키가 큰 토미가 상체를 숙인 채 끼여 서 있는 게 보였다. 토미에게 준 내 우정이었던 것이다. 지열이 훅훅 끼쳐드는 더위였다.

서울행 버스 매표소엔 사람들이 줄을 서 있었다. 나는 그 줄 맨 끝에 붙어 섰다. 바로 내 앞에 머리를 길게 늘어뜨린 여자가 비취백을 들고 서 있다가 뒤에 바싹 붙어서는 나를 힐끗 쳐다봤다. 한눈에 잘 생긴 얼굴이었다. 얼굴에서부터 몸매까지 동양적인 그런 미를 갖추고 있었다. 선이 부드럽고 피부 또한 깨끗했다.

「여기가 서울 가는 버스표 끊는 뎁니까?」

나는 짐짓 영어식 억양으로 말했다. 여자가 다시 한번 나를 돌아다보았다. 약간 경계의 빛을 보이는 그 눈이 맑았다. 나는 그네의 가슴 위에 꽂힌 여자대학 배지를 보았다. 그네는 내가 입은 체크무늬 요란한 남방과 피엑스에서 사 신은 코가 뭉퉁한 구두를 내려다보며 얼마간 신기해 하는 눈빛을 했다. 나는 뒷주머니에서 지갑을 꺼내 피엑스에서 바꾼 고액권 화폐뭉치 중에서 두 장을 빼어 그네 앞에 내밀었다. 그네가 옆으로 한 발짝 비켜 서며 얼굴을 붉혔다.

「나 어렸을 때 한국 떠나 모르는 거 많습니다. 아가씨, 도와주십시오. 이 돈으로 아가씨 표까지 끊을 수 있는지 나 잘 모르겠읍니다.」

　그네는 잠시 머뭇거리더니 만 원짜리 두 장 중에서 한 장만 뽑아들면서 말했다.
　「저기 저쪽에 있는 빈 차 옆에서 기다리고 계세요.」
　외양과는 달리 목소리는 퍽 투박스러웠다. 나는 굽실거리며 그네가 가리킨 버스 옆으로 다가갔다. 나는 침을 삼켰다. 나는 이씨 가게의 점원이 아니라 이제는 한국을 도우러 온 지아이다.
　「표 여기 있어요. 제 껀 제 돈으로 끊었어요.」
　그녀는 새침한 얼굴로 잔돈과 함께 표를 내밀었다. 표를 받아들면서 나는 문득 이씨의 말을 생각했다. 그 여자도 이렇게 새침데기였다. 열살 때 미국에 왔다는 그네는 늙어 죽을 때까지 미국 생활에 동화되지 못할 그런 타입이었다. 그네는 바깥 출입을 일체 하지 않았다. 원인은 그네의 소아마비에 걸린 다리 때문이었다. 이씨 말로는 그 딸의 소아마비를 고치기 위해 미국에 왔다고 했다. 실상 돈도 많이 없앤 모양이었지만 여전히 젤름젤름 걸었다. 우습게도 이씨는 나를 자기 딸에게 접근시키려고 했다. 툭하면 자기네 아파트에 심부름을 시켰다. 내가 찾아갈 때마다 그네는 돈벌이로 하는 구슬 꿰기를 하고 있었다. 지루하지도 않아요? 내가 동정하는 투로 물을 때마다 그네는 똑같은 대답을 했다. 지루해요. 나는 그네의 빈약한 젖가슴을 훔쳐보곤 했다. 그럴 때마다 쓸쓸한 바람이 가슴으로 불었다. 미국에서 내게 향수를 불러일으키는 것은 그네의 빈약한 젖가슴이었다. 나는 그네에게서 고국을 떠나 사는 사람들의 좌절과 그 깊은 절망의 하소연을 듣는 듯했다. 나는 숨이 막힐 것 같아 그곳을 도망치듯 빠져 나오곤 했다.
　「제가 창문 곁에 좀 앉았으면 좋겠어요.」
　버스에 먼저 올라 좌석 번호대로 자리를 잡고 앉았는데 아까 그네가 제 표를 내보이며 옆에 서 있었다.
　「아, 좋습니다.」
　나는 황급히 일어나 그네가 창문 곁으로 앉도록 도와준 다음 그네에게 몸이 닿지 않도록 떨어져 앉았다. 나는 여행 가방에서 껌 한 통을 꺼내 그네에게 내밀었다. 그네가 살짝 웃입술을 움직여 웃으며 그것을 받았다.

「대학에 다니십니까?」

나는 짐짓 그네의 불룩한 젖가슴께를 더듬어보며 말했다. 그네가 대답 대신 껌을 뜯어 내게 한 개를 내밀었다.

「영어 잘 하십니까?」

나는 우정 내 한국 발음을 서툴게 하며 물어 보았다. 그러자 그네의 얼굴이 금세 발갛게 물들며 겨우 들릴 정도의 목소리로,

「전연……」

「방학중이십니까?」

「아직……여기 이모네 산장에 잠깐 들렀다 갈 일이 있어서 다녀가는 길이에요.」

「아, 집이 서울에 있읍니까?」

「네, 서울 가회동.」

「가회동——나도 잘 압니다. 우리 고모님 거기 오래 사셨읍니다.」

나는 거짓말을 입에 침 한번 바르는 일 없이 잘 해냈다. 고모는 가회동에 살지 않았다. 우리에게 고모가 있다는 것을 알게 된 것은 내가 중학교에 입학했을 때였다. 얼굴 화장이 야하고 몸치장 또한 요란한 여자 하나가 우리가 살고 있는 빈민촌에 나타났다. 아버지가 그 여자를 보자, 순자야! 외마디 소리를 쳤다. 오빠! 17년만에 처음 만나는 나이든 오뉘의 극적인 장면은 그야말로 울음바다였다. 울고 웃고 서로 더듬어 그 실체를 확인하면서 이 세상에 단 둘만 남겨졌던 6·25 때의 비극 한 토막이 연극처럼 펼쳐졌다. 그러나 그것을 지켜보는 우리 남매들은 그 여자의 천해 뵈는 얼굴과 아버지의 어른답지 못한 그 울음소리 때문에 몹시 낭패스러웠다. 그때 아베 나이 스물 둘이었다. 그 성년의 숫놈이 고모의 허리에 매달려 껍적껍적 이상한 짓거리를 했던 것이

다. 고모가 기겁을 하면서 아베를 밀어 던졌다. 우리들은 깔깔거려 웃었다. 진구가 아베의 목에 줄을 걸어 방으로 끌고 들어갔다. 아…아…아베… 아베가 진구한테 매를 맞고 있었다. 어머니가 방으로 뛰어들어갔다. 저것이 내 맏이일세. 아버지가 아베가 들어간 방 쪽을 턱으로 가리키며 고모한테 말했다. 어떻든 고모는 우리 집에 자주 나타났다. 그 귀한 미제 물건과 과자가 우리 집 구석구석 나돌았다. 그네는 미국으로 떠나기 전까지 남편 셋을 바꿨다. 흰둥이 하나와 검둥이 둘, 그러나 국제결혼을 해서 함께 미국으로 들어간 것은 나이가 많은 흑인 싸진이었다. 그 흑인은 한국을 떠나기 전 우리 집에도 서너 번 왔었다. 고모를 끔찍이 위했다. 얘가 글쎄, 미국 가서 죽을 때까지 함께 살겠다잖아. 고모는 그 흑인을 얘라고 했다. 그 흑인이 올 때마다 엄마는 방안에 들어박히거나 이웃으로 도망을 치는 등 허둥거렸다. 아베 역시 깜둥이를 무서워해 아예 방에서 나오지도 않았다.

「한국에서 미국으로 가신 지 오래 되셨나요?」

옆에 앉은 여자가 물어왔다. 버스가 미군 부대 옆 아스팔트 위를 달리고 있었다.

「누구 말입니까? 우리 고모님?」

그네가 가볍게 고개를 저으며 턱으로 나를 가리켰다.

「아, 나, 진호 킴, 킴진호입니다. 한국에서 아홉 살 때 미국갔읍니다.」

「그런데 우리 말이 퍽 유창하시네요.」

그네는 대담하게 나를 맞바로 훑어보며 말했다.

「나 미국에서 한국어 공부 계속했읍니다. 한인학교에서 1등 했읍니다.」

그네는 눈을 동그랗게 해가지고 다시 나를 바라보았다.

「나 하바드 대학 재학중에 한국에 나오기 위해 휴학했읍니다.」

「어머, 그러세요? 거기서 뭐 전공하셨는데요?」

「한국 여성학.」

「어머, 농담.」

「장난 말 아닙니다. 나 전공하는 내륙 아시아 문제 중에는 한국 여성에 관한 부분도 있읍니다. 아가씨처럼 비유티플한 동양미인.」

「놀리시는군요.」

그네는 얼굴 전체를 붉게 물들여 수줍게 웃은 다음 다시 시선을 주며 말했다.

「한국에 오래 계실 건가요? 1년, 2년……?」

「1년 기한입니다. 그러나 내가 찾는 사람 만나지 못하면 더 연장합니다. 나 그 사람 꼭 만나야 합니다.」

「그렇게 꼭 찾아 만나야 할 분이 누구신데요?」

그네가 다시 얼굴을 살짝 붉히며 물어왔다.

「글쎄요, 알아맞춰 보십시오. 미스……?」

「미스 박이에요.」

「미스 박, 내가 찾고 있는 사람 알고 싶습니까?」

「네, 알고 싶어요.」

「알아맞춰 보십시오.」

그네는 손가락을 입에 대고 고개를 갸웃한 채 잠시 생각하는 시늉을 해 보였다.

「혹시 유치원 때 짝궁이 아닐까요? 여자 짝궁 말이에요.」

그네는 거침없이 웃으면서 내게 접근했다. 가짜 하바드 대학생은 기분이 좋았다. 그러나 가슴은 허망했다.

「아닙니다. 나 유치원 다니지 못했읍니다. 그때 우리 집 매우 가난했읍니다.」

가난했다. 아버지가 무능했던 것이다. 속셔츠 하나 제대로 입지 못하고 그 추운 겨울을 지냈다. 아베, 아베가 우리 집에 살고 있기 때문이라고 우리 남매들은 생각했다. 어머니와 아버지가 집에 없을 때 우리들은 아베의 밥을 빼앗아 버렸다. 물도 먹이지 않았다. 아베의 목에 줄을 매어 문고리에 잡아매었다. 아베는 그

목걸이를 풀어낼 능력도 갖추지 못한 저능아였다.

「그럼, 국민학교 I학년 때 짝꿍?」

「국민학교 I학년 때 내 짝꿍은 죽었읍니다. 소아마비로 다리를 절었읍니다. 구슬을 예쁘게 잘 꿰었읍니다. 늘 고향에 가고 싶다고 울던 아이였읍니다.」

이씨의 딸은 내가 고국으로 나가게 됐다고 했을 때 그 멋기 없는 얼굴이 온통 붉게 상기됐다. 그네가 꿰던 구슬은 바닥에 흩어져 굴렀다. 내가 손을 내밀자 그네가 마주 잡았다. 손이 뜨거웠다. 나는 그네의 볼에 처음으로 입을 댔다. 그네가 떨고 있었다. 나는 쫓기듯 그네 곁을 떠났다.

「참 시원하네요.」

창밖에 비가 내리고 있었다. 소나기였다. 빗속에 시골 풍경이 서서히 지나갔다. 빗발이 세지면서 운전대 앞 윈도우 브러시가 급하게 빗발을 씻어내리고 있었다. 통풍을 위한 버스 천장의 뚜껑에서 빗물이 흘러내렸다. 그 여름 물난리 때 나는 아베를 처치할 계획이었다. 하루 내내 계속된 폭우에 제방 둑이 허물어지고 있었다. 둑 밑의 사람들이 높은 지대로 대피를 하느라 수라장을 이루었다. 우리 집도 짐을 싸 가지고 근처 국민학교로 옮겼다. 아베만 남겨 놓고 갔다. 어머니를 속였던 것이다. 마지막 짐을 가지고 간 내가 어머니한테 말했다. 아베가 없어졌어요. 물론 어머니와 아버지가 허둥지둥 그리로 달려갔고 얼마 후에 그네들은 당황한 얼굴로 돌아왔다. 아베가 없구나, 모두 나가서 다시 찾아 보자. 아버지가 말했다. 비는 더욱 줄기차게 내리고 있었다. 제방이 뚫렸대요. 사람들이 아우성쳤다. 나는 혼자 웃었다. 미리 떠나 버린 남의 집 빈 구석방에 아베를 가둬 놓고 왔던 것이다. 어머니는 밤새도록 밖에서 비를 맞으며 아베를 기다렸다. 나는 교실 마룻바닥에 누워 눈을 지레 감았다. 잠이 오지 않았다. 결국 더 참지 못하고 밖으로 뛰어나가 어머니한테 내가 한 짓을 말해 버렸다. 그리로 달려가는 어머니를 아버지가 붙들고 늘어졌다. 다

26

음날 날이 개었다. 우리 식구들은 새벽같이 우리들이 살던 동네로 달려갔다. 우리 동네의 토담집들은 흔적도 없이 물에 쓸려가 버렸다. 어머니가 그 개울 바닥이 된 집터 위를 허둥허둥 뛰어다녔다. 아베의 흔적은 아무 데도 없었다. 그러나 그날 오후 우리들은 언덕 위에 있는 파출소에서 아베를 찾았다. 아…아…베… 그는 어머니 품에 안겨 킁킁거렸다. 아베의 나이 스물 한 살 때였다. 천덕꾸러기가 명은 길대요. 이웃 사람들이 혀를 차면서 말했다.

「미스타 김이 찾고 계시는 분이 남자예요, 여자예요?」

소나기가 지나가면서 다시 햇볕이 유리창으로 비껴 들었다. 미스 박이 창에 커튼을 펴면서 물었다. 남자예요, 여자예요?

「글쎄요, 그것부터 맞춰 보십시오.」

그네가 고개를 살래살래 흔들며 웃었다.

「숙잽니다. 다음 주 토요일 서울에서 다시 만날 때까지 시간을 드리겠읍니다.」

「어머어머……」

그네가 밉지 않게 눈을 흘기면서 마치 내 등이라도 때릴 것처럼 손을 들어올렸다 놓았다. 나는 머리 속에서 그네와의 정사를 그려 보았다. 그네의 벌거벗은 몸뚱이가 보였다. 나는 고개를 저어 그 생각을 지워 버렸다. 벌거벗은 계집애 그것은 정희였던 것이다.

「정말 다음 주에 또 서울 나오시는 거예요?」

그네가 스스럼없이 웃어 보이며 물었다. 버스가 서울 변두리 고개를 넘고 있었다. 가슴이 뛰었다.

「미스 박을 만나기 위해 또 나옵니다.」

「제가 오늘 커피 사 드리겠어요. 고국에 오신 기념으로요.」

나는 고개를 저어 보였다. 고개 위에서 내려다보이는 서울 도심의 매연 자욱한 하늘이 내게 형언할 수 없는 불안을 안겨 주었다. 영내를 빠져 나올 때의 그 어깨 우쭐함이 버스 속 미스 박과

의 허황된 대화를 통해 여지없이 박살난 사실을 나는 깨닫고 있
었다. 나는 비로소 내 몸뚱이가 꺽다리들 겨드랑이에 겨우 미치
는 그런 단신이란 열패감이 가슴으로 밀려왔다. 재두, 형표, 석
필이 얼굴이 떠올랐다. 나는 문득 내 옆에 앉은 여자 앞에 내 팔
뚝을 내보였다. 길다란 칼자국 그 꼭대기로 움푹 들어간 두 개의
담뱃불로 지진 자국이 선명히 드러나 있었다.

「이담에 만나 설명해 드리겠읍니다.」

놀란 그네를 향해 내가 말했다. 버스가 종점에 닿고 있었다. 그
네는 서둘러 수첩을 찢어낸 다음 거기다가 자기 이름과 전화번호
를 적어 내게 건넸다. 나는 그 메모쪽지를 받아 넣고 뒤도 돌아
보지 않은 채 버스에서 내리자 인파 속으로 섞여들었다.

4년 전과 다름없이 우리가 살던 산동네로 가는 노선의 시내버
스는 초만원이었다. 나는 그 만원 버스 속에 땀내 나는 사람들과
살을 비비고 서서 비로소 내가 한국 땅에 다시 돌아왔다는 감회
에 젖을 수 있었다.

큰 건물이 몇 개 더 들어섰을 뿐 산동네의 길은 여전히 좁았고
산비탈의 집들은 다닥다닥 처마를 맞댄 채 게딱지처럼 달라붙어
있었다. 4년 전보다도 TV 안테나가 훨씬 더 많이 눈에 띄었다.
나는 고개를 숙인 채 시장통을 급히 걸었다. 아는 사람을 만날
것 같은 두려움이었다. 극장 옆에 못보던 여관 하나가 제법 반듯
한 규모로 서 있고 그 앞에 관광 표지판이 하나 서 있었다. 산동
네 뒷산 사찰 이름들이 크게 씌어 있었다. 천수 약수터란 데도
나타나 있었다. 몇 년 전 형표들과 어울려 놀던 그 뒷산 우리들
의 터가 이제는 관광지로 변해 있었던 것이다.

여관은 창문마다 모기장이 쳐 있었으며 선풍기까지 내다 주는
등 손님을 반기는 품이 손님이 꽤나 없는 모양이었다. 열 일곱
그때 내 나이쯤 돼 보이는 남자애가 숙박계를 가져왔다. 나는 거
기다가 내 부대 이름을 영어로 갈겨 썼다. 이름만은 한글로 썼다
김진호.

「이게 뭐예요?」

여관 보이는 내가 갈겨 쓴 영어를 기웃거리며 물었다. 숨은 간첩 신고하여 광명 주고 상금 타자——그런 표어가 여관 숙박 요금표 옆에 붙어 있었다.

「임마, 나 간첩이 아니니까 안심해!」

나는 그에게 천 원짜리 다섯 장을 주었다.

「너, 내 심부름 좀 해 줄래?」

놈은 몹시 수줍어하며 내가 시키는 대로 종이쪽을 가져왔다. 나는 그 종이 위에다가 재두, 형표, 석필이네 집의 약도를 차례로 그리며 자세히 설명해 주었다.

「집에 없으면 들어온 다음에 이리로 오라고 전해 놓고 오는 거야. 여기 이 두 집은 셋방살이 하는 집이니까 아마 이사갔을지도 모른다. 가능하면 그 이사간 데까지 알아오는 거야. 너 돈 더 필요해?」

「아, 아니에요!」

놈은 두 손을 휘저어대며 물러갔다. 그가 물러가고 십 분쯤 후에 나는 여러 사내에게 둘러싸였다. 그 여관 간이 목욕탕에서 샤워를 하고 내 방으로 돌아오고 있을 때 그들이 나를 에워쌌다. 사복 차림의 사내들 뒤에 경찰 정복을 입은 사람도 셋이나 보였다. 내 방까지 끌려가 그들에게 신분증을 꺼내 보였다. 어쩐 일인지 나는 하나도 불쾌하지 않았다.

「이거 정말 미안합니다. 요즘 서울에 강력 사건이 여럿 생겨서 비상이 내려 있기 때문입니다.」

나는 숨을 내쉬었다. 다행스럽게도 그들 중에는 내가 아는 얼굴이 없었기 때문이다. 형표들과 함께 드나들던 그 낯익은 경찰서 유치장이 떠올랐다. 나는 그들에게 가방에서 꺼낸 윈스턴 한 케이스를 내밀었다. 그들은 물러갔다. 여관 주인과 먼저의 그 사내애가 내 앞에 오천 원을 그대로 내놓았다.

「임마, 넣어 둬, 네가 잘못한 게 아냐!」

나는 점잖게 한마디 했다.

「아저씨, 제가 그 사람들 꼭 찾아서 이리 데리고 오겠어요.」

사내애가 아직 얼굴을 잘 듣지 못한 채 말했다. 오우케이. 나는 길게 기지개를 켠 다음 방바닥에 벌렁 드러누웠다.

천장의 무늬를 바라보면서 나는 생각했다. 그래, 여기서부터 시작하는 거다. 그것이 무엇인지 확실하지는 않았지만 나는 내가 해야 할 일이 있음을 벌써부터 생각해 왔다. 폐인이 돼 버린 어머니를 위해서, 그 빈약한 젖가슴을 바라보면 가슴이 쓸쓸해지는 이씨 딸을 위해서, 나는 그네들이 필요한 사람이 되고 싶었던 것이다. 뭔가 그들을 싱싱하게 소생시켜 놓을 그런 힘이 내 몸 속에서 분수처럼 솟아오르길 얼마나 고대해 왔던가. 그러나 번번이 내 자신이 그네들 이상으로 무기력한 상태에 놓여 있음을 깨닫지 않으면 안 되었다. 미국이란 커다란 괴물체 속에서 나는 결코 창조적 삶을 꾸려 나갈 수 없다는 것을 깨달았을 때의 좌절감이 내 몸 속에 암처럼 번져가고 있었다. 그것은 열 여덟 나이로 이민을 가 처음 부딪친 언어의 장벽을 뚫지 못한 나의 심한 컴플렉스에 기인했다. 나는 누구보다 열심히 그쪽 생활에 젖어들려 노력했다. 직업의 귀천 없이 자기가 일한 만큼의 급료를 주머니에 넣을 수 있는 미국 사회 구조에 매혹된 것이다. 그런 면에서 미국은 가히 유토피아였다. 한국에 나오기 위해 군대에 들어가기 전 나는 주유소 펌프맨, 그리고 세차장의 호스맨, 혹은 교포들이 경영하는 생선가게나 청과점에서 일했다. 한국에서 대학을 나온 사람들이 나와 함께 일했다. 이씨만 해도 한국에서 대학 강단에 섰던 경력을 가지고 있다. 그들은 현재 자기의 삶의 방식을 다 옳은 것으로 생각하고 있었다. 그들은 물질의 가치 그 이상의 것을 생각하고 싶어하지 않았다. 자기의 삶이 그 어떤 커다란 것에 보탬이 돼야 한다는 것을 용납하려 들지 않았다. 나는 이러한 자기중심적인 미국식 서민 생활에 혐오감을 갖기 시작했다. 나는 어머니를 끌고 한인 교회에 나가 봤다. 물론 그들은 거기서 마룻바닥을 치며 통곡했다. 그렇게 그들은 구원받고 있었다. 아니다. 구원받는 게 아니라 구원받았다고 생각하고 있었을 뿐이다. 목사가 어머니를 위해 기도했다. 어머니의 영혼을 구제하기 위한 내용이 아니었다. 어머니가 그 교회 식구가 돼 준 데 대한 환영 일색의 내용이었다. 어머니는 아버지에게 끌려 다섯 주일쯤 교회에 나갔을 뿐이다. 그 누구도 어머니를 구원할 수 없었다.

「애들아, 오늘은 모두 교회에 나가자.」

아버지가 말했다. 한국에서 아버지는 교인이 아니었다. 우리 식구 중에서 미국 생활에 제일 빨리 적응된 것은 정희와 아버지였다. 미국에 오면서 아버지는 백 팔십도로 사람이 달라졌다. 미국의 모든 것이 아버지에게 잘 맞았다.

어머니가 한국에서의 그 강인한 생활력을 잃고 폐인이 돼 버린 것과는 너무나 대조적으로 아버지는 싱싱하게 부풀어올랐다. 아버지는 한국에서 전형적인 실업자였다. 아버지에게 맞는 일이 아무것도 없었다. 나는 그것이 아버지의 체질이라고 생각했다. 아버지는 한국적 체질이 아니었다. 물론 아버지는 인텔리였다. 6·25가 났을 때 대학 재학중이었다. 나는 아버지의 무기력하고 얼뜬 것 같은 생활 태도가 바로 배운 사람의 그 사변(思辨)적 집념에 기인한다고 생각해 왔다. 아버지는 많은 직장을 가졌지만 단 몇 달을 견디지 못하고 물러났다. 당신 스스로는 자식들을 위해서 견딜 수 있는 데까지 견뎌 보기 위해 안간힘을 다했을 것이다. 그러나 번번이 헛일이었다. 직장을 그만두고 나면 한 달이고 두 달이고 집에 들어박혔다. 그때부터 가난하고 좁은 우리 집의 공간은 숨통이 막힌다. 아버지의 커다란 체구가 좁은 방안을 가득 채우고 누워 있으면 그 옆에 아베가 입을 벌려 더러운 냄새를 뿜어내며 잠들어 있었다. 아베는 어머니만큼 아버지를 좋아했다. 아버지가 아베를 위했기 때문이다. 아버지는 가끔 서른이 가까와오는 아베와 함께 어린아이처럼 놀았다.

우리 집엔 병신이 둘이다. 나는 내 친구들한테 서슴없이 말하

곤 했다. 아버지는 가끔 남들처럼 막벌이를 하기 위해서 노동판
에 섞이기도 했다. 그러나 아버지의 커다란 체구와 도수 높은 안
경을 쓴 그 허연멀건 얼굴은 아버지가 하는 일에 너무나 어울리
지 않았다. 아버지에게 일을 시키던 사람들이 아예 아버지를 도
외시하거나 그런 일을 할 사람이 아니라고 일거리를 주지 않았다.
보험회사 수금원으로 뛰면서 집안 살림까지 해 나가는 어머니가
그러한 아버지를 아예 노동판에 나가지 못하게 했다.

아버지가 변하기 시작한 것은 미국 고모한테서 이민 초청장과
그것을 확인하는 재정보증서가 왔을 때부터였다.

「갑시다 !」

밖에서 돌아온 어머니한테 이민 초청장을 내보이며 아버지가
흥분한 어조로 말했다. 이민이 거의 확실히 결정될 무렵 아버지
는 영어 회화를 배우는 틈틈이 청계천에 있는 용접 학원에서 속
성으로 용접 기술까지 배우기 시작했다. 남이 좋다고 하는 것은
다 배우려고 했다. 태권도 도장까지 찾아가 호신에 필요한 훈련
을 받기도 했다. 오십이 가까운 아버지가 태권도 도장에서 돌아
와 몸을 뒤척이며 잠을 못 이루고 끙끙거리는 것을 본다는 것은
안타까운 일이었다. 물론 아버지는 한국에서 운전 기술까지 익히
려고 했다. 이처럼 아버지는 아이들보다 더 들떠 있었다. 그런
아버지의 흥분에 걸맞게 미국은 아버지를 받아들였다. 아버지는
어떤 종합병원의 청소부로 일했다. 하나도 어색해 뵈거나 천하지
않았다. 아버지 본인도 만족하고 있었다. 주당 백 삼십 불을 받
아다가 어머니 손에 쥐어 주면서 자기 손으로 돈을 벌었다는 데
대해서 무척 기꺼워하는 얼굴이었다. 얼마 후에는 그 병원의 야
간 경비까지 맡아 하는 등 하루 16시간을 근무했다. 얼굴이 다소
야위긴 했어도 아버지는 우리들 눈에 싱싱해 보였다.

문제는 어머니였다.

「오빠, 올케를 정신병원에 입원시킵시다.」

고모가 가끔 찾아와 말했다. 그러나 아버지는 고개를 저었다.

어떤 때는 아예 들은 척도 안했다. 처음부터 아버지는 어머니의 그 멍청한 증세에 대해서 별다른 반응을 보이지 않았다. 그저 묵묵히 어머니를 바라보고 있었을 뿐이다.

「여기선 부부가 함께 벌어야 살아요.」

고모가 어머니의 귀를 겨냥하고 면박조로 말했다. 고모는 그 늙은 흑인과 이혼하고 혼자 살고 있었다. 어떤 교포와 함께 가발 가게를 열고 있었다.

「내가 벌고 진호가 벌고……이 정도면 우리 식구 잘 살 수 있어.」

아버지가 어머니를 두둔하고 나섰다.

「올케가 한국에서는 안 그랬는데 왜 저렇게 됐대요?」

「세월이 가야 낫는 병이다.」

아버지가 가볍게 대답하고 자리를 피했다. 어머니는 창가에 붙어 서서 끝 닿는 데 없는 하늘 저쪽에 시선을 못박은 채 멍청히 서 있었다.

「얘들아, 엄마 잘 살펴라.」

아버지는 일 나갈 때마다 우리에게 어머니를 잘 살피라고 당부했다. 우리는 문득 생각날 때마다 자살 방조자가 되지 않기 위해 허둥허둥 어머니의 소재를 확인하곤 했다. 어머니는 대체로 아파트 속에 죽은 듯이 누워 있는 게 보통이었다. 가끔 아파트 아래 벤치에 앉아 그 흔해빠진 늙은이들의 추접스런 몰골을 멀거니 바라보기도 했다. 늙은이들이 아직은 중년으로 얼굴과 몸매가 고운 어머니한테 추근추근 접근해 오기도 했다. 그럴 때마다 어머니는 뿌르르 몸을 일으켜 집으로 돌아오곤 했다.

어머니에게 또 한 가지 유별나게 드러나는 점은 눈물이었다. 우리들은 자라면서 어머니가 우는 것을 단 한번도 못 보았다. 내가 아베를 빈 집 속에 가둬 놓고 말하지 않았을 때도 밤새도록 밖에서 비를 맞으며 기다리면서도 결코 울지 않던 어머니였다. 그러나 어머니는 미국 공항에 내리면서부터 울기 시작했다. 고모에게 달라붙어 울음을 터뜨렸다.

「챙피해요. 미국 사람들은 소리내어 울지 않아요.」

고모가 어머니를 핀잔 주었다.

「울게 내버려 두렴.」

아버지가 말했다.

「울면 버릇이 돼요.」

끝내 고모는 어머니의 울음을 용납하지 않을 기세로 나왔다.

「엄마, 울지 마. 청승맞아 못 보겠다.」

정희마저 고모와 함께 어머니를 핀잔 주었다. 그때부터 어머니는 소리내어 울지 않았다. 그러나 소리내어 울지 않는 대신 어머니의 눈에는 눈물이 흐르고 있었다.

「당신 너무 하는군.」

어느날 아버지마저도 어머니한테 그렇게 말했다.

「엄마, 그 눈물 좀 작작 흘려요, 정말 미치겠네.」

「엄마, 우린 자식이 아냐?」

평소 말이 없는 진구마저도 어머니의 눈물을 용서하려 들지 않았다. 그럴 때마다 어머니는 우리들 중 하나를 끌어안고 흐느꼈다. 우리들의 어머니는 그랬다. 모처럼 밖에서 좋은 일이 생겨 희희낙락 돌아왔어도 어머니 때문에 우리들은 금세 우울해졌다. 아베, 아베 때문이다. 우리들은 이를 갈았다. 이를 갈면서 우리는 비로소 우리가 두고 온 고국을 생각했다. 폭우에 쓸려간 토담집 그 빈터도 보였고 만원 버스에서 내려 허덕허덕 숨가쁘게 오르던 산동네도 보였다. 가슴이 삭막하게 조여들곤 했다.

「누나, 한국에 가고 싶지?」

막내가 정희한테 물었다.

「애, 웃기지 마, 생각만 해도 지긋지긋해, 난.」

「그래도……」

「넌 참 센치하구나, 애, 우린 미국 시민이야. 너 엄마처럼 안 되려면 정신 차려!」

정희가 막내를 쏘아붙이며 중고 천연색 TV의 채널을 후드득 돌렸다. 엄마가 어린 딸에게 경구 피임제 사용법을 일러 주는 광고 뒤에 농도 짙은 러브신이 펼쳐지고 있었다.

「아저씨, 잠 드셨어요?」
밖이 어두워 있었다. 여관 심부름하는 사내애가 방에 전등을 넣으며 말했다.
「이 사람 있잖아요. 재두란 이 사람은 벌써 오래 전에 이사갔구요. 형표란 분은 거기 그대로 살긴 하는데 작년에 군대에 갔대요.」
「용석필 이 사람은?」
「아참, 이 사람은 바로 그 아랫동네로 이사갔대요. 그래서 내가 찾아갔거든요. 그랬더니 경찰서 나가서 아직 안 들어왔대요.」
「경찰서?」
「그게 아니구요. 군대 때우는 방위병으로 거기 나가서 근무한대요. 들어오는 대로 이리로 오라고 해 놨어요.」
나는 비로소 4년 세월이 결코 짧은 것이 아니었다는 걸 실감했다. 심부름 갔다가 온 녀석은 제 소임을 다 마친 즐거움으로 문 앞에 머뭇거리며 내 눈치를 살폈다. 4년 전의 내 모습을 보는 것 같았다.
「야, 수고했다. 나 뭐 적당한 걸로 저녁 좀 시켜 줘라. 네거까지 함께 시켜.」
「뭐 잡수시겠어요? 한식, 일식……중국집도 있어요.」
「라면도 파는 데 있냐?」
「네에? 라면을 잡숴요?」
녀석이 하도 놀란 목소리를 내서 나는 그만 웃음이 나왔다. 어머니가 보험 수금을 다니느라 늦게 돌아오는 날이면 우리들은 영락없이 라면을 끓였다. 아베가 좋아하는 것도 라면이었다. 우리들은 아베의 몫은 아예 끓이지도 않았다. 아버지가 당신의 그릇에서 반쯤 덜어 아베에게 가져다 주었다.

「아저씨, 중국집에서 잡채밥 시켜요. 양두 아주 많구요, 맛두 기차요.」

「그래, 잡채밥 하나하고 짜장면 하나 시켜라, 난 짜장면이 좋다.」

녀석이 열적게 뒤통수를 긁으며 문 앞에서 사라져갔다.

나는 부대에서 가지고 나온 여행용 작은 가방을 열었다. 그 밑바닥에서 반으로 접힌 대학 노트를 꺼냈다. 미국을 떠날 때 정희도 모르게 가져온 어머니의 글이 적힌 노트였다. 정희와 함께 펴본 뒤 처음으로 열어 보는 노트였다. 틈틈이 몰래 쓴 글이라 글체가 정연하지는 못했지만 글씨는 어머니의 숨은 학식을 드러내 보이게 달필이었다.

2

1950년 6·25사변이 일어나기 두 달 전인 4월 최창배씨와 결혼했다. 내 나이 21살, 여학교를 졸업하고 돌아가신 아버지와 관계가 있었던 사립 국민학교에서 아이들을 가르치고 있을 때 이모의 중매로 창배씨와 인연을 맺게 된 것이다. 창배씨는 돈암동 이모네 집에 하숙을 하고 있는 대학생이었다. 이모네 집에 놀러간 나를 시골서 올라온 창배씨 부모들이 보고 이모한테 청을 넣어 이루어진 결혼이었다. 그의 부모님께서 결혼을 서둔 것은 마음에 드는 며느리감을 놓치기 싫다는 욕심도 있었지만 어서 빨리 손자를 안아 보고 싶다는 간절한 바람 때문이었다. 창배씨는 4대 독자였던 것이다. 우리 집 오빠 역시 어머니가 돌아가시기 전에 동생을 시집 보내야 한다는 오빠로서의 의무감 때문에 이것저것 따질 것 없이 저쪽에서 하자는 대로 따랐던 것이다. 결혼식을 며칠 앞두고 창배씨는 일방적으로 두 가지 조건을 내놓았다. 결혼과 함께 직장 생활을 그만두고 시골 자기네 집에서 자기가 학교를 마치기까지 1년간 시집살이를 하라는 것이었다. 당시로서는 그런 조건이 마땅한 것이긴 했지만 나는 뭔가 억울한 생각이 들어 늙으신 어머니한테 어쩌면 좋으냐고 앙탈을 부렸다. 애야, 출가 외인이란다. 신랑측 의견을 무조건 따르는 것이 백 번 마땅한 양가 규수의 도리라는 어머니 말씀에 나는 아쉬운 마음을 달래며 정이 든 학교에 사표를 냈다. 함을 지고 온 창배씨의 서울대학 친구들이 수십 명 우리 집 오빠며 친척들을 짓궂게 애를 먹였다. 그래도 어머니께서는 번듯한 교복을 차려 입은 사위 친구들이 대견해서 연해 벙글벙글 밤이 늦도록까지 붙잡고 술대접을 하셨다. 결혼식은 서울서 올렸다. 천생 배필로 잘 만났구면. 많은 하객들의 축하와 부러움의 눈길 속에 서울서 첫날을 보냈다.

「1년만……」

창배씨는 다음날 고향 가는 차 속에서도 전날 밤 한 말을 다시 되풀이했다. 1년만 참고 견뎌 달라는 얘기였다. 그때 내 심정은 1년이 아니라 몇 년이라도 지아비의 뜻이라면 따라야 마땅하다는 마음의 중심이 서 있었던 것이다. 대신 나는 남편의 손을 꼬옥 잡아 주었다.

창배씨의 집은 춘천에서 강 하나를 건넌 삼사십 리 길의 샘골이라는 마을이었다. 생각했던 것보다 들이 넓고 둘러친 산수 풍경이 아름다운 부촌이었다. 부면장을 지내시다 이제는 내놓고 농사일에만 전념하신다는 시아버님은 창배씨의 형이라고 해도 속을 만큼 젊어 보이고 풍신이 좋으셨다. 샘골 논밭의 삼분의 일은 시댁의 것이라고 할 만큼 많은 농사를 짓고 계셨다. 독자 집안이라 가까운 친척이 거의 없는 시아버님께서는 그 많은 농사를 지으면서도 남한테 인심을 잃은 일이 없어, 서울서 내려온 신랑 신부를 놓고 다시 잔치를 벌였을 때는 연 사나흘씩이나 인근 마을 사람들이 몰려와 축하해 주었다.

나는 백년 가약을 한 내 남편인 창배씨와 함께 꿈 같은 일주일을 보냈다. 남편은 그야말로 장래가 촉망되는 법학도였고 늙지 않으신 시부모님 또한 나를 끔찍이 위해 주셨다. 내가 살아야 할 샘골의 공기와 그 속에 사는 사람들의 인심 또한 비단결처럼 고왔기 때문에 나는 별 괴로움 없이 남편을 떠나보낼 수 있었던 것이다. 창배씨는 서울로 돌아갔다. 졸업 전에 고등고시에 합격하겠다는 결심으로 떠났고, 시부모님 역시 여름방학 전에는 일체 집에 내려와서는 안 된다는 엄한 말씀을 해서 보냈다. 나는 그동안 시부모님 모시고 시댁의 가풍과 법도를 익혀 좋은 아내 착한 며느리가 되겠다는 일념으로 눈을 감으면 떠오르는 서울 어머니와, 오빠네 식구들, 그리고 내가 가르치던 어린 눈들에 대한 그리움을 미련없이 떨쳐 버리려 노력을 했다.

이십 칸 커다란 집에 시부모님과 나, 이렇게 셋이 오롯이 모여 앉아 살았다. 행랑채에는 집 안팎 살림을 거들어 주는 심서방 내외가 애기 하나를 데리고 살았다. 그들 내외는 모두 심성이 착한 사람으로 보여 한집에 살기 거북한 일이 없이 무척 임의로왔다.

시어머님께서는 내가 부엌일을 하는 것을 극구 말리셨다.

「너를 여기 둔 것은 네가 한 밥을 얻어 먹자고 그런 것이 아니다.」

시어머님은 시아버님보다 두 살 위인 마흔 아홉이셨는데 꼭 새댁처럼 젊으셨다. 동백기름으로 그 검은 머리를 곱게 빗고 옷을 단정히 차려 입고 나서시는 것을 보면 누가 보아도 삼십 안팎이었다. 외아들을 키운 이답지 않게 마음이 넓고 활달하였다. 시아버님은 일본까지 가 공부한 이답지 않게 농사일이 몸에 배어 일꾼들과 함께 직접 논밭에 드셨다. 어느 누구보다 부지런하고 힘 또한 좋으셨다.

「어르신네, 이것 좀 거들어 주셔야겠어유.」

봉당 아래 댓돌을 다른 것으로 바꿔 놓느라 끙끙거리던 심서방이 시아버님을 불렀다.

「예끼, 이 사람, 그렇게 말해두 자꾸 어르신네가 뭔가. 나 자네 아저씰세 아저씨야.」

그러시면서 그 무거운 댓돌을 번쩍 들어 올리시곤 했다. 모 심는 데 점심을 내가도 일꾼들과 함께 어울려 잡수셨다.

나는 새벽마다 늦잠을 자 그 송구스러움이 말 못할 지경이었다. 철이 봄인지라 그러지 않아도 되었는데 시아버님은 새벽같이 일어나 내가 자는 방에 군불을 꼭 지피셨다. 방에 누기가 차면 몸에 좋지 않다는 것이었다. 나는 새벽녘 방바닥의 따스한 온기에 취해 그만 늦잠을 자곤 했던 것이다. 일어나 보면 어느덧 창에 햇빛이 비쳐들어 나는 겸연쩍고 부끄러워 방 문고리를 잡고 머뭇거려야 했다. 그러나 시아버님은 이미 밖에 나가시고 내가 일어난 낌새를 차린 시어머님께서 내 방에 대고 말씀하셨다.

「애, 악아, 나 저 웃말 좀 다녀오마.」

내가 미처 대답도 하기 전에 시어머님은 대문을 나서고 계셨다. 부엌에 나가 보면 내 몫의 밥상이 차려져 보자기에 덮여 있었다. 행랑채 강릉집이 친구가 돼 주어 아침을 함께 먹으면서도 나는 하루 내내 겸연쩍었다.

「아씨, 오늘 우리 나물 뜯으러 갈려우?」

철이 좀 늦긴 했어도 뒷산 범바위골에는 수리취, 어아리, 더덕, 고사리, 고비가 지천이었다. 산이슬에 장딴지까지 적셔 가며 그 깨끗한 산나물을 뜯다 보면 시간 가는 줄 몰랐다. 한낮이 다 돼서 그런가 나는 속이 이상하게 허하면서 메슥거렸다. 잔대 싹을 뜯어 씹어 보았다. 향긋하고 고소한 맛이 그날따라 역했다. 나는 심한 헛구역질을 했다.

「아이구, 아씨, 언제부터 그래요?」

강릉댁이 눈을 크게 뜨고 호들갑을 떨었다. 나는 며칠 전부터 이런 헛구역질을 해왔다.

강릉집은 내 얘기를 듣자 나물 뜯었던 다래끼를 집어던지고 산 아래로 내리뛰었다. 나는 산 속에 혼자 남겨진 채 얼굴을 붉혔다. 가슴이 뜨거워졌다. 시어머님은 행랑채 세 살 먹은 화순이를 당신의 손자처럼 안방에 데려다 길렀다. 그러면서 늘 내 눈치를 살

끼시는 품이 애기가 섰는가를 알아 보려 하시는 것 같았다. 그럴 때마다 나는 가슴이 두근거렸다. 자손이 귀한 집에 시집와 자손을 낳지 못하는 죄만큼 더 무서울 게 없을 것 같았다.

내가 산에서 내려왔을 때 시어머님께서는 서낭당 있는 데까지 마중을 나와 나물다래끼를 받아 안으시며 내 손을 잡아 주셨다.

「손이 차구나, 악아, 넌 이제 홀몸이 아니다. 몸을 조심해야 하느니라.」

앞서 걷는 시어머님의 걸음이 무척 허둥거렸다. 당신이 애기를 배었을 때는 나들이는 물론이고 물동이 한번 여 본 일이 없었다고 하시면서 이제 너는 집에만 있어야 한다는 당부를 수없이 하시면서 허둥지둥 걷고 계셨다. 대문을 들어서니 마당에 서 계시던 시아버님은 어흠어흠 헛기침을 하시며 뒤껼으로 돌아가셨다. 다음날로 춘천에서 용하다는 한의가 다녀가고 시어머님이 광에 매달아 두었던 참숯으로 보약을 달이셨다. 나는 좋지 않은 것을 보지 않기 위해 대문 밖 출입을 삼갔다. 창말에서 장사가 났는데 그 상여가 우리 집 앞길을 통과하지 못하도록 시아버님께서는 미리 방책을 세워 그쪽에 연락을 하기도 했다. 시어머님은 내 입에 맞을 만한 과일이며 반찬에 무척 신경을 써 주셨기 때문에 나는 오히려 몸 둘 바를 모르게 절절맨 것이 한두 번이 아니었다.

나는 밤이면 몸을 반듯하게 누이고 그이의 얼굴을 떠올렸다. 그리운 마음이 울컥 물밀 듯 밀려왔다. 당신의 아이를 갖게 됐어요. 나는 마음 속으로 말했다. 여름방학 때까지 참고 견디겠어요. 나는 비로소 한 집안의 대를 이을 자식을 내 몸 속에 키우고 있다는 생각으로 가슴이 부풀어 올랐다. 나는 두 손을 배 위에 가만히 얹고 새 생명에 대한 경건함으로 잠을 이룰 수 없었다. 문득 내가 하나의 생명의 모체가 되었다는 이 신비한 사실이 믿어지지 않아 가슴을 두근거리기도 했다. 모내기를 끝내고 애벌논 매기도 끝낸 논에서는 개구리가 극성스럽게 울고 있었다.

그리고 난리였다. 38선이 가까와 마을 아래 강변 큰길 따라 국방군 트럭이 태극기를 꽂고 지나다니는 것을 몇번 보았지만 총소리 한번 들어 보지 못한 채 난리를 맞았다. 자고 일어나 보니 세상이 바뀌었다. 생전 처음 보는 군대들이 마을을 휘젓고 다녔다. 머리를 빡빡 깎고 이제 솜털을 겨우 벗은 그런 열 여덟쯤 되어보이게 애띤 젊은이들이 보기와는 달리 억센 억양으로 떠들어 대면서 마을에 들이닥쳤다. 마을에서 늘 얼굴을 맞대던 사람들 몇이 붉은 완장을 차고 역시 어제와는 딴판인 눈으로 사람들 얼굴을 훑으며 돌아다녔다.

창말에서는 면장 등과 지서 순경들 가족이 여럿 총살을 당했다는 소식이 올라왔다.

「어르신네, 얼른 피하셔유.」

행랑채 화순이 아버지 심서방이 시아버님한테 말했다. 심서방도 붉은 완장을 차고 있었다.

「이 사람아, 내가 뭔 죄를 졌다구 피하나? 그래 자네가 날 잡아가겠나?」

「글쎄 어르신네, 그게 아니고 잠깐만 피하시면……」

심서방은 무척 난처한 기색으로 절절매었다. 시아버님은 꿈쩍도 안 하셨다. 그러다가 결국 끌려가셨다. 창말 면소재지에 생긴 내무서 사람들이 찾아와 시아버님을 끌고 간 것이다. 시아버님은 끌려가면서 나한테 말씀하셨다.

「악아, 나 곧 돌아올 것이니 네 시어머니 모시고 몸조심해야 한다.」

시어머님도 나도 시아버님이 부면장을 지내셨다는 일과 논을 많이 가지고 있다는 것이 설마 죄가 되겠느냔 생각으로 별로 걱정이 되지 않았다.

「얘가 왜 안 오누?」

시어머님은 서울에서 난리를 맞은 아들 걱정으로 안절부절 못하고 계셨다. 이미 서울도 인민군이 정복하고, 그들 말로는 남조선을 곧 부산까지 해방시킨다고 했다. 나는 남편이 남쪽으로 피

난을 떠났기를 바랐다. 이상한 일이었다. 서울에 두고 온 어머니
나 오빠네 식구들 생각보다 남편의 신변이 더 걱정스러워지는 심
사를 나는 이해할 수가 없었다. 나는 매일매일 남편을 꿈속에 보
았다. 남편은 피를 흘리고 있었다. 창말에서 사람이 많이 죽었다
는 소식을 들었기 때문인지도 몰랐다. 나는 땀을 흘리면서 잠을
깨곤 했다. 전신이 덜덜 떨리는 무서움이었다. 난리가 나 시아버
님이 붙잡혀 갈 때도 못 느낀 무서움이 온 몸을 휩쓸었다. 나는
이래 가지고는 태아한테 좋지 않을 거라고 마음을 다잡아 먹으며
그 무서움을 참아 냈다.
「마님 동무, 즈루서두 으쩔 수 읎구먼유.」
시댁의 광 속에 쌓아 둔 곡식 가마를 들어내면서 심서방이 말
했다. 우리 식구를 행랑채로 내쫓고 자기들이 안채에 살라는 상
부 지시를 어기고 있는 것만 해도 옛 정을 못 잊어 그런다면서
심서방은 붉은 완장을 찬 사람들과 곡식 가마를 달구지에 싣고
있었다.
「되련님 오시면 즉시 신고를 하시래요. 그래야 죄를 즉게 받는
대요.」
강릉집이 자기 남편의 말을 시어머님한테 전했다.
「걔가 뭔 죄가 있다고 그런다던가?」
「지가 뭘 아나요. 화순 아부지가 그냥 그러데요. 으르신네는
화순 아부지 덕을 많이 본다면서유. 화순 아버지 말대루만 잘 따
르던 큰 화는 면할 거라구 하데요.」
그렇게 심성이 고와 보이던 심서방 내외가 세상이 바뀌면서 정
말 야속할 정도로 사람이 변해 있었다. 그러나 시어머님은 언제
나 꿋꿋하게 중심을 잃지 않으셨다.
시어머님은 나를 다락방에 가두고 일체 나오지 못하게 했다. 그
러는 틈틈이 시어머님은 창말 면사무소까지 내려가 시아버님 안
부를 가지고 올라오셨다. 그 사람들 얘기로는 서울서 공부하던
아들을 춘천에서 보았다는 사람이 있는데 그 아들이 자수해 오면

함께 인민재판을 열겠다는 얘기였다. 행랑채 심서방 말과 통하는 바가 있었다. 도무지 납득이 안 가는 게 한두 가지가 아니었지만 시어머니와 나는 꿀 먹은 벙어리마냥 참고 지내는 수밖에 없었다. 행랑채 심서방 때문에 마을 사람들이 우리 집에 발을 끊고 있었다. 그런대로 시어머님은 아들이 춘천에 와 있을지 모른다는 생각에 매일 대문을 열어 놓은 채 대청에서 주무셨다.

그러나 며칠 뒤 남편은 대문이 아닌 뒤꼍 울타리를 뚫고 들어왔다. 실로 석 달 만에 만나는 남편이었지만 나는 그렇게 참고 있던 눈물 한 방울 흘릴 경황이 아니었다. 난리가 나 피난을 떠날 수도 있었지만 시골 식구들 생각이 나 결국 숨어숨어 고향으로 돌아왔다는 것이었다.

「아버님이……」

내가 울먹이자 남편은 어둠 속에서 내 손을 잡았다.

「알고 있어. 그러나 저놈들이 우리 재산을 몽땅 뺏기 위해 그러는 거니까 별일은 없을 거야.」

그러면서 남편은 춘천에 있는 친구들과 함께 팔봉산으로 피신하기로 했다면서 몸을 일으키는 게 아닌가.

「얘야, 그게 무슨 소리냐?」

시어머님이 어둠 속에서 남편의 손을 잡아 앉혔다. 남편이 말했다. 라디오를 들으니 유엔군이 곧 참전하게 돼 있어 빨갱이 세상도 얼마 남지 않았다는 것이었다. 그래, 이때가 젊은 사람한테 고비라며 당분간 몸을 피해 있어야 한다는 얘기였다. 그럴 법했다.

「얘가 홑몸이 아니다.」

어둠 속에서 시어머님이 남편에게 말했다.

「네? 이 사람이……」

남편이 목소릴 높였다. 내가 남편의 입을 막았다. 남편이 내 손을 더듬어 쥐었다. 나는 남편의 손아귀에 힘이 쥐어지자 나도 모르는 사이에 눈물이 주르르 흘렀다. 무슨 장한 일을 하고 난 아이처럼 흐느낌이 쏟아졌다.

남편은 그 밤으로 떠났다. 호롱불을 밝혀 남편의 얼굴도 똑바로 쳐다보지 못한 채 남편을 떠나보내고 나는 시집 올 때 해 가지고 온 이불에 얼굴을 묻고 실컷 울었다.

그러나 다음날 저녁때 심서방이 창말에서 기가 막힌 소식을 가지고 올라왔다.

「마님 동무, 좋으시게 됐어유.」

「뭔가. 어른께서 나오시게 됐나?」

「웬걸유, 이제야 부자분이 함께 만나시게 된 걸유.」

「무슨 소릴 하는 건가?」

「창배 동무가 붙잡혔다는구먼유.」

심서방 얘기로는 새벽녘 춘천으로 나가는 쪽배를 타기 위해 수렁골로 나가다가 잡혔다는 것이다. 시어머님이 대청마루에 주저앉으셨다. 그리고 다음날 날이 새기가 무섭게 창말로 내려가셨다. 시어머님이 가지고 올라오신 소식은 그런대로 마음이 놓이는 것이었다.

면 내무서 제일 높은 사람이 시아버님과 일본에 가서 함께 공부하던 친구의 바로 친아우더란 것이었다. 그쪽에서 먼저 그런 얘길 꺼내면서 자기가 여직 봐 주었기 때문에 시아버님이 무사하다는 공치사까지 하더란 것이다.

「그 사람 형님 되는 분이 느이 시아버지 신셀 많이 졌다는구나. 늘 그러시더라. 머리가 좋아 공분 잘 하는데 집이 원체 가난해서 공불 계속할 수가 없어 그 학빌 전부 대준 친구가 있다구. 그게 바로 그 사람 형님이라잖냐.」

이처럼 시어머님은 시아버님이나 내 남편이 금방 풀려날 것처럼 좋아하셨다.

그러나 행랑채 심서방의 얘기는 그게 아니었다.

「인민재판이 곧 열릴 거라더구먼유. 얘기들 하는 거 들으니까 부멘장까지 지낸 데다가 악질 지주 반동분자루 몰리게 돼 있어 살아나시긴 힘들다데유. 창배 동문 서울서 불순한 사상을 가지구 시골루 내려와 가지구설랑……」

요는 내 남편이 지방 청년들을 모아 불순한 일을 꾸몄다는 그런 죄목으로 잡혔다는 것이었다.

「이보게, 심서방, 자넨 이 일을 어떻게 했음 좋겠나?」

이제까지 그렇게 꿋꿋하게 중심을 잃지 않던 시어머님께서 심서방한테 애원을 하고 나섰던 것이다.

「지가 진작부터 말씀드릴려구 했읍죠만 뭐 되지두 않을 소리 같아서 못 했읍니다만, 네, 방법이야 있읍지우.」

「뭔가, 그 방법이란 게?」

「창말 멘인민위원회에서들 모두 나보구 이 집 메느님이 서울서 핵교 선상두 하고 했으니까누 창말 내려와서 일을 협조하게 해야 헌다――그런 말들이데유.」

「우리 며느리가 뭘 협조해야 한다는 게야?」

시어머님의 목소리가 분에 떨고 있었다.

「우리 샘말이나 창말에선 여성 동무가 벨루 읎다구 야단이데유. 이 집 메느님처럼 배운 분이 나서서 애들한테 김일성 수령님 노래도 가르치구……」

「알았네, 그 얘긴 더 꺼내지도 말게.」

시어머님이 결연하게 잘라 말씀하셨다.

「아니에유, 마님 동무, 글쎄 지 말씀을 들으시라니께유. 메느님이 창말 내려가 일을 거들어 주시면서 창배 동무한테 의용군을 지원하라구 허세유. 내가 여러 날 곰곰히 생각해봤는데 이 집 부자분이 무사하게 살아날 길은 그것밖에는 뾰죽한 수가 없으니께유, 글쎄 지 말대루 해 보세유.」

「우리 창배가 인민군엘 가란 말인가?」

「왜 아니래유. 글쎄 그 길밖에 없으니까 알아서들 허세유.」

나는 내 방에서 두 사람이 나누는 얘기를 듣고 힘이 생겼다. 왜 내가 여직 집안에 박혀 시아버님이나 남편을 구할 생각을 못했나

하는 후회였다. 내 힘으로 그 두 사람을 구해 낼 수 있다는 자신
이 생겼다. 나는 그때 세상 돌아가는 일에 대해서 너무나 아는 게
없었다. 난리가 왜 일어났는지, 누가 옳고, 누가 그른 것인지 나
와 가까운 사람들이 난리와 무슨 상관이 있느냐 하는 그런 생각
을 가지고 그 난리를 맞았던 것이다. 나는 내가 그들에게 잠시
협조한다는 것이 시아버님이라 남편을 구하는 의미 외에 어떠한
죄도 된다는 생각을 하지 않았다. 그랬기 때문에 나는 펄쩍 뛰는
시어머님을 그예 설득하고야 말았던 것이다.

초록은 동색이라고 역시 붉은 완장을 차고 설치는 심서방의 말
은 창말 그 패들의 뜻과 통하는 바가 많았다. 나는 창말에 내려
가 그들의 열렬한 환영을 받았다. 그들의 안내로 내무서 책임자
도 만나 보았다. 그는 눈이 작고 교활해 보이는 사람이었는데 나
와 잠깐 이야기하는 동안 혁명과업이란 말을 열 번도 더 써 먹었
다. 나는 하루에 한 번씩 창말과 샘말을 돌아다니며 그들이 시키
는 일을 했다. 저녁에 국민학교 교실에 부녀자들을 모아 놓고 그
들이 주는 선전 책자도 읽어 주었고, 아이들에게 노래도 가르쳤
다.

그들은 며칠 가지 않아 남편을 내놓아 주었다. 남편은 시아버
님의 친구 동생이라는 내무서 사람을 통해서 의용군에 지원한다
는 각서를 쓰고 풀려난 것이다. 남편이 의용군에 들어가는 날로
시아버님을 풀어 놓겠다는 것이었다. 남편은 며칠 사이에 몹시
수척해 있었고 또한 풀이 죽어 있었다.

「창배 동무, 참 잘 생각허신 일이유.」

심서방이 남편한테 말했다.

「글쎄 절보구 창배 동무를 감시하라는구먼유. 그러니까 딴 생
각은 다시는 게 좋겠구먼유.」

남편은 고개를 끄덕거렸다. 그리고 그날 밤 내게 말했다. 시키
는 대로 의용군으로 들어가 도망을 치겠다는 의견이었다. 내가
뒷일을 책임질 것이니 몸을 피하라고 하자 고개를 설레설레 흔들

었다. 도망을 쳐 봤자 잡히게 될 확률이 더 많을 뿐더러 시아버님이 풀려나지 못하게 될 게 아니냔 것이었다.

「이제 전쟁은 멀지 않았다구. 내 곧 도망쳐 어디 숨어 있다가 전쟁이 끝나면 집에 돌아오겠소.」

남편은 그동안 내가 창말 인민위원회 패들 놀음에 놀아난 일을 두고 한 마디 했다.

「당신 거기 안 껴드는 건데 잘못한 거 같아.」

말은 그렇게 하면서도 남편은 그동안의 내 입장을 이해해 준다는 뜻으로 나를 가슴에 안았다. 그러나 나는 남편의 그 한마디 말에 하늘이 내려앉는 느낌이었다. 내가 하도 실심해 하니까 남편은 내 배를 쓰다듬으며,

「신경 쓸 거 없어요. 내 얘긴 우리 애길 생각해서 그런 거라구. 당신 몸조심하라는 얘기지. 무릴 하면 못써요.」

남편은 그 다음날로 마을 사람 다섯과 함께 춘천으로 떠났다. 심서방은 우리 집 대문에 붉은 깃발을 꽂았다. 의용군의 집이라는 것이었다.

나는 창말에서 남편을 전송했다.

「내 꼭 살아 올 거라구. 몸조심해야 돼요.」

남편은 내게 아이들처럼 눈을 찔끔해 보이면서 떠났다. 가을로 접어들고 있었다. 국민학교 운동장에 둘러선 미루나무 잎이 누렇게 물들어 가고 있었다. 나는 내가 며칠 일하던 인민위원회 사무실 앞을 지나다가 그들이 수군거리는 소리를 들었다. 남조선을 해방시키는 것은 시간 문제라고 떠들던 그들이 얼굴에 그늘을 깔고 수군거리는 걸로 미루어 전세가 그들에게 매우 불리한 모양이라고 나는 생각하면서 그 앞을 급히 지나쳤다. 이제 그들과 얼굴을 맞댈 아무런 이유도 내게는 없었다. 시아버님은 아침나절 풀려나 시어머님과 함께 집으로 넘어가셨던 것이다. 내게는 이제 전쟁이 어서 끝나 내 남편 창배씨가 돌아와 우리의 애기 출생을 축하해 주는 일만이 이 세상에서 가장 큰 바람으로 남아 있을 뿐

이었다.

그러나 남편을 떠나 보내고 돌아오는 발걸음은 허전허전 맥이 없었다. 우수수 서낭당 고개 초입에서 가을바람이 불어 마른 풀을 흔들고 있었다.

대문에 꽂혔던 붉은 깃발이 보이지 않았다. 나는 시아버님 방으로 가 큰절을 했다. 시아버님 얼굴이 말 아니게 수척해진 게 정말 가슴이 아파 눈물부터 쏟아졌다. 그러나 시아버님은 겨우 인사를 받고 난 뒤 돌아앉아 담배를 입에 무신 다음 한마디 말도 없으셨다. 나는 가슴이 쿵 내려앉았다. 시어머님이 밖에 나와 나한테 말씀하셨다.

「느 시아버님이 심기가 매우 좋지 않으시다.」

당신의 아들이 의용군에 끌려간 것이며 며느리가 빨갱이들과 어울려 놀아났다는 사실을 아시고 일체 입을 여시지 않는다는 것이었다. 행랑채 심서방이 앞에 나타나면 아예 눈을 감고 말씀을 안 하셨다. 집안 구석구석 침묵이 깔린 속에서 나는 시집을 온 이래 처음으로 외로움을 느꼈다. 시어머님께서도 내게 뜨악한 기분으로 대해 주시는 것 같아 나는 정말 괴로와 견딜 수가 없었다.

「주경희 동무, 창말 여맹에서 왜 안 내려오시느냐고 야단이데유.」

심서방이 이제는 내 이름까지 불러대며 성화를 부렸다.

「이놈아, 저 하늘을 봐라!」

느닷없이 안방 미닫이가 열어제쳐지면서 시아버님이 고함을 쳤다.

「이 배은망덕한 것, 내 며느린 빨갱이가 아녀!」

「어르신네 동무, 섭섭하신 말씀 허시네유? 배은망덕이라니유? 어르신네 동무께서 이렇게 집에 돌아오신 게 누구 덕인데 그러세유. 이 집 안 뺏기구 사시는 것만 해두 다 지 덕인 줄 아세야 해유. 아까 아침나절 어르신네 동무가 대문에 꽂은 깃발 찢어 버린 거 창말에서 알면 큰일 난다는 거 아세야 할 거예유.」

이미 시아버님은 상종을 않겠다는 듯 방문을 닫은 뒤였다. 나는 강릉집한테 배가 불러 이제 더이상 창말에 내려갈 수 없으니 얘기해 달라는 말을 했다. 일이 더 시끄러워지는 것을 겁낸 까닭이었다.

마을 공기가 이상해졌다. 마을 앞 강변 길을 통해 인민군이 무더기 무더기 북쪽으로 밀려간다는 얘기였다. 하긴 오래 전부터 춘천 일대는 비행기가 새까맣게 몰려와 폭격을 하면서 그 폭음이 샘말까지 들려 왔다. 세상이 또 바뀔 징조가 분명해지자 붉은 완장을 찬 지방 빨갱이들은 눈에 더욱 살기를 띠고 창말과 춘천을 들락거렸다. 많은 젊은 사람들이 끌려 나갔고 들판에는 아직 거두지 못한 벼가 누렇게 출렁이고 있었다.

어느날 새벽에 일어나 보니 강릉집이 안채 마당에 꿇어엎드려 울고 있었다. 세살박이 화순이도 그 옆에 붙어서서 울었다.

「자네가 뭘 잘못했는가, 세상이 그른 거지. 다 잊어 버리구 함께 사세.」

시어머님이 화순이를 안아 올리며 말했다. 심서방이 밤 사이 북쪽으로 도망을 쳤다는 것이다.

「난 지금두 믿어지지 않네. 심서방같이 착한 사람이 그렇게 변할 수가……」

「그러게 말이에유. 저두 뭐한테 홀린 것 같아서 뭐가 뭔지 모르겠어유.」

그러나 세상이 아직 바뀐 건 아니었다. 낮이면 인민군 패잔병들이 떼를 지어 마을에 나타나 밥을 해먹고 북쪽으로 사라졌다. 오히려 여느 때보다 마을은 더욱 휘휘하게 무서웠다. 산에 숨었던 동네 청년들이 나타나 인민군과 총싸움을 벌이는가 하면 민가에 든 인민군을 생포해 뒷산 금광굴로 끌고가기도 했다. 강릉집도 마을 사람들이 몰려와 포박을 한 다음 산 밑 움집에 가둬 버렸다.

무서운 일은 마을 사람들이 우리 집에 얼씬도 하지 않는 일이었다. 시아버님이 한숨을 쉬며 마당을 어정거렸다. 의용군 나간 남편 소식은 알 길이 없었다. 남편과 함께 나갔던 마을 청년들도 매한가지로 소식이 없는 모양이었다. 나는 쥐구멍으로 들고 싶도록 괴로운 시간을 보내.야 했다. 시아버님의 한숨소리가 가슴에 째지듯 울려 어떻게 처신해야 할는지 난감하기만 했다. 그런 중에도 시어머님은 하루에 한번씩 내 불룩한 배를 어루만져 주시며

「악아, 너무 상심하지 마라. 넌 홑몸이 아니여.」

그럴 때마다 나는 눈물이 쏟아졌다. 어서 남편이 돌아와 내 가슴을 탁 털어 보이고 그 무릎에 엎드려 엉엉 소리내어 울고 싶었다.

「악아, 너 이리 좀 오너라.」

어느 날 대낮 내가 텃밭에 나갔다가 대문 앞에 이르니 시어머님께서 내 손목을 끌고 집에서 꽤 떨어진 이웃집으로 데리고 들어가는 것이었다. 시어머님의 얼굴이 새까맣게 죽고 손은 부들부들 떨고 계셨다.

「어머님, 왜 그러세요?」

내가 몇 번씩 다그쳐 물어도 시어머님은 아무것도 아니다——란 말만 되풀이하며 이까지 덜덜 떨고 계셨다. 임신한 나한테 무슨 놀라운 소식을 안 알리려고 그러신다는 생각을 하니 더욱 불·안해 못 견딜 지경이었다. 그때 총소리가 여러 방 우리 집 쪽에서 들려 왔다. 시어머님이 땅바닥에 털썩 주저앉더니 어느새 뿌르르 일어나 집 쪽으로 허둥허둥 달려가시는 게 아닌가.

대청 마루에 시아버님이 쓰러져 계셨다. 피가 마루로 흘러 봉당까지 적셔 내렸다. 그 총소리 이후 흔적도 볼 수 없었던 마을 사람들이 꽤 오랜 뒤에 하나 둘 모여들기 시작했다. 마루에 밥상이 넘어진 채 뒹굴었다. 일의 경위가 밝혀진 것은 시어머님이 제정신을 찾은 밤중이었다.

인민군 둘이 총을 들이대고 들어와 밥을 해내라고 얼러댔다. 시아버님이 눈짓으로 밥상을 봐 오라고 해 시어머님이 부엌에 계신

동안 시아버님은 인민군들과 이런저런 얘길 나누고 계셨다. 아들 소식을 알까 하고 그러는가 싶었는데 시아버님이 부엌에 슬쩍 들러 귓속말을 했다.

「얼른 밥상 봐 놓고 임잔 며느리 못 들어오게 막고 있어야 하네. 내 저놈들 한번 붙잡아 볼라네.」

그렇게 말해 놓고 다시 대청으로 들어간 시아버님이었다. 그리고 내가 시어머님과 이웃집에 있는 사이에 일을 당하셨던 것이다. 나는 눈물도 나오지 않았다. 그렇게 급작스레 그리고 처참하게 돌아가신 시아버님 앞에서 하늘이 무너지는 느낌뿐이었다.

이상한 것은 인심이었다. 그렇게 싹 발을 끊었던 마을 사람들이 시아버님이 인민군 총에 맞아 돌아가신 뒤 자기 부모 죽은 것 이상 애석해 하며 밤샘을 했다. 비로소 이웃 아낙네들이 나를 쏘아보던 그 냉랭한 눈빛을 풀고 다정하게 말을 붙여 왔다.

난리통이라 제대로 장사를 지낼 수 없어 뒷산에 가매장으로 모셨다. 시어머님은 다리가 움직이지 않는다고 해서 동네 아낙네들이 부추겨 안고 내려왔다.

「악아, 너 몸 괜찮으냐?」

그런 경황 속에서도 시어머님은 틈틈이 내 몸 걱정을 하셨다.

시어머님이나 나나 소복으로 차려 입고 이십 칸 휑덩그렁하게 드넓은 집 속에 던져져 하루 해를 보내고 있었다. 그러나 아들을 기다리고 지아비가 돌아오길 고대하는 두 여자의 영혼은 그렇게 무턱 외롭지만은 않았다. 시어머님은 내 배를 자주 어루만지며 안타까운 듯 혀를 차시곤 했다.

「괜찮아요, 어머님!」

나는 뱃속의 우리 애기가 그 어떤 고통 속에서도 꿋꿋하게 견뎌나 우렁찬 울음소리를 내며 이 세상에 태어나 축복받은 아이로 자랄 것을 의심하지 않았다. 이 이상의 고통과 어려움을 하느님이 내리지는 않을 것이라는 신념이 가슴 속에 자랑처럼 피어올랐던 것이다.

그러나 내 몸에 내리는 신의 저주는 끝나지 않았던 것이다. 정작 신의 저주는 그때부터 시작되었던 것임을 어쩌랴.

「참말에 아군 선발대가 지나갔대더라.」

마을을 다녀오신 시어머님께서 바깥 소식을 가지고 오셨다.

「춘천엔 그 미국 사람인가 뭔가 하는 코가 큰 병정들도 왔다고 하더구나.」

이제 남편도 돌아오겠지. 나는 설레는 가슴을 안고 집안 청소를 하고 있었다. 그러나 가슴 한구석엔 남편이 북쪽으로 갔거나 더 못한 생각까지 겹들어 뒤숭숭한 것을 어쩔 수가 없었다.

뒤꼍 장독대를 보살피고 있는데 안쪽에서 뭔가 심상찮은 기척이 났다. 난생 처음 보는 외국 병정들이 대여섯 명 마당 한 가운데 서 있었다. 시어머님이 그들에게 잡혀 시커먼 손아귀에 입을 막힌 채 대청으로 끌어 올려지고 있었다. 어느 한 순간 시어머님의 눈길이 내 눈길과 부딪쳤다. 애원과 절망과 공포와……그런 모든 것을 한꺼번에 내쏘는 눈빛이었다.

나는 그 자리에 얼어붙은 채 온몸의 힘이 싸악 빠져 내리는 느낌이었다. 시커먼 짐승 셋이 다가오는 것을 멀거니 바라보며 그 자리에 주저앉았다.

안방으로 끌려들어가면서 나는 내가 할 수 있는 온갖 힘을 뻗쳐 발버둥쳤다. 나는 무심결에 내 배를 그러쥐며 애원하는 손짓도 해 보았다. 있는 힘을 다해 소리를 질렀다. 넓적한 손아귀가 내 입을 막았다. 나는 그 짐승들의 냄새를 맡았다. 그것은 노린내였다. 짐승들의 흰 이빨이 보였다. 그들은 껄껄껄 웃음소리를 내고 있었다.

나는 의식이 있는 동안 하느님을 찾았다. 하느님의 이름을 빌어 그 짐승들을 저주했다. 나는 드디어 무서운 고통 속에서 하느님 그분을 저주하며 의식을 잃었던 것이다.

의식이 살아 올랐을 때 나는 밖에 웅성거리는 사람들의 말소리를 들었다. 문득 내 머리 속에 서울에 두고 온 늙으신 친정 어머

니의 얼굴이 떠올랐다. 눈물이 주르르 흘러내렸다. 그러나 다음
순간 내 흐트러진 아랫도리가 천 근만큼 무겁다는 것을 느꼈을
때 나는 나를 낳아 준 어머니를 저주했다.

　짐승들은 대청 마루에 레이션 상자 두 개를 놓고 갔다. 건넌방
에서 마을 할머니들의 혀 차는 소리가 들려 왔다.

　「난리여, 난리 땐 무슨 짓을 당해도 헐 수 없는 벱이여.」

　「아무리 난리기로서니 이럴 수가……」

　「아니여, 죽지 않고 산 것만 해도 다행으로 생각해야 하는 게
여.」

　시어머님은 두 번이나 목을 매었다. 한번은 내가 광 속에서 발
견했고 또 한번은 집 뒤곁 대추나무에 목을 맨 걸 강릉집이 풀어
냈다. 두 번이나 저승길을 가던 시어머님께서는 그것도 기진맥진
방에 몸져 누운 채 눈을 감고 아무하고도 얘기를 나누려 하지 않
았다. 꼬박 나흘씩이나 입에 물 한 모금 대지 않았던 것이다. 코
에서 수수뜨물 같은 피를 술술 쏟으면서도 사람만 접근하면 손을
내저어 쫓았다.

　「새댁을 생각해서두 이러시면 안 돼유 글쎄.」

　움막에서 풀려나온 강릉집이 애원을 했다.

　「걔 어떻게 됐나?」

　처음으로 들어 보는 시어머님의 목소리였다.

　「어머님, 저 아무렇지도 않아요.」

　그날부터 시어머님은 거짓말같이 일어나 앉아 음식도 입에 대
고 다시 내 배를 만져 보시며 생기를 되찾으셨다.

　나는 그 일 이후 가끔 배에 통증을 느끼고 있었지만 시어머님
을 실망시킬 것이 두려워 나 혼자 배를 안고 뒹굴었다. 그런대로
통증은 멎어 가고 나는 내가 살아 있다는 그 사실 하나만으로도
다시 하느님을 생각하기 시작했다. 시어머님이 목을 매는 일이
생기지 않았더라면 나는 이 세상에 살아 있지 않았을 것이다. 결
국 시어머님이 나를 살려 주신 셈이다. 비록 더럽혀져 죄를 지은

몸이지만 내 뱃속에는 우리들의 씨가, 끝내는 축복받아야 할 최 창배씨 가문의 핏줄이 꿋꿋하게 살아 있었던 것이다. 남편이 어 서 돌아오고 그리하여 그의 앞에 우리들의 애기를 안겨 준 다음 그 자리에서 죽어도 좋을 것 같았다. 그때까지 축복받아야 할 우 리들의 애기가 태어날 때까지는 어떠한 일이 있어도 살아야 한다 는 생각이 오기처럼 뻗쳤다.

그해 겨울 동짓달 나는 해산을 했다. 예정일보다 두 달 앞서 여덟 달 만에 사흘간의 무서운 진통을 거쳐 낳은 애였다.

「이보게, 강릉집. 거기 뒤주 위에 낫 좀 가져오게.」

시어머님의 목소리가 달떠 있었다. 아들을 낳아야 낫으로 태를 가른다던 시어머님이었다.

「악아야, 내가 손줄 봤구나!」

태를 가르고 난 뒤에야 시어머님이 말씀하셨다. 나는 아득하게 가라앉는 그 몽롱한 의식 속에서 시어머님의 말소릴 듣고 눈물을 흘렸다. 하느님 감사합니다.

그러나 하느님은 내 간사한 마음을 비웃기라도 하는 듯 끝내 얼굴을 돌리셨다. 나는 술가재처럼 형태가 제대로 잡히지 않는 핏덩이를 내려다보며 몸서릴 쳤다. 그러나 그 핏덩이는 숨쉬고 있었다. 나는 하나의 생명을 이 세상에 내던졌던 것이다.

산골에는 눈이 더 많이 내렸다. 정강이에 차는 눈을 아예 치울 생각도 못한 채 새해를 맞았다.

그 겨울 막바지에 또 한번의 난리가 벌어졌다. 1·4후퇴였다. 이 번 난리는 여름의 그 난리보다 몇 배 더 무서울 거라고 모두 벌 벌 떨면서 피난 보따리를 싸 짊어지고 집을 떠났다. 마을은 텅텅 비었다. 북쪽에서 밀려 내려오는 피난민들이 빈 집에 하룻밤씩 머물러 가면서 휘휘한 소문만 남겼다. 빨갱이들이 독이 올라 이 제는 사람을 보는 대로 죽인다고 했다. 누비옷을 입은 되놈들은 빨갱이들보다 더 무섭다고 했다.

그러나 시어머님과 나, 그리고 화순이를 등에 매달고 다니는 강릉집——이렇게 세 여자는 남들이 다 떠 버린 마을에 남아 한 가닥 기대 속에 살고 있었다.

「애 아버이가 오면 제발 맘 고쳐먹고 발뻗구 자다가 죽자구 할 꺼예요.」

강릉집은 남편이 당장 마을로 들어서기라도 하는지 매일 화순이를 업고 대문 밖에 나가 서성거렸다.

시어머님도 당신의 아들이 이번에야말로 꼭 돌아올 것으로 알고 솜둔 바지저고리를 짓는 등 들떠 있었다. 나는 갓난것을 품에 안고 남편의 귀가를 기다렸다. 도저히 살아날 가망이 없는 애를 시어머님의 정성으로 살려냈다. 이처럼 발육이 불완전한 애가 어떻게 젖을 빨 것인가 싶었지만 갓난것은 믿어지지 않을 만큼 억센 힘으로 젖을 빨았다. 나는 가끔 그 아이가 무서운 생각이 들 때가 있었다. 이것은 사람이 아니다. 나는 아이를 방바닥에 밀어 놓고 치를 떨었다. 온 몸이 부들부들 떨렸다. 내 뱃속의 애기를 위해 이를 악물고 억눌러 왔던 그 증오가 분수처럼 거세게 솟구쳐 올랐던 것이다. 그 시커먼 짐승들을 칼로 퍽퍽 찔러 검고 끈적끈적한 살갗 그 깊숙한 데서 콸콸 쏟아지는 피를 받아 이웃 사람들 눈앞에 내보이고 싶은 충동이었다. 가끔 우리 집에 들러 내 애기를 마치 징그러운 뱀을 보듯 몸서리치며 바라보는 이웃 사람들에 대한 분노가 함께 치민 것이다. 나는 발작처럼 손끝으로 뻗치는 증오 때문에 더 견디지 못하고 마루로 뛰어나가곤 했다.

강릉집이 발을 열리면서 밖에서 기다리는 그네의 남편은 그 해 겨울이 다 가도록 돌아오지 않았다. 강릉집은 징징 울면서 마을 앞 강변 길까지 내려가 남편을 기다렸다.

「애가 어떻게 된 거냐?」

평소 일체 부성거리는 것을 모르던 시어머님께서 아들의 바지 저고리를 마지막 손질하면서 말씀하셨다.

「에미야, 더 기다려 보자꾸나. 걔가 이 에미하고 제 자식을 보기 전엔 절대 안 죽을 게다. 두고 보렴. 걘 절대 안 죽었어. 언제고 꼭 돌아올 게여.」

　난리 전보다 열 살은 더 늙어 버린 시어머님의 얼굴에 경련이
일고 있었다. 자신의 마음 속에 어떤 확신을 심는 그 고통의 그
림자였던 것이다.

　우리 식구들은 인민군과 다시 나타난 지방 빨갱이로 해서 또다
시 시달림을 받아야 했다. 창말에서 나를 다시 찾고 있었지만 나
는 결코 대문 밖을 나가지 않았다. 중공군들이 뭐라고 쌀라대며
우리 마당을 파헤쳤다. 집안에는 한 톨의 감자도 남아 있지 못했
다. 중공군들이 시어머님 가슴에 총을 들이대며 어디다가 곡식을
감췄는지 당장 내놓으라고 발을 굴렀다. 시어머님은 태연한 자세
로 버티고 서서 고개만 저었다.

　강릉집이 마을의 빈 집을 돌며 먹을 것을 구해 와 겨우 끼니를
이었다. 먹는 것이 부실하자 갓난것은 빈 젖을 더욱 악착같이 빨
아댔다.

　중공군이 다시 밀려 올라가면서 샘골 일대는 치열한 싸움터가
되었다. 낮이면 비행기 폭격으로 산이 불붙었고 밤이면 고막이
터져나가는 총소리 속에 싸움이 붙었다. 산골짜기에는 중공군 시
체가 나뭇등걸처럼 쌓여 바람이라도 있는 날이면 그 썩는 악취가
마을까지 풍겨 왔다.

　「에미야, 이제야 애비가 오는가 부다.」

　다시 아군이 마을을 지나 북쪽으로 갔을 때 시어머님은 대청을
서성거리며 마을 입구 샛길을 기웃거리셨다. 강릉집은 싸움이 뜸
한 어느날 화순이를 업고 나간 채 영영 돌아오지 않았다.

　피난 나갔던 사람들이 돌아오고 얼었던 땅이 녹아 묵은 밭에
풀이 무성해졌지만 내 남편 최창배씨는 돌아오지 않았다. 북쪽에
서 포소리가 계속 울려 오는 속에 또 1년이 흘렀다. 그러나 어린
것은 아직 뒤치지도 못했다. 커갈수록 배냇병신 티가 분명히 드
러났다.

　「얘, 인민군들이 숱하게 잡혔다는구나. 그 사람들을 이승만 대

통령이 죄다 풀어줬대드라.」

마을 사람들이 얘기하는 1953년 6월의 반공 애국 포로 석방을 두고 하시는 말씀이었다. 나 역시 거기에 기대를 걸고 살았던 것이다. 남편이 자진해서 포로가 되었다가 이번 기회에 풀려났을 것 같은 확신이 마음 속에 생겼던 것이다. 그러나 남편은 그 여름이 다 가도록 돌아오지 않았다. 그해 7월 27일 휴전협정이 돼 전쟁이 끝났는데도 우리들이 그처럼 기다리는 사람은 영영 모습을 보이지 않았다.

나는 그동안 서울 친정집 소식을 들을 수 있었다. 늙으신 어머니는 물론 오빠까지 난리통에 폭격으로 돌아가셨다는 소식이었다. 혼자 된 올케가 애들 둘을 데리고 샘골까지 왔다가 내 형편이 또한 기구한 것을 알고 그날로 떠나 버렸던 것이다.

더 견딜 수 없는 것은 시어머님의 마음이 변한 일이었다.

「애, 어미야, 애빈 꼭 온다.」

말씀은 늘 그렇게 하시면서도 당신의 답답한 마음을 주체하지 못해 툭하면 마을 사람들과 싸우고 돌아오셨다. 싸움의 발단은 언제나 시어머님께서 상대편에 대해 듣지 못할 소리로 악담을 퍼대기 때문이었다. 그렇게 싸우고 들어오신 시어머님께서는 방바닥에 널브러진 채 헐떡거리고 있는 어린것을 향해,

「에이, 더러운 놈의 씨!」

이같이 욕을 퍼댄 다음 하루 종일 거들떠보지도 않았다. 그 어린것이 깜둥이들의 씨라는 실로 말 같지도 않은 욕을 퍼댈 때마다 나는 시어머님의 그 독이 오른 얼굴을 빤히 쳐다볼 뿐 아무런 말도 나오지 않았다. 시어머님의 그 악담은 더욱 잦아졌고 나는 모두 다 팽개치고 도망쳐 버리고 싶은 생각이 하루에도 몇 번씩 치밀곤 했다.

그러나 나는 고개를 저었다. 시어머님이나 내 어린것이나 둘다 버릴 수 없는 사람들이었다. 나는 일꾼들을 사서 아버님이 짓던 농사를 짓느라 이런저런 시름을 잊고 있었다.

아베가 다섯 살이 되는 해 봄이었다. 아베는 네 살부터 겨우 기기 시작하여 이제 갓난애처럼 겨우 걸어다녔다. 그것도 사지를 뒤틀면서 아주 어렵게 일어서서 걸었다. 입을 벌려 소리낼 수 있는 것은 고작 〈아…아…아…베〉였다.

내가 부엌에서 낮설겆이를 하고 있는데 아베를 안고 마당에 들어선 사람이 있었다. 아베는 대문 밖에서 아랫도리를 아예 입지 않은 채 놀고 있었던 것이다. 아베를 안고 들어온 사람은 키가 크고 흰 얼굴이 무척 수척해 삼십이 훨씬 넘어 뵈는 사람이었다. 나중에 안 사실이지만 그때 그는 겨우 27세였다.

나는 그를 처음 보았을 때 부엌에서 뛰어나가고 싶은 충동을 억지로 참았다. 도무지 처음 보는 사람 같지가 않았던 것이다. 5년 전 의용군에 끌려간 남편이 연상돼서였는지 아니면 남들이 한 번도 안아 보는 일이 없는 내 아들을 가슴에 덥석 안고 있는 그에 대한 어떤 알 수 없는 이끌림이었는지도 모른다.

「뉘기시요?」

방에 앉아 계시던 시어머님도 어지간히 놀란 기색이었다. 그러나 실망과 의혹이 섞인 그런 눈으로 그 사람을 훑어보고 계셨다.

「애기가 밖에서 혼자 놀고 있기에 데리고 들어왔읍니다.」

아직도 아베를 가슴에서 떼놓지 않은 채 그는 시어머님한테 허리를 굽혀 절했다.

「게 좀 올라 앉구랴.」

시어머님이 마루를 가리켰다. 낯선 사람만 보면 아들 소식을 얻을까 해서 붙들고 늘어지는 시어머님이었다.

그는 그렇게 해서 우리 집 식객이 되었다. 강릉집이 살던 다 쓰러져 가는 행랑채가 그의 거처가 되었다. 시어머님은 행색이 그야말로 초라한 그가 밥을 허겁지겁 퍼먹는 것을 바라보다가 돌아앉아 눈물을 닦으시곤 했다. 시어머님이 여러 가지를 물어 보셨다.

「고향은 어디우?」

「황해도 장연입니다.」

「이북이구먼. 집엔 부모님들이 생존해 계시겠구먼?」

「모르겠읍니다. 떠난 지가 오래 돼서요.」

38선이 그어지기 전에 여동생 하나와 서울 외삼촌네 집에 와 학교를 다니다가 난리가 터져 다시는 고향에 돌아가지 못했다는 것이다. 난리 때 외삼촌네 집은 풍지박산이 돼 남쪽에 있는 단 하나 여동생마저 잃어 버렸다는 것이다. 그는 시어머님 앞에 신원이 확실하다는 걸 보여주기 위해 도민증과 군대 제대증까지 내보였다.

「그럼 아주 외토리구먼. 헌데 젊은 사람이 왜 이렇게 떠도누?」

그 말에 그는 대답하지 않았다. 그의 밥그릇이 싹싹 비워졌다.

「아…아…아…베」

아베가 마루에 걸터앉은 그 사람 앞으로 뒤우뚱뒤우뚱 다가가자 그는 서슴없이 애를 안아 올렸다.

참으로 거북스러운 일이었다. 여자만 사는 집에 외간 남자가 함께 기거하면서 얼굴을 쳐다보고 살아야 한다는 것은 남편 없는 젊은 여자로서는 차마 못할 일이었다. 그는 새벽같이 논에 일을 나가고 집에 들어오면 아베하고만 어울렸다. 나한테 할 말도 꼭 아베한테 말했다.

「야, 아베야, 나 냉수 좀 줄까?」

그런 식이었다. 그는 믿어지지 않을 만큼 아베를 좋아했다. 그냥 이쪽 눈에 들기 위해 그러는 게 아니라 남이 보지 않는 데서도 아베를 안아 주는 등 진심에서 우러나오는 것 같았다. 호랑이도 제 새끼를 귀여워하면 침을 흘린다더니 그렇게 천대받던 아베가 사랑받는다는 것을 본다는 것은 하늘을 얻은 것 같은 기분이었다. 시어머님도 그 젊은이를 좋아했다.

이웃사람들이 이상한 눈으로 기웃거리며 수군거렸다. 그러나 이미 남의 눈총을 받는 데는 익숙해진 터라 별로 두려울 것이 없었다. 문제는 내 자신의 마음이었다. 집안에 외간 남자를 두고 산다는 것이 괴로왔다. 하루에도 몇 번씩 그 사람이 아베의 아버지 같은 착각에 놀라곤 했다. 남편에 대한 죄의식이 가슴 밑바닥을 송곳처럼 쑤시고 올라왔다. 나는 밤이면 내 방에 누워 문득 행랑채의 그 남자를 생각하고 소스라쳐 놀라곤 했다. 그런 다음 날 아침이면 나는 시어머님이나 그 사람의 얼굴을 쳐다볼 수 없을 정도로 민망스러웠다.

「살아 있을까?」

「그럼요. 틀림없이 아베 아버지는 살아 있읍니다. 저도 군대생활을 했지만 군대에선 마음먹은 대로 할 수가 없어요. 더구나 인민군에선 더욱 그렇지요. 도망이 어디 그렇게 쉽습니까? 어쩔 수 없이 이북 어딘가에 살아있을 겁니다.」

그 사람은 늘 시어머님과 아베의 아버지 얘기를 나누었고 그럴 때마다 내 남편이 반드시 어딘가 살아 있을 것이라는 말을 힘주어 말하곤 했다.

「그놈에 통일이 언제 되지?」

「됩니다. 틀림없이 통일이 될 것입니다. 이렇게 살아 계시다가 보면 아드님 만나 뵙는 좋은 날을 반드시 보실 겁니다.」

그는 시어머님한테 희망을 불어넣기 위해 무척 애를 쓰는 것처럼 보였다.

그가 우리 집에 머문 지 다섯 달이 넘고 있었다. 가을걷이를 하면서 나는 그와 자주 마주쳤다. 마차에 볏단을 싣다가 서로 같은 볏단을 잡은 적이 있었다. 문득 그가 나를 쳐다보았다. 나는 그의 눈이 깊고 그리고 그 깊은 데서 활활 타오르는 빛을 보았다. 그 순간 내 온 몸의 피가 팡팡 요란스러운 소리를 내며 밖으로 터져나오는 것 같았다.

다만 그것뿐이었다. 그러나 같은 여자의 입장에서는 상대편에 대해서 매우 민감한 것이 보통이다. 나는 며칠 사이에 시어머님의 눈치가 달라진 것을 알았다. 그 눈초리가 냉랭하고 무서웠다. 자연 내쪽에서도 시어머님을 맞바로 쳐다보지 못하고 서로 마주치는 걸 피하게 됐다. 시어머님 스스로도 자신의 마음을 달래느라 무척 괴로와하시는 것 같았다. 휑하니 밤마을을 나가기가 예사였다. 그렇게 되면 텅 빈 집에 그 사람과 나만 남겨지게 됐다.

「이제 그만 우리 집에서 떠나 주셔야 하겠어요.」

나는 마음을 도사려 먹고 말했다.

「알겠읍니다. 그러잖아도 떠난다 떠난다 하는 것이 그단 아베한테 정이 들어서요.」

그가 쉽게 대답했다.

거짓말하지 마세요. 나는 그렇게 부르짖고 싶었다. 당신이 그 흰 손으로 농사일을 하는 걸 나는 더 볼 수가 없어요. 당신은 농사꾼이 아네요. 더구나 당신은 내 남편이 살아 있다고 몇번씩 말했어요. 그래요. 내 남편은 살아 있어요. 우리 아베의 아버지는 언제고 돌아올 거예요. 나는 그이의 아내예요.

그러나 나는 이미 방에 들어와 잠든 아베를 끌어안고 숨 죽여 울었을 뿐이다.

그런데 뜻밖에 그 사람과 내가 아베를 데리고 떠나야 할 일이 생겼던 것이다. 그것은 시어머님이 그렇게 만드신 일이었다. 아닌 밤중 홍두깨요 맑은 하늘에 벼락이었다.

「에미야, 넌 이제 내 식구가 아니다.」

어느 날 시어머님께서 나를 불러 앉히고 말씀하셨다. 너무나 뜻밖에 당하는 일이라 어리둥절해 있는 나를 향해 시어머님이 계속하셨다.

「나를 더 속여야 소용없다. 내가 이미 다 알고 있었다.」

「무슨 말씀이세요, 어머님?」

「다 안대두 그러는구나. 내 이웃 챙피해서두 큰 소리 안 내겠다. 어여 느덜 짐 싸가지고 나가거라.」

시어머님의 말소리는 너무 착 가라앉아 소름이 끼칠 정도였다.

「뭘 꾸물거리고 있는 게냐? 어서 짐을 싸라니까. 애까지 데리고 가는 거다. 그건 느덜 씨니까 말이여.」

「어머님, 무슨 말씀을 하고 계시는 거예요?」

「너 그렇게 계속 시치밀 때야 하겠냐?」

시어머님의 언성이 높아졌다.

「그렇다면 내 물어 보겠다. 너 우리 집에 시집 온 게 언제지?」

나는 무슨 말씀인지 몰라 대답을 못하고 말았다.

「너 시집 와서 몇 달 만에 앨 낳는지 그건 알겠구나?」

나는 뭐가 뭔지 더욱 아리송해 시어머님 얼굴만 쳐다볼 수밖에 없었다.

「그래, 입이 열 개 있어두 말 못할 게다.」

「어머님, 무슨 말씀이신지 전 도무지……」

「잔소리 더 할 것 없다. 이것들아, 내가 그렇게 어수룩한 줄 알았더냐? 그래 어떤 부처님이 제가 맨들지두 않은 병신 애새낄 끌어안구 다닌다더냐?」

시어머님이 하시는 말씀의 뜻이 한꺼번에 짚여 들자 나는 그만 온 몸의 힘이 빠져나간 것처럼 허탈해졌다. 요는 행랑채의 그 사람이 아베의 친부가 틀림없다는 시어머님의 주장이었다. 결혼한 지 여덟 달 만에 애를 낳고 다시 5년 뒤에 떠돌이 서울 사람이 찾아와 남들이 사람 새끼로 취급도 안 해주는 병신 아베를 안고 다니는 그의 수상쩍은 행동거지를 두고 하시는 말씀이었다.

나는 어느 결에 대문 밖에 몰려온 마을 아낙네들을 바라보면서 치를 떨었다. 내가 몇 년 사이에 겪어낸 그 어떤 고통보다 큰 아픔이 쇠뭉치가 되어 내 머리통을 쳐 갈기는 것이었다.

「어머님……」

「닥쳐라, 내 입에서 더 못된 소리 나기 전에 어서 떠나지 못할까?」

시어머님은 입도 벙긋 못하게 호통을 치셨다. 행랑채 남자가 달려나왔지만 시어머님은 이미 내 옷가지와 패물들을 마루에 내던지고 있었다.

시간이 흐르면 시어머님께 내 억울한 사정을 이해시킬 수 있을 것 같아 마당에 무릎을 꿇고 앉아 버텨 보았지만 시어머님은 바늘 하나 찌를 틈도 주지 않으셨다.

「사정이야 다 있겠지만 저렇게 가라구 할 때 어서 떠나게.」

마을 사람들이 몰려와 혀를 차면서 별의별 소리를 다 떠들었다.

「염치가 없구먼. 해두 너무했어.」

칼로 배를 쩢어 내 속을 보여야 마땅한 일이로되 그 더러운 삶의 한 가닥 애착 때문에 저주받은 씨 하나를 안고 마을을 떠났다. 저만큼 앞서 행랑채 사내가 보따리 하나를 들고 휘청휘청 걷고 있었다.

「내 자식은 반드시 돌아온다. 이 더러운 것아, 다시는 발걸음 비치지두 말거라.」

울음 섞어 질러대던 시어머님의 말소리가 귀에 쟁쟁했다. 마을 사람들은 쫓겨나는 우리들을 향해 쯧쯧 혀를 차는가 하면 모질게 침을 뱉기도 했다. 이를 악물었지만 눈에 눈물은 쉬임없이 흘러내렸다.

김상만씨. 그는 하느님 당신이 저주 내리신 불쌍한 아베를 위해 특별히 보내 주신 사람이라고 나는 그렇게 믿고 싶었다. 아베를 위해서, 그리고 내 자신의 아직 꺼지지 않고 있는 그 더러운 생명의 마지막 연소를 위해서 나는 그 사람과 결혼했다. 그는 가능한 한 6·25 때 실종된 내 전남편 최창배씨 앞으로 출생 신고된 아베를 완전히 자기 자식으로 바꿔 놓고 싶다고 그 법적 절차까지 알아두고 있었다.

그러나 나는 그 문제만은 단호하게 머리를 저었다. 아비 없는 자식으로 키우기보다는 차라리 떳떳이 김씨 성을 주어 자식을 삼겠다는 그의 진심을 내가 모르는 바 아니었지만 나는 마음 속에서 그것을 용납할 수 없었다. 아무리 저주받은 병신으로 이 세상에 제 구실을 못하고 죽을 그런 인간이지만 아베는 어디까지나 최씨 가문의 핏줄이었던 것이다. 더우기 아베는 4대독자 집안의 유일한 뿌리로 남았던 것이다. 아베가 더 뿌리를 내리든 아베 대에서 그 뿌리가 끊겨지든 그것은 문제가 아니었다. 아베는 어디까지나 최창배의 자식이지 김상만 그의 자식은 될 수 없는 게 아닌가.

나는 내 둘째 남편 김상만씨가 어떤 불치의 병을 가지고 있는 사람이라는 걸 쉽게 알아냈다. 물론 그 병은 눈으로 가늠할 수 있는 어떤 육신의 병이 아니었다. 뭔가 삶의 의욕을 잃은 것 같은 그의 그 멍청함을 통해 나는 한 인간이 지닌 고뇌의 깊이를 생각할 수 있었다.

우리들 사이에서 첫 애가 태어나기 전에 나는 내 가슴에 새겨진 상처 하나를 그에게 털어보였다. 남들이 말하는 부부의 쾌락을 우리는 전혀 느끼지 못하고 있었고 나는 그 원인이 모두 내 상처에서 비롯된다고 그렇게 믿고 있었기 때문이다. 우리들은 몸에 불을 붙여 활활 타오른 다음 그 육체적 결합을 통해 구원받고자 안간힘을 썼다. 그이는 나보다 더 집요하게 자신의 몸에 불을 당기기 위해 발버둥쳤다. 그러나 우리는 동물이 생식 본능에 의해 갖는 그런 요식 행위 이상의 결합을 가질 수 없었다. 우리는 서로 몸을 기댄 채 허망한 마음으로 안타까움을 달래곤 했다. 그럴 때 나는 참지 못하고 여자가 무덤 속까지 가지고 가야 할 그런 과거를 털어놓았던 것이다.

「다 알고 있었소. 동네 사람들이 그 얘기부터 해줍디다.」

나는 내 몸이 천길 낭떠러지로 떨어져 내리는 현기증을 느꼈다.

「당신 그러면 그 일 때문에……」

내가 신음처럼 중얼거리자 그이는 고개를 가로저으며 내 어깨를 어루만졌다.

「아베 엄마, 당신 지금도 그 사람들을 미워하고 있소?」

얼마만에 그이가 조용히 물었다.

「그럼 제가 그 사람들을 사랑해야 되겠어요? 난 이제 아무도 미워하지 않아요. 미운 건 오직 내가 왜 이렇게 끈질기게 살아야

64

하는가 하는 그 의문이에요. 나는 이 의문이 머리 속에 떠오를
때마다 두려워서 견딜 수가 없어요.」

「무슨 소릴 하는 거요. 당신은 아베를 키워야 할 엄마고 또한
우리들이 갖게 될 아이들의 엄마이기 때문에 당당하게 살아야 하
는 거요.」

「아베는 키울 만한 가치가 없는 병신이에요. 그런데 당신은 입
때껏 아베를 사랑해 왔어요. 아니에요. 사랑하는 척해 왔어요. 나
는 그 사실이 무서워요. 줄타기에 나간 애인을 바라보는 여자처
럼 나는 겁나고 조마스러워요. 어떻게 자신의 핏줄이 아닌 병신
자식을 사랑할 수 있단 말예요.」

「사랑할 수 있소. 난 아베를 내가 낳은 자식처럼 사랑하면서
살 수 있소. 두고 보면 알 것이오.」

「그렇지 않아요. 우리들 사이에서 아이들이 태어나면 당신 마
음이 달라져요. 동정과 사랑은 같을 수가 없어요.」

나는 여자의 본능으로 내 자식에 대한 사랑을 확인받고 싶었던
것이다.

「동정이든 사랑이든 아베를 버릴 수가 없소. 아베는 내 자식이
오.」

그이가 결연하게 외쳤다. 그리고 말하기 시작했다.

──내가 아베와 거의 비슷한 아이를 만난 것은 1·4후퇴 당시
황해도 내 고향 근처의 어느 산 속에서였소. 서울서 대학을 다니
다가 난리를 만났고 유엔군과 함께 북진하는 국군에 뛰어든 거요.
고향에 두고 온 내 부모를 만나고 싶었던 것이오. 북쪽으로 가기
만 하면 내 부모들을 만날 수 있을 것이라고 생각했던 거요. 물
밀듯 밀고 올라갈 때는 이제 아무 때고 부모를 만날 수 있다는
생각에 무턱 고향을 지나쳤지만 막상 중공군에게 밀려 내려오게
됐을 때 나는 고향 땅을 그냥 지나칠 수가 없었소. 불현듯 고향
마을이 눈에 삼삼히 잡히고 38선이 막히기 전 마지막 본 부모님
과 형들이 미치게 보고 싶었소. 더구나 고향 마을에는 양가 부모

님들끼리 내약해 놓은 내 약혼자가 있었던 것이오. 나는 그때 고
향 집에 돌아가고 싶다는 생각 외는 아무것도 생각할 수 없었소.
사상도 나라도 내게는 상관이 없는 거였소.

　나는 후퇴하는 부대 후미로 뒤처지기 시작했소. 산 하나를 넘
으면 내 고향 마을이 보일 수 있는 그런 낯익은 길을 걷고 있었
소. 나는 정말 잠깐 동안이면 내 고향 집에 다다라 보고 싶은 얼
굴들을 만날 수 있을 것 같았소. 그리고 내 부모들을 이끌고 남
하할 그런 계산도 있었던 것이오. 나는 내 계획대로 부대에서 이
탈하는 데 성공했소. 그러나 나는 내가 숨어 있던 바위 뒤에서
몸을 일으킨 순간 좀 떨어진 곳에 세 사람의 아군이 내 쪽으로
오고 있는 것을 보았소. 한 사람은 부상을 당해 두 사람이 그를
부축해서 걸어오고 있었소. 나는 몸을 숨길 겨를도 없이 그들에
게 발각되었소. 그들은 이제 내 적이었소.

　「어이, 이것 좀 받아 줘.」

　그들 중에서 한 사람이 내게 자신들의 총을 내주었소. 가운데
부축을 당한 병사는 외상이 아닌 듯 배를 움켜쥐고 신음하고 있
었소. 부대는 이미 산 모퉁이를 다 돌아가 보이지 않고 있었소.
나는 그들 뒤에서 총을 쏘아댔던 것이오. 세 사람이 땅에 쓰러져
뒹굴었소. 나는 카빈총 하나를 들고 길을 벗어나 산 속으로 치뛰
기 시작했소. 얼마쯤 치뛰다가 문득 길 쪽을 돌아보니 그 순백의
눈 속에 넘어졌던 세 병사 중에서 한 사람이 일어나 한쪽 무릎
을 땅에 끌며 움직이고 있었소. 그는 얼마 못 가 다시 눈속에 넘
어졌다간 다시 일어나 그렇게 어려운 걸음을 떼어놓고 있었소.
나는 다시 정신없이 산을 치뛰기 시작했소. 바람에 눈이 몰려 어
떤 지점은 허벅지까지 눈에 덮였지만 나는 몇 시간이고 그렇게
산 속을 헤맸던 것이오. 아무리 겨냥해 봐도 내가 목표로 했던
고향 마을의 낯익은 산은 찾을 수가 없었소. 나는 다음날 새벽까
지 그 눈덮인 산 속을 헤맸던 것이오. 나는 몸에 지닌 건빵 한조
각도 없이 산 속을 헤매느라 기진맥진하였고 무서운 허기를 느꼈

소. 발과 손이 얼어 감각을 잃었고 나는 아무 데나 쓰러져 잠들
고 싶도록 지쳐 있었던 것이오. 그때 내 눈앞에 문득 초가 한 채
가 보였소. 산 밑 외딴 집이었소. 그 외딴 초가로부터 꽤 떨어진
곳에 서너 채의 인가가 또 보였소. 나는 모자와 계급장을 다 떼
어 버리고 그 외딴 집으로 숨어 들었소. 봉당에 한 아이가 앉아
똥을 누고 있었는데 아랫도리는 아베처럼 아예 벌거벗고 있었소.
대여섯 살쯤 돼 보이는 아이였소. 그 아이가 사립문을 들어선 나
를 향해 히쭉 웃었소. 나는 총을 겨누면서 봉당에 올라서자 방문
을 열어제쳤소. 식구들이 껌껌한 방에 모여 앉아 밥을 먹고 있는
중이었소. 나는 그들을 방 한구석으로 몰아붙인 다음 상 위의 밥
을 허겁지겁 퍼넣기 시작했던 거요. 우툴두툴한 옥수수 밥이었는
데 나는 지금도 그 옥수수밥 맛을 잊을 수가 없소. 방구석에서
쯧쯧 혀를 차는 소리가 들렸소. 정신없이 밥을 퍼먹던 나는 무의
식 중 그리로 총구를 들이댔소. 벌벌 떨면서 웅크리고 앉은 사람
들 속에 얼굴이 쪼글쪼글 늙은 안노인네가 내 얼굴을 딱하다는
그런 눈빛으로 쳐다보고 있었소. 그러나 다른 식구들, 중년 부부
와 열 예닐곱쯤 돼 보이는 처녀, 그리고 사내아이가 둘──그들
은 살기 띤 내 눈을 피해 얼굴을 돌리며 몸을 와들와들 떨고 있
었소. 나는 다시 정신없이 옥수수밥을 퍼먹다가 소스라치게 놀랐
소. 누가 내 등에 업힌 것이었소. 나는 그것을 방바닥에 밀어 던
졌소. 봉당에서 똥을 누던 그 어린애였소. 놈은 방바닥에 나가떨
어져서도 나를 향해 히쭉이 웃었소. 밥을 다 퍼먹고 나자 얼었던
몸이 방안 온기에 풀리면서 나는 심한 식곤증을 느끼었소. 나는
총을 거머쥔 채 벽에 기대 눈을 감았던 거요. 형언할 수 없는 그
런 안식이 내 몸 전체를 녹여 내리고 있었소. 깜박 졸았던 모양
이오. 어떤 기척에 퍼뜩 정신을 차려보니 방안 공기가 이상했소.
사십대 그 주인 남자가 보이지 않았소. 나는 문을 열어제쳤고 거
기 봉당을 내려서는 그를 보았소. 나는 정말 무의식중에 그 사내
를 향해 총을 쏘았던 것이오. 그리고 귀청을 찢는 비명을 들었소.

나는 몸을 돌려 어둑한 그 방구석을 향해 총을 난사했소. 턱이
덜덜 떨리는 공포를 느끼면서 실탄 케이스를 갈아 끼운 다음 다
시 총을 쏘아대기 시작했소. 그리고 밖으로 뛰쳐나왔소. 내가 쏜
그 주인 남자가 봉당에서 마당으로 떨어진 채 피를 쏟으며 쓰러
져 있었소. 사립을 나서면서 나는 문득 방 쪽을 돌아다 보았소.
그때 방문턱에 벌거벗은 아랫도리를 그냥 내놓은 채 걸터앉아 나
를 향해 히쭉 웃고 있는 그 반편이 사내아이를 보았던 것이오. 나
는 비로소 정신을 되찾아 도망치기 시작한 거요. 나는 후퇴하는
다른 잔류 부대를 만나 곧 원대복귀할 수 있었고, 정신에 이상이
있다고 낙인이 찍혀 병원으로 넘겨져 거기서 제대를 했던 것이오.
　나는 길거리에서 다리를 저는 상이용사만 만나면 가슴이 철렁
내려앉으면서 며칠씩 손에 맥살이 풀렸소. 한쪽 무릎을 끌고 눈
길을 걷다가 쓰러지고 다시 일어나 걷곤 하던 그 병사의 환영이
나를 괴롭혔던 것이오. 나는 내가 죽인 사람들 때문에 괴로와 한
게 아니라 내가 죽이지 못한 사람, 그 절름거리는 병사와 문턱에
걸터앉아 나를 향해 웃던 반편이 사내아이가 내 삶의 알맹이를
모조리 빼앗아가 버렸던 것이오. 나는 어렸을 때 강둑에서 살모
사 한 마리를 죽인 적이 있는데 뱀에 대한 극도의 공포로 해서
나무 막대기를 정신없이 내리쳐 흐치흐치 문드러질 정도로 만든
다음 풀숲에 던지고 돌아왔던 것이오. 그러나 저녁을 먹고 잠자
리에 든 순간 문득 살모사는 꼬리만 성하면 땅 기운을 맡아 다시
살아나서 원수를 갚는다는 아이들 말이 생각났소. 나는 부랴부랴
잠자리에서 일어나 어두워진 강둑으로 달려가 그 죽은 뱀을 찾아
냈던 것이오. 그리고 이제는 더 살아날 수 없을 정도까지 돌로
짓이겨 놓은 다음 뽕나무 가지에 걸어 놓고 돌아왔던 것이오. 그
제야 잠을 잘 수가 있었소. 아마 나는 그곳이 휴전선 이쪽이었다
면 당장 달려가 그 아이를 찾아내었을 게 틀림없소. 그리고 그
반편이 아이를 죽였을지도 모르오.
　그리고 여기저기 떠돌며 살다가 당신이 살고 있는 그곳에서 아

68

베를 본 것이었소. 나는 결코 내 눈을 의심하지 않았소. 나는 아베가 바로 몇 년 전 내가 죽이지 못한 그 아이라고 생각했소. 물론 나이도 모습도 많이 틀렸지만 나는 그런 것을 생각할 겨를이 없었던 거요. 나는 아랫도리를 벌거벗고 땅바닥에 앉아 노는 아이를 안아 올렸소. 아무 생각도 없이 그렇게 했던 것이오. 그 순간 나는 실로 형언할 수 없는 충동으로 몸을 떨었소. 그것을 뭐라고 설명해야 될는지……그렇소. 나는 가슴으로 끓어오르는 뜨겁고 커다란 것을 분명히 느낄 수 있었던 것이오. 그것은 사랑이었소.

남편은 그 사랑을 충분히 입증해 보였다. 우리들 사이에서 네 아이가 태어나 큰애 진호가 열 여덟 살이 되도록 아베에 대한 남편의 사랑은 변함이 없었다. 그는 어떠한 경우, 어떠한 사람 앞에서도 아베를 자기 자식이라고 말했다. 아버지, 어째서 아베는 호적에 안 올라 있는 거예요? 고등학교에 들어가기 위해서 주민등록을 떼어온 진호가 그렇게 난처한 질문을 던졌다. 그런 난처한 경우가 한두 번이 아니었다. 그럴 때마다 남편은 대답했다. 병신 자식이라 남들이 다 제대로 살지 못할 거라고 해서 한두 해 미루다가 이렇게 됐구나. 그처럼 남편은 철두철미하게 아베를 자기의 자식들과 구별없이 키웠다. 아베로 인해서 집안이 시끄럽고 아이들이 비뚤어져 나가도 그이는 이렇다 말 한마디 없이 지내왔다. 오히려 그는 아베로 인해서 내 마음이 상하는 게 괴로운 듯 늘 안타까운 얼굴을 보이곤 했던 것이다. 나는 다시 한번 당신이 저주내리신 불쌍한 아베를 어여삐 여기사 그 사람을 보내 주신 하느님한테 감사했다.

아아, 그러나 하느님은 아직 내 편이 아니었다. 나는 이제 하늘을 잃었다. 어둠과 절망과 내 가슴을 찢기는 아픔만이 내게 남아 있었다.

동두천에서 온 남편의 여동생, 아이들의 고모가 찾아왔을 때부터 나는 가슴에 구멍이 뚫리기 시작하는 남편을 알아볼 수 있었다. 고모의 몸에서는 노린내가 났다. 나는 그 노린내를 맡으면서 이상한 예감으로 가슴을 떨었다. 그 여자가 아베를 짐승처럼 바라보던 그 눈을 통해서 나는 육감적으로 어떤 불길한 생각을 떠올렸던 것이다.

남편은 이제 아베를 버리고 자기의 혈육인 그 여동생을 통해서 구원받으려 하고 있었다. 남편은 타고나기를 심약한 기질이라 아베를 통해 한 가닥 빛을 찾았을 뿐 그 뒤로도 계속 죄의식에 시달리는 생활을 해왔던 것이다. 그의 가슴 속에는 아직도 확인하지 못한 그 절름거리는 병사와 그가 죽인 사람들이 하나 둘 살아나서 그를 괴롭히고 있었던 것이다. 그는 항상 멍청해 있지 않으면 어렵게 얻은 직장을 쫓기듯 허둥허둥 물러나와 겁먹은 얼굴로 방에 숨어 살았다. 그이는 자기와 같은 피부, 같은 생각, 자기와 같은 말을 하는 사람들을 겁내고 있었다. 그이는 한국을 떠나 어디 먼 곳에 가 살고 싶다고 늘 말해 왔다. 숨이 막혀. 그는 늘 기어들어가는 소리로 말했다. 북쪽에 살아 계실는지도 모르는 그의 부모 형제 얘기만 나오면 가슴을 쥐어뜯으며, 아이구 답답해, 아이구 답답해, 그렇게 신음하곤 했다.

그러한 남편으로 해서 우리 가족은 오늘의 안일은 물론 내일의 희망까지 빼앗긴 채 늘 우울하고 암담한 시간을 가져야 했다. 나는 그 숨막히는 어둠 속에서 우리 가족을 건져올리고 싶었다. 암담한 뿌리를 송두리째 끊어 버리고 보다 희망 있는 굳건한 뿌리를 뻗게 하고 싶었던 것이다. 그러나 우리는 가난을, 그 비참한 가난을 헤어나지 못하고 허덕거려야 했으며 이제 스물 다섯으로 접어드는 아베로 해서 집안은 항상 음습했다. 아베는 커갈수록 동물의 본능인 그 성적 욕구를 발산하지 못해 에미인 나한테까지 몸을 비벼대곤 했다. 아베와 피가 다른 우리 아이들은 정말 본능적으로 아베를 싫어했다. 남편의 그 무기력과 아베로 인해서 우리 아이들은 떡잎부터 누렇게 시들고 있었다. 진호가 학교에서 제적을 당하고 그리고 계속해서 사고를 냈다. 제 친구 여럿과 함께 벌인 그 사고를 알았을 때 나는 죽어 버리기로 마음먹었다. 이때껏 그 굴욕과 고통에 찬 삶을 용케 견뎌온 나로서도 진호의 그 일을 보고서는 정말 이 세상이 싫었던 것이다.

이때 미국에 사는 아이들 고모한테서 초청장이 날아왔던 것이다. 아이들은 물론 남편까지 좋아라 날뛰었다. 사실 남편은 오래 전부터 동생으로부터 초청장이 오기를 기다려 오던 터였다. 나 역시 한때 기뻤다. 내 남편이 그처럼 좋아하는 일이며 내 사랑하는 자식들을 위해서라면 어딘들 못 갈 것인가. 그래, 남편에게 숨이 트이는 넓은 하늘을 주자. 그리고 빛을 받지 못해 휘어진 내 아이들이 싱싱한 빛깔을 되찾아 꼿꼿이 뿌리를 내리는 그 역사의 현장으로 가자. 나는 남편과 아이들의 뜻에 순순히 따르기로 했다.

이민에 따르는 그 어려운 국내 여권 수속은 주로 내 힘으로 다 했다. 남편은 지레 겁을 집어먹고 그 일에 나서지 않으려 했다. 오십 나이에 태권도다 용접기술이다 그런 데만 쫓아다니느라고 정신이 없었다. 그이는 어린애가 됐다. 나는 남편이 보이는 그런 배신적 변화에 대해 이를 악물고 아무런 불평 한마디 하지 않았다. 그는 어디까지나 내 하늘이었던 것이다. 그러나 나는 그 까다로운 수속에 필요한 서류를 구비하느라 오랜 시간을 보내면서 아무도 몰래 울음을 삼켰다. 나는 그 미어지는 가슴을 누구에게 털어 보일 수가 없었다. 물론 죽음도 생각해 보았다. 그러나 내 남편과 아이들을 위해서 그것은 있을 수 없는 일이라고 나는 마음 속에 다짐했다. 그들과 함께 미국으로 가 그들 곁에서 그들에게 힘을 보태야 하는 것이 아내와 에미로서의 도리라고 생각한 것이다.

어제 비자 발급을 위한 면접을 했다. 우리 식구들은 대사관 영사과에 나갔다. 영사과 정문 수위의 출입 확인을 받은 순간 남편의 손은 떨고 있었다. 아침 8시에 들어가 12시에 호출을 받기까지 남편은 안절부절하지 못했다. 나는 은근히 겁이 났다. 우리들이 비자 신청 서식에 답한 그 42가지의 질문 중 「당신은 체포되거나 유죄 판결 혹은 감옥에 구금된 일이 있읍니까」란 것이 있는데, 만약 영사관 쪽에서 그런 걸 물으면 남편이 「예, 나는 사람을 죽였읍니다」 그렇게 대답할 것 같은 얼굴을 하고 있었기 때문이다.

기다린 시간과는 달리 면접 시간은 빨랐다.

「여기 적은 모든 사항이 거짓이 없다는 것을 맹세할 수 있읍니까?」

미국인의 말을 한국 여자가 통역했다.

남편은 우물우물 입속말로 대답했다. 물론 우리들이 기재한 그 내용에는 아무런 하자가 있을 수 없었다.

남편과 나, 진호, 정희, 진구 그리고 막내——한 호적에 올라있는 우리 여섯 식구는 분명한 가족이며 이민 허가가 제한되는 정신병자, 심신 허약자, 알콜 중독자, 마약 중독자, 귀머거리, 벙어리가 아니라는 증거가 신체검사 결과서에 나타나 있었던 것이다.

면접을 끝내고 집에 돌아오니 아베가 방구석에 갇힌 채 잠들어 있었다. 아이들이 집을 나갈 때 문고리를 밖에서 잠갔던 것이다. 아베 나이 스물 여섯, 열흘만 지나면 그의 생일이었다.

오늘도 식구들은 아베에 대해서 일체 입을 열지 않았다. 하느님이 당신의 버리신 자식을 위해서 보냈다고 내게 믿음을 주셨던 남편마저 아베 같은 건 까맣게 잊고 있었다.

다만 막내가 한 마디 했을 뿐이다.

「엄마, 아베도 정말 같이 가는 거지?」

「그러엄, 큰형도 가고말고!」

나는 더 참지 못하고 밖으로 뛰쳐나왔다. 하느님 아버지, 원하옵건대 제발 이 죄인에게 힘을 주옵……

3

　저녁 8시쯤 돼서 석필이가 나타났다. 예비군들이 입는 얼룩 무
늬 옷에 머리는 빡빡이었다. 4년 세월이 그 애송이 얼굴을 어느
정도 어른 티가 나게 바꿔 놓고 있었다.
　「재두 걘 너 미국 가구 얼마 안 돼 뱃놈된다구 부산 내려가선
아직 소식 깜깜이다. 그때 걔 얘기론 원양어선 타구 외국에 나가
배에서 도망친다구 했다.」
　「재두 걔, 간질병이 심하잖니?」
　「누가 아니래. 그러니까 아무도 아는 사람이 없는 외국에 나가
혼자 살다가 죽겠다는 거지.」
　「부산 간 뒤론 정말 소식이 없단 말이지?」
　「그렇다니까. 나쁜 새끼같으니라구. 걔네 꼰댄 천호동 사는데
한번 찾아가 봤더니 아직두 사는 게 말 아니더라. 재두 여동생이
벌어서 먹구 산대.」
　「형표 걘 군대 갔다면서?」
　「그래, 작년 봄에 갔다. 휴가 한번 나왔었는데 최전방이라구 하
더라. 저쪽 놈들하고 서로 얼굴을 쳐다보면서 웃기도 한다더라.」
　「군대 생활 할 만하대?」
　「집에서 지내는 것보다 백번 낫다구 하더라. 삼 년 푹 썩으면
서 사람 되는 거지 뭐.」
　「걔 군대 가기 전에두 또 사고냈냐?」
　「별루. 참, 형표 군대 가기 전에 페인트 만드는 공장에 취직했
었다. 한달에 육만원씩 받아 적금두 들구 즈 살림에도 보태고……」
　「야, 정말 놀랬다. 그런데 형표 아버지 병은 고쳤냐?」
　「고치긴──너 미국 가구 금방 돌아가셨다. 돈이 있었으면 수
술을 했을 건데 그냥 질질 시간만 끌다가 간 거지 뭐.」
　「결국 고향에두 못 가 보고 돌아가셨구나!」

「돌아가시면서 그러더랜다. 이북에 있는 큰아들이 불러서 간다구.」

「큰아들?」

「너 몰랐구나? 형표 아버진 6·25때 월남해서 이북에 두고 온 가족 때문에 주욱 결혼 안 하구 있다가 나중에 결혼해서 형표를 낳은 거야.」

「그랬었구나, 어쩐지……」

그러다가 나는 문득 석필이 형 생각이 났다. 우리 4인조 중에서 석필이네 가정형편이 제일 나은 편이었다. 석필이 형은 대학에 다녔다. 수재라고 소문이 자자했다. 그러던 중 대학의 무슨 학생 써클 관계로 제적을 당했던 것이다. 제적을 당하고도 학교에 드나들며 무슨 일을 일으켜 끝내 감옥에 간 것을 보고 우리는 미국으로 떠났던 것이다.

「야, 느 형 어떻게 됐냐?」

「응, 1년하고도 3개월 치르구 나왔다.」

「학교는?」

「고만이지 뭐. 집에서 빈둥빈둥 놀다가 요즘 맘 잡구 산업 전사 됐다.」

「산업 전사?」

「공돌이 된 거지 뭐. 적성에 딱 맞는대. 야 참, 더 웃기는 건 말이야, 너 놀래지 마!」

「말해 봐, 난 미국 시민이다.」

「너, 내 얘기 믿어지지 않을 거다. 우리 형 결혼했다.」

「미국 시민은 그런 유머에 안 웃는다. 미국 사람두 결혼하거든.」

「임마, 그게 아냐. 우리 형이 누구하고 결혼했는지 그걸 알면 미국놈도 놀랄 거다.」

「누군데? 여자냐?」

「그래, 여자다. 너 유성애란 여자 기억나겠지?」

「유성애? 글쎄……듣던 이름 같다.」

「역시 미국은 좋은 나란가 보다. 넌 행복하구나.」

「말해 봐. 그 유성애란 여자가 니 형수님이란 말이지?」

「너 도깨비시장서 열쇠장수하던 유씨라면 생각날 게다. 우릴 경찰서에서 꺼내 준 바로 그 사람 말이다.」

「……그 유씨 딸이 느 형하고?」

「기쁘다. 미국놈도 놀래 줘서. 어떻든 느덜이 나눠 가져야 할 괴로움 나 혼자 때우느라 말씀 아니다.」

「느 형 미쳤구나!」

「우리 형이 미친 게 아니라 우리 형수님이 펜펜이스트지.」

나는 빌떡 일어나 여관방 벽에 걸린 남방셔츠를 벗겨 입었다.

「나가자!」

「너 일기 쓰냐?」

석필이가 가방 옆에 놓인 대학 노트를 끌어당기며 물었다. 나는 석필이 손에서 그 노트를 나꿔채어 가방 밑바닥에 넣은 다음 지퍼를 채웠다.

「일기가 아냐, 역사책이다.」

「너 미국 사람 되더니 늦게 사람 됐구나. 공불 다 하구!」

「그래, 나 공부 좀 더하러 왔다. 4인조 해단식도 해야 하겠고 ……」

「해단식?」

「결단식이 있었으면 해단식도 있는 법이다. 생각이 깊어지면 어릴 때 한 짓이 우스꽝스러워진다.」

「미국식이냐?」

「우리 아버지식이다 왜.」

석필이가 뭔가 얘기를 더 하고 싶어했지만 나는 앞장서서 여관을 나왔다.

「아저씨, 늦게 들어오실 거예요?」

잡채밥 하나를 얻어먹은 사내애가 문턱 나무의자에 앉았다가 아는 체를 했다.

「그래, 내 방에 가방 좀 잘 봐 줘라.」

여관 현관 위의 전등에 날파리가 어지럽게 날고 있었다. 비라도 올 듯 후덥덥한 여름이었다.

「너 아는 데 맥주집 하나 안내해라. 미국 시민은 돈이 많다.」

시장통을 걸으면서 내가 말했다. 밖에 나오자 석필이는 어느새 빡빡머리에 얼룩무늬 모자를 쓰고 있었다.

「맥주 마심 나 배탈난다. 우리 쐬주 먹자!」

「쐬주? 우리 둘이서?」

「난 혼자서두 잘 마신다. 우리 형수님 얼굴 본 날은 혼자서 쐬줄 마셔야 잠이 온다. 넷이 먹어야 할 걸 나 혼자 마신다.」

그래, 그때 우리는 넷이서 처음으로 술을 입에 댔지. 지금 저 어둠 속 천수산 중턱에 모여 앉아 아랫동네에서 사가지고 올라온 4홉들이 소주 두 병을 돌려 가며 거꾸로 물고 나팔을 불었지. 그렇지만 우리들은 꿀꺽꿀꺽 먹는 시늉만 떨었을 뿐 술은 좀처럼 없어지지 않았어. 반은 그냥 흘려 버렸지. 그러나 몇 모금씩 목구멍을 넘어간 소주는 우리들을 풍선처럼 부풀려 울렸던 거야. 죽어 버리고 싶다, 내가 말했지.

나두. 석필이가.

나는 살고 싶지 않다. 형표 말을 받아 재두가 말했다.

이하 동문이다. 우리들은 더 많은 말을 했다.

그러나——내가 말했다. 그러나 우리는 죽을 수 없다. 죽을 필요가 없다구. 이 병신 천치 머저리 같은 새끼들아, 우리가 왜 죽니?

맞아, 우린 죽지 않는다. 석필이가 말했다. 성공해야 한다. 우린 성공해야 한다.

그래, 돈을 버는 거다. 돈, 여자——그리고 오래오래 잘 먹고 잘 사는 거다.

재두가 그렇게 말하면서 이제까지 허풍과는 달리 벌떡벌떡 병

나팔을 불었다.

자, 우리 4인조 사자 클럽 결단을 위해서! 형표가 재두의 술병을 빼앗아 벌떡벌떡 들이켜기 시작했다.

우리 위대하신 담임 선생님을 위해서. 내가 술병을 빼앗아 들었다. 나는 그날 무려 4시간 동안이나 교무실 앞 복도에 꿇어 앉아 있었다. 선생들이 지나다니며 내 머리통을 쥐어박았다. 이놈 정말 문제아군. 저 새끼 작년에 내가 담임했는데 정말 골치 아팠다구. 부모가 뭐하는 사람인데? 몰라, 낯짝두 한번 못 봤으니까. 학교 한번 오라구 그렇게 연락을 해두 끄떡두 안 하는 거야. 교무실 사환 계집애가 드나들며 헬금헬금 웃었다. 차가운 시멘트 바닥의 그 습기가 뱃속까지 번져 올랐다. 또 한번 끝종이 울었다. 교실에 들어갔던 선생들이 몰려나오며 또다시 머리통을 쥐어박기 시작했다. 이 새끼, 똑바로 앉지 못해! 교련 선생이 내 꿇어앉은 무릎을 구둣발로 짓이겼다. 나는 4시간 30분 만에 교무실로 불려 들어갔다. 얼어붙은 다리가 저려 일어나다가 그냥 주저앉았다. 담임은 난로가에 앉아 적금통장을 뒤적이고 있었다. 반성했나? 담임이 물었다. 선생님. 제가 뭘 잘못했는지 말씀해 주십시오. 담임의 얼굴이 험악해졌다. 이 새끼야, 너 정말 몰라서 묻냐? 네, 저는 제가 잘못한 걸 모르고 있읍니다. 이 새끼 봐라, 이거 너 정말 기어오르기냐? 선생님, 전 등록금을 연기해 달라고 말씀드린 일밖에 없읍니다. 이 새끼야, 느 애비 에미가 와서 연기하라구 내가 몇 번씩 말했냐? 우리 부모들은 학교에 오실 수 없읍니다. 교무실의 다른 선생들이 내 주위로 몰려들었다. 야 이 새끼야, 차렷! 너 임마, 복장 상태가 그게 뭐냐? 이 새끼 이거 지난번 교외에서 만났는데 사복을 입고 다니잖아! 교련 선생님이 구둣발로 쪼인트를 먹였다. 시멘트 바닥에서 얼어붙은 정강이에 무거운 아픔이 왔다. 야, 이 새끼야, 너 학교 다니기 싫지? 담임이 내 멱살을 잡아 풀무질하듯 앞뒤로 흔들어댔다. 학교 다니기 싫지? 네, 학교 다니기 싫읍니다. 자퇴할래? 네, 자퇴하겠읍니다.

석필이, 재두, 형표는 중학교 동창이었다. 나하고 비슷한 처지로 학교를 그만두었다. 그러나 유독 재두만은 고질인 간질병 때문에 비관하고 있었다.

자, 시작하는 거다. 4인조 사자 클럽!

형표가 말했다. 우리들은 담배 한 개비씩을 나누어 물었다. 똑같은 시간에 담배에 불을 붙였다. 그리고 힘껏 다섯 모금씩 빨아들인 다음 서로의 얼굴을 쳐다봤다. 처음 먹은 술에 얼굴이 붉게 물들어 있었다. 우리는 다시 두 번 힘껏 담배를 빨아들이면서 둘씩 짝을 지어 앉았다. 나는 재두의 왼손을 잡았다. 재두 역시 내 왼손을 잡았다. 우리는 동시에 담뱃불을 시계줄을 걸치는 그 팔목 위에 댔다. 우리는 신음했다. 그러나 이를 악물고 입을 모아 하나…두울…세엣…네엣…다섯…여섯…스물까지 세었다. 살 타는 냄새가 났다. 담뱃불에 지져진 그 시커먼 데서 노란 액체가 줄줄 흘러나왔다. 우리는 그 상처 위에다가 먹다 남은 소주를 부었다. 네 사람 입에서 각기 무서운 비명이 나왔다. 그리고 서로의 얼굴 위에 솟은 땀방울을 쳐다보며 웃었다. ㅎ, ㅎㅎㅎ.

이 세상에 이처럼 무서운 고통은 또 없다! 누군가 말했다.

그렇다. 우리는 이러한 무서운 고통을 참고 견뎠다. 내가 외쳤다.

「아주머니, 여기 날두부 한 접시하고 쐬주 한 병!」

4년 전에도 있었던 낡은 건물 한구석에 자리잡은 술집에 들어서면서 석필이가 주모를 향해 말했다.

「웬 날두부냐?」

「우리 형두 교도소서 나올 때 친구들이 연탄젤 뒤집어씌우고 날두불 멕이더라, 그렇게 하는 거래.」

「야, 내가 교도소서 나온 사람이냐?」

「마찬가지야. 우린 느네가 미국 떠나는 거 보고 부러웠다. 그래서 이렇게 생각했다. 느네가 대역죄인이라서 유배를 간 거라구.

넌 지금 집행유예로 풀려난 거야. 우리 형처럼 사람이 달라져 나
왔겠지!」

유배——그렇다. 우리 식구들은 귀양을 간 거야. 도피가 아니
라구.

「참, 느네 형 생각했던 거보다 빨리 나왔구나, 그때 칠년이니
팔년이니 하더니.」

「사람이 됐다니까 자꾸 그러는구나. 친구들을 배신한 것만 빼
고——」

「배신?」

「그래, 배신한 거야. 자기만 깨끗했다구 주장한 거지.」

「느 형 깨끗했을 거다.」

「천만에, 깨끗한 사람이 아냐. 그게 괴로와서 유성애하고 결혼
한 거다.」

「우리 아버지식이구나.」

「느네 어버지?」

나는 대답하지 않았다. 대답을 할 수가 없다. 이해할 수가 없
기 때문이다. 그러나 아버지가 어머니를 배신한 것만은 틀림 없
다. 유배지에서 풀려나기 위해서인지 모른다. 그러나 어머니는
침묵하고 있다. 귀양 온 걸 억울해 하고 있는 게 분명하다.

「야, 석필아, 느 형 얘기 마저 듣자. 유성애하고 결혼한 그 얘
기.」

「얘긴 간단하다. 형이 잡혀 들어가기 전에 우리가 그 일을 저
질렀잖니! 그때 우리 집 내 보호자로 형이 왔다갔다 했잖아. 그
러다가 잡혀 들어간 거구, 그 속에서 내내 유성애만 생각했겠지.
그리고 풀려나자 결혼한 거야.」

「한국엔 아직도 그런 정신병자가 많구나.」

「그런 정신병자 때문에 오히려 많은 사람이 피해를 입는다.」

「피해?」

「그래. 물론 우리 형은 따로 나가 산다. 그렇지만 우리 어머니

는 며느리 앞에서 고개를 못 든다. 나 괴로운 건 더 말할 수도
없다.」

「정말 많이 변했구나. 네가 그 일을 가지고 괴로와하다니! 정
말 괴로운 거냐?」

「그래 괴롭다. 너두 내 입장이 돼 봐라. 형표 걔두 괴로와하더
라.」

「그렇게 말하는 네 얼굴을 보니까 한국은 정말 살기 좋은 나라
라는 생각이 든다. 이제 4인조 사자 클럽은 해체하겠다. 자, 건
배!」

우리들은 세상에 무서운 게 없었다. 담뱃불로 팔목을 지글지글
지지던 그 고통을 함께 나눈 우정을 가지고 우리는 하나처럼 움
직였다. 산동네와 시장통 어깨들이 우리를 피할 정도였다. 체육
관 패들도 우리에게 손을 내밀었다. 미친 어린 개한테 물리긴 싫
다. 그들이 그렇게 말했다. 우리는 가끔 천수산 중턱 그 바위 밑
에 앉아 술을 마셨다. 미성년인지라 술이 깨기 전엔 마을로 내려
갈 수 없었다. 청량리에서 우리 같은 애한테만 몰래 파는 그 노
골적인 성인만화를 구해다가 그런 시간에 읽었다. 여체와 성기
와 그 교성이 환장할 정도로 리얼하게 그려져 있었다. 우리는 견
딜 수 없었다. 수음을 했다. 어느 날 그 불량만화를 보던 중 재
두가 간질을 시작했다. 사지를 뒤틀면서 게거품을 입에 물었다.
그리고 잠시 후 부시시 일어나 씨익 웃었다. 그때부터 재두는 말
을 잃었다. 우리는 우울했다. 그러나 성기는 팽창한 채 몹시 틀
틀거렸다. 그때 우리들 눈앞에 그 계집애가 나타난 것이다. 유성
애. 그 현란한 여름옷이 우리의 눈을 현혹했다. 맵시있게 차려입
은 옷이었다. 우리들은 동시에 일어섰다. 재두 혼자만 멍청히 앉
아 있었다. 그 계집앤 가까이 보니 생각보다 나이가 들어 보였다.
그러나 우리는 행동을 개시했다. 막상 벗기고 보니 몸이 너무 빈
약했다. 그 만화 속의 그림과 같은 것은 오직 그네의 그곳뿐이었
다. 그래서 우리는 해치웠다. 만화의 내용과는 너무 달랐다. 우

리는 다만 실망과 열적은 그 찝찝한 기분으로 도망쳤다. 그리고
재두네 집에 모여 앉아 기타를 치다가 잡혔다. 우리가 해치운
그 여자애는 시장통 양장점에서 일하는 계집애였다. 어쩐지 옷이
맵시 있더라니. 우리는 속은 게 분했다. 몸이 그렇게 빈약한 계
집애도 있다니. 우리는 경찰서 대기실에 앉아 툴툴거렸다. 우리
들의 보호자가 불려왔다. 형표네는 칠십이 가까운 병든 개 아버
지가 왔다. 석필이 형은 제적을 당했으면서도 대학 교복을 입고
있었다. 그는 우리를 둘러보며 으르렁거렸다. 우리 어머니가 그
들을 데리고 그 양장점 계집애가 있는 병원으로 달려갔다. 도깨
비시장에서 열쇠장사를 하는 유씨가 자기 딸을 범한 우리들을 위
해 경찰관에게 애원하고 있었다. 내가 잘못했읍니다유. 제 에미
가 위장병에 걸려 내가 걔더러 산에 들어가 삽초싹 뿌리를 캐 오
라고 한 것이 잘못이었지유. 그리고 제 딸년이 옷을 너무 야하게
입고 있었던 것두 잘못이지유. 우리 어머니와 석필이 형이 하루
에 한번씩 경찰서에 왔다. 합의서를 썼다고 했다. 우리는 미성년
자였다. 잡혀 들어간 지 두어 주일 만에 풀려날 수 있었다. 다시
는 재수 없는 그 계집애 얼굴을 못 봤다. 다만 그 계집애 어머니
가 시립병원에 입원했다는 말만 들었다.

　「야, 진호, 이 개새끼야. 너하고 술 마시니까 드럽게 취한다.」
　우리는 이홉들이 소주 세 병을 다 바닥내고 있었다. 석필이는
저녁을 먹지 않은 속이라 무척 취하는 모양이었다.

　「야, 임마, 이젠 니 얘기 좀 해라. 미국 가서 잘 먹고 잘 살다
잘 뒈질라고 이민간 그 얘기 말이다.」

　「우리 얘기하러 여기까지 오지 않았다. 느덜 얘기가 듣고 싶어
한국에 온 거다.」

　「임마, 네 속 내가 모를 줄 아냐? 비참한 우리들 얘기 듣고
싶어 그러지?」

　「그건 오해다. 그렇다면 내가 단 한 가지만 얘기해 주지. 우린
아파트에 산다. 저 아래 도깨비시장 옆 열 두 평짜리 서민 아파

트보다 통로가 더 좁고 불결한 그런 아파트에 산다. 바퀴벌레가
버글버글한다. 위층에서는 돼지같이 생긴 흑인 연놈들이 생음악
을 연주하며 카펫도 깔리지 않은 데서 댄스파틴지 지랄인지 밤
낮 없이 발광을 한다. 우린 그런 데서 여기서와 똑같은 밥, 같은
반찬을 먹고 산다. 오히려 여기서보다 더 못 먹고 더 맛 없는 반
찬을 먹고 산다. 믿지 못하겠지만 믿어 줘라.」

「느네가 그렇게 사는 건 그래두 미래를 위해서 그러는 거 아니
냐?」

「미래? 누구, 누구의 미래냐? 뿌리가 없는데 어떻게 꽃이 피
겠냐? 우리 식구들은 지금 화병에 꽂힌 꽃망울과 같다. 어쩌면
한때 꽃이 필 수도 있겠지. 그러나 결국은 머지않아 쓰레기통 속
에 집어 던져질 것이다.」

「임마, 진호야. 나 너한테 그런 식으로 위로 안 받아도 좋다.
네가 생각하는 것처럼 한국 사람들이 모두 미국을 동경하고 있는
줄 아냐?」

석필이가 빈정거리고 있었다. 그러나 나는 그 빈정거림에 맞서
고 싶은 생각이 없었다. 나는 가슴이 허전하게 비어들었다. 문득
빈약한 가슴을 가진 채 시들시들 메말라 가고 있는 이써의 딸이
생각났다. 그네는 꽃망울인 채 시들어 가고 있었다. 누가 화병에
물을 갈아 넣어 줄 것인가. 누가 그 꽃나무를 깨끗한 물모래에
꽂아 매일매일 물을 주어 뿌리를 내리게 할 수 있단 말인가. 누
가 우리 아버지의 자책으로 인한 그 거짓의 삶에 일깨움을 주어
병든 영혼이 구원받을 수 있는 길을 열어 줄 것인가. 나는 아버
지가 그처럼 열심히 탐닉하는 천한 노동과 휴일이면 찾는 한인교
회 기도를 통해서도 결코 구원받지 못한 채 방황하고 있는 것을
잘 알고 있었다. 누가 내 동생들에게 따뜻한 손길을 내밀어 눈먼
그네들에게 참되게 사는 빛을 줄 것인가. 어머니, 그래 어머니만
이 우리 모두에게 사랑과 호된 채찍을 휘둘러 그 드넓은 땅 메마
른 흙 속에 뿌리를 내리게 할 수 있었다.

　그러나, 그러나…….

「야, 진호야, 한 가지만 물어 보자.」

　석필이가 내 어깨를 쳤다. 앉은 채 잠깐 졸더니 술이 좀 깬 것
같았다.

「아주머니, 여기 술 한 병 더!」

　이번에는 내가 주모한테 주문했다.

「진호야, 느네 형, 아베 잘 있는지 그게 늘 궁금했다.」

　석필이가 말했다. 우리 형, 아베가 잘 있는지 궁금하다고. 놀라
운 일이다. 이 세상에 아베에 대해서 생각하는 사람이 또 하나
있다는 것은 우선 놀라고 볼 일이다. 누가 남의 집 키우던 짐승
에 대해서 안부를 묻겠는가. 저걸 왜 집에 둬 두니? 언젠가 우
리 집에 왔던 석필이 제놈이 그렇게 물었었다.

「내가 오늘 여기 와서 너하고 술을 먹는 것은 네가 궁금해 하
는 그 아베의 행방에 대해서 알고 싶기 때문이야.」

　내가 역습을 했다. 석필이가 무슨 소리냐는 듯 고개를 갸우뚱
거렸다.

「석필아, 너 우리 집 아베 못 봤냐? 보진 못했더래도 뭔 소식
이라도 못 들었니?」

「너 지금 무슨 소릴 하는 거야? 아베를 못 봤느냐구? 도대체
너……?」

「그래, 우리 형 아베를 못 봤느냐고 그렇게 물었다.」

「그럼 아베가 한국에 나왔단 말이냐?」

「아베는 미국에 가지 않았다.」

「아니, 그럼 어떻게 된 거냐?」

「그걸 나도 모른다.」

　어머니는 아베에 대해서 말하지 않았다. 아버지 또한 아베에
대해서 말하지 않았던 것이다. 비자가 나오고 그리고 우리가 떠
나야 할 날이 다가왔을 때까지 아베는 평시와 다름없이 집에 있
었다. 아무도 아베 같은 것에 대해 관심을 둘 만큼 한가하지 않

았다. 어머니마저도 우리들을 데리고 동대문 시장을 다니면서 우리 식구들이 입어야 할 내복을 사 짐을 꾸리기에 정신이 없었다. 산동네 우리들이 살던 무허가 건물이 꽤 비싼 값으로 팔렸기 때문에 아버지는 태권도 도장 사범과 저녁을 먹는 등 전에 없이 활기를 떠고 있었다. 우리들은 미국에 가 돈을 벌어 비행기표 값을 월부로 갚기로 계약했기 때문에 집이랑 몇가지 쓸만한 가재도구를 판 돈으로 미국에서 사기 어려운 생활 필수품을 사들이기에 여념이 없었다. 우리 식구들은 공중에 붕붕 떠다니는 기분으로 한국에서의 마지막 날들을 보내고 있었다.

「나 오늘 외사촌형한테 다녀와야겠소.」

출국일을 이틀 앞두고 아버지가 경기도 광주에 이사가 사는 단 하나의 친척인 당신의 외사촌형 집에 인사를 간다고 아침 일찍 떠났다. 우리 남매들도 친구들을 마지막 만나 보기 위해 가슴에 실로 묘한 감상을 매달고 밖으로 뿔뿔이 흩어져 나갔다. 집에 남겨진 것은 아베와 어머니뿐이었다.

그날 우리들은 어머니가 밤 늦게까지 돌아오지 않아 잠을 자지 않고 기다렸다. 물론 아베도 집에 없었다.

「어머니가 느덜한테 아무 말도 안 했단 말이지?」

아버지가 초조한 기색으로 우리한테 거듭거듭 묻고 있었다. 우리 남매들은 고개를 가로 저으며 서로 눈길을 피했다.

「형, 아벤 미국 안 가는 거지?」

아베에 대해서 말한 것은 막내뿐이었다. 그것도 내 귀에다 대고 속삭였던 것이다.

「야, 임마, 낼 일찍 일어나려면 빨리 자기나 해!」

내가 막내를 향해 핀잔 주었다. 막내는 방 한구석에 쓰러져 한국에서의 마지막 잠을 잤다. 진구도 정희도 잠들었다.

「너두 그만 자거라.」

아버지가 또 다른 담배에 불을 붙여 물며 말했다. 12시가 넘어 산동네 그 아래의 소음도 잠들어 버린 시간이었다. 나는 몰래 훔치듯 아베를 생각했다. 아베의 그 헤벌린 입과 거기서 끊이지 않고 흘러내리는 침과 그 냄새와……나는 되도록 아베의 더러운 것만 골라 생각했다. 아베는 사람두 아니야. 그래, 차라리 아베보다 살모사가 더 기르기 좋을 거야. 아베 때문에 우리 식구들은 입때껏 고통을 당했어. 아베 때문에 나는 학교에서 제적을 맞은 거야. 아베 때문에……아베 때문에 우린 내일 떠날 수 없을른지도 몰라. 나는 속이 아베에 대한 분노로 부글부글 끓어올랐다. 그리고 얼마 후에 잠들었다.

우리는 김포 공항에 늦어도 오후 4시까지 나가야 했다. 5시 반에 비행기가 뜨기로 돼 있었던 것이다. 어머니는 전날은 물론 그날 오후 I시까지 집에 돌아오지 않고 있었다. 아버지는 계속 담배를 피워댔다. 아버지의 그 커다란 체구가 형편없이 짜브라져 차마 맞바로 보기에 민망할 정도였다. 아버지는 안절부절하지 못하며 아주 크게 한숨을 몰아 쉬었다. 우리 판자집을 산 사람들이 그때 들이닥쳤다. 그들의 지저분한 이사짐이 쪽마루에 가득 가득 쌓여졌다. 장독이 들어오고 연탄도 날라 들여왔다. 우리들은 몇개의 작은 가방들을 저마다 하나씩 들고 그 이사짐 사이를 이리저리 비켜서야 했다. 막내가 징징 울기 시작했다. 아버지의 입술이 꺼칠하게 타들고 있었다. 아버지, 엄마 놔두고 우리끼리 가! 정희가 악쓰듯 말했다.

그때 어머니가 나타난 것이다. 나는 시계를 보았다. 2시 45분이었다. 아무도 어머니한테 말을 붙이지 못했다. 나는 아직까지 그렇게 초췌해진 어머니를 한번도 본 적이 없었다. 그렇다. 어머니의 그 넋나간 것 같이 멍청해진 얼굴은 그때부터였다. 아침부터 우리 집을 기웃거리던 이웃 사람들도 어머니의 그런 표정을 보면서 아무것도 물어오지 않았다.

그러나 어머니는 애써 그 굳은 표정을 풀면서 선후를 가려 떠날 채비를 했다. 남은 연탄 다섯 장은 바로 앞집 여자에게 넘기고 다 돌려주고 아직도 남았던 작은 항아리 하나는 옆집 혼자 사는 할머니한테 넘겼다.

「이쪽 쪽마루를 조심해서 디디세요. 아주 오늘 손봐서 드시는
게 좋으실 거예요.」

우리 집을 사고 이사온 아낙네한테 어머니가 쪼개진 쪽마루를
가리켜 보이면서 말했던 것이다.

「이제 고만들 들어가세요. 정말 잊지 못하겠어요.」

골목 그 아래까지 따라온 이웃 사람들을 향해 어머니가 마지막
인사를 했다. 아버지가 약국 앞에서 택시 두 대를 잡았다. 앞차
에는 아버지와 정희 그리고 진구가 탔다. 나는 어머니와 함께 뒷
차를 탔다. 막내가 뒷자리 어머니 곁에 붙어 앉았다. 시장통을
다 빠져 나가 차가 6차선 큰길을 내달릴 때도 어머니는 말이 없
었다. 내 이마 위 백미러를 통해 어머니 얼굴을 찾았다. 백미러
속 어머니 얼굴은 눈을 감은 채 굳어 있었다. 강변도로를 달릴
때 막내 목소리가 뒤에서 들렸다.

「엄마, 아벤 어딨어?」

나는 창밖 빠르게 흘러가는 경치를 바라보면서 신경을 곤두세
웠다. 그러나 나는 공항에 다 이를 때까지 아무 소리도 듣지 못
했다. 어린 아이들에겐 용기가 있다. 그러나 아무리 용기 있는
막내라 할지라도 그 이후 어머니 앞에서 아베 이름을 두 번 다시
입에 올리는 것을 볼 수가 없었다.

「야, 석필아, 집에 가서 자라!」

우리들은 맥주집에 옮겨와 있었고 테이블 위에 놓인 맥주 다섯
병은 겨우 세 개가 비어 있었을 뿐이다. 석필이는 알아들을 수
없는 소리를 흥얼거리려 의자에 목을 꺾어 기댄 채 잠들어 있었
다. 나는 내가 하나도 취하지 않았다는 걸 알고 놀랐다. 임마 네
뱃속에 기름이 져서 그런 거다. 나쁜 새끼같으니라구. 내가 술이
취하지 않는 이유를 석필이가 그렇게 말했던 것이다.

「이제 고만들 가세요. 술집에 와서 술두 안 먹구 자는 사람이
어딨어요!」

옆에서 술을 따르던 계집애가 가슴이 많이 파인 옷을 흔들어 몸에 땀을 식히며 툴툴거렸다. 아무리 희미한 조명 아래 술 취한 눈으로 보아도 결코 예쁘지 않은 얼굴이었다. 그러나 나는 몹시 목이 말랐다. 계집애 몸 하나는 좋았던 것이다. 불량만화 책 속에 그려진 그런 풍만한 **여체**, 그런 한아름 되는 허벅지를 가진 계집이었다.

나는 문득 시외버스 속에서 한자리에 앉았던 미스 박이란 여대생이 적어 주던 전화번호를 생각해 냈다. 수첩갈피에 그 쪽지가 있었다. 시계를 보았다. 11시 5분이었다. 쪽지 속의 전화번호를 내려다보면서 나는 생각했다. 시간은 내일도 있다. 그리고 다음 주도 또 그 다음 주도……그러나 나는 가로 고개를 저으면서 그 종이쪽지를 반으로 접었다. 그리고 한 번 두 번 세 번……나는 손끝에서 발기발기 찢긴 그 종이 부스러기를 내 눈앞, 풍만한 젖가슴을 가진 그 계집 얼굴에다 뿌렸다.

「여자야, 너 아베가 어디 있는지 아니?」

「이 손님 참 이상하셔……」

계집이 자기 얼굴에 붙은 종이 부스러기를 떨어내며 다시 말했다.

「아베가 누군데 저한테 그런 걸 물으시는 거예요?」

「대답만 해! 아베가 어디 있냐?」

「글쎄 그걸 제가 어떻게 알아요.」

그래서 너한테 묻고 있는 거다. 우리 어머니가 그걸 나한테 알려 주지 않았다. 어머니는 그 수기를 다 끝맺지 못하고 있었다. 어찌 더 쓸 수 있었으랴.

「……하느님 아버지, 원하고 원하옵건대 제발 이 죄인에게 힘을 주옵……」

「말해 봐, 우리 어머니가 아베를 어떻게 했지?」

「손님, 도대체 아베가 뭔데 그러세요?」

「아베……아벤 사람이다. 우리 형이다.」

「그런데 뭘 그러세요. 사람이면 집에 있겠지요, 뭐.」

「집?」

「그래요. 아버지, 어머니, 할머니가 있는 집 말예요. 나두 우리 할머니가 있는 시골집에 가구 싶어 죽겠어요.」

「할머니가 있는 집?」

「그렇다니까요. 돈만 벌면 나두……」

「알았어! 네가 그랬지? 할머니가 있는 집이라구?」

나는 뛸 듯이 기뻤다. 테이블 위의 술병 하나를 병째 들어올려 벌떡벌떡 마시기 시작했다.

「여자야, 너 오늘밤 나하고 자자!」

「손님, 여기는 술집이에요!」

나는 뒷주머니에서 돈 지갑을 꺼내 펴 들었다.

「난 급해! 너 분명히 말해라. 몸은 안 팔겠다는 거냐?」

계집이 내 얼굴을 한참이나 쳐다봤다. 그리고 고개를 떨구며 작은 목소리로 말했다.

「요즘은 불경기예요. 더구나 여긴 가난한 동네기 때문에 팁도 못 받아요.」

「그래서?」

「나 여기에 11시 반까지 있을 거예요. 자기, 어디 있을 거예요?」

계집이 고개도 들지 않은 채 눈만 살짝 치떠 쳐다보았다.

「너, 저 윗동네 극장 바로 옆에 있는 여관 알아?」

「한강 여관 말이지요?」

나는 그 계집에게 계산서를 가져오게 한 다음 술값과 몸을 사는 데 들 만한 돈을 고액환으로 두 장 내놓았다. 계집의 눈이 휘둥그래졌다. 술값을 제하고 제 몸값을 젖가슴 속에 집어넣는 그네의 그 얼굴에 가느다란 경련이 스쳐가는 것을 나는 보았다. 운정아, 핏기 없는 네 얼굴에 빛깔을 주기 위해 나는 어른이 되고 싶은 거야, 운정아. 나는 입속으로 난생 처음 이씨 딸의 이름을 불러 보았다.

88

「오우, 원더풀!」

토미가 연해 감탄을 쏟아 놓았다. 지난 주 내 장난으로 해서 내렸던 그 시골의 풍경도 좋았지만 오늘 나와 함께 걷고 있는 이 물가 풍경은 자기가 이때까지 본 경치 중에서 단연 으뜸이란 것이다. 춘천에서 버스를 타고 다시 삼십 분을 달려와 내린 다음 엄청난 규모의 댐 둑을 바라보면서 호수를 끼고 펼쳐진 산비탈길을 걷고 있었다. 토미의 감탄이 아니라도 나 또한 한 폭 그림 속에 든 느낌이었다. 우리가 걷고 있는 산비탈 그 뒷산이 호수 속에 푸른 그림자를 선연하게 던지고 있었다. 길 아래 물가 드문드문 목 좋은 곳을 골라 앉은 낚시꾼들의 그 침묵이 또한 그대로 그림이었다.

우리는 자동차 하나가 겨우 다닐 수 있는 그런 산비탈길을 터벅터벅 걷고 있었다. 새벽까지 내린 비에 우거진 녹음이 한결 성성해 보였고 흙길은 먼지 하나 일지 않았다.

우리들 앞에서 경운기 한 대가 탈탈거리며 다가오고 있었다. 그 경운기 소리에 한여름 대낮의 침묵이 괜찮게 깨져 낚시꾼들이 새삼 낚싯대 미끼를 갈아 끼느라 조금씩 움직임을 보였다. 우리들 앞에 달려온 그 경운기 위에는 웃통을 벗어 버린 젊은 사람이 앉아 있었다.

「샘골이 아직도 멀었읍니까?」

그 젊은이가 경운기를 가볍게 세우면서 토미와 나를 얼마간 경계하는 눈빛으로 훑어보았다.

「우리 샘골까지 갑니다. 아직 멀었읍니까?」

그러자 그 젊은이가 문득 자기가 돌아온 호수 그 위쪽 한군데에 눈길을 주었다간 되들리며,

「샘골은 지금 없어졌어유. 이 댐이 생기기 전까지 저 꼭대기 밤나무 많은 그 안쪽 골짜기가 샘골이었지유. 여기서 보기보다 아주 엄청 큰 마을이 거기 있었지만 지금은 물이 들어차서 산비탈에 몇 집만 남아 있을 뿐예유.」

「몇 집 남아 있긴 하군요?」

「그렇지만 아무도 거길 샘골이라곤 하지 않아유.」

「혹시 거기 살던 최창배씨라고 기억나세요?」

그는 생각해 보는 눈치더니,

「그런 사람 모르겠는데유.」

그러면서 다시 한번 토미와 나를 번갈아 훑어본 다음 경운기에 발동을 넣고 있었다.

「저쪽 산모퉁이를 돌아가면 그 샘골로 들어가는 초입에 가겟집이 하나 있어유. 거기 가서 물어 보시게유.」

나보다 네댓 살 위로 보이는 그 청년은 경운기를 몰고 떠났다.

「지노 킴. 네가 찾고 있는 사람이 거기 살고 있다는 건가?」

토미가 묻고 있었다. 나는 토미를 쳐다보았다. 껑충하게 큰 키에 팔뚝에는 누런 털이 징그럽게 덮여 있었다. 그 순간 나는 노린내 같은 걸 맡았다. 그들 속에 묻혀 살면서도 한번도 맡아 보지 못한 냄새였다. 나는 걸으면서 물었다.

「토미, 너 6·25 사변을 아니?」

「안다. 잘 안다.」

물론 우린 신병 훈련소에서 정훈교육 시간에 한국 역사에 대해서, 우리들 임무와 관련된 6·25에 대해서 배웠다.

「토미 말해 봐라. 뭘 아는가?」

「형제가 싸웠다.」

토미가 대답했다. 그는 자기가 유머를 쓰고 있다고 생각하는 양 싱글싱글 웃고 있었다.

「그래서?」

「우리 미국이 너희 한국 사람을 도와서 이기게 한 전쟁이다.」

그는 자랑스럽게 말했다.

「임마, 웃기지 마!」

내가 한국어로 씹어 뱉었다.

「홧?」

「네 말이 옳다는 뜻이다. 토미, 그때 이겼다면 너는 왜 지금 여기 와 있는가?」

「한국은 아직 전쟁 중이다. 한국의 형제들이 원하지 않아도 치러야 하는 그런 싸움이다. 그래서 우리가 도우러 왔다.」

「왜, 무엇 때문에 돕는 거냐?」

「친구니까.」

「임마, 그렇다면 붕우유신이라는 말씀부터 명심해라!」

내가 다시 한국어로 씨부렁거렸다.

「홧 홧스 민?」

그러나 나는 대답하지 않아도 좋았다. 우리들은 이미 아까 그 청년이 일러 준 골짜기 입구 길 옆에 위치한 구멍가게에 이르러 있었던 것이다.

가게 진열대 한구석 마루에서 젊은 아낙네 하나가 애기한테 젖을 물리고 있다가 황황히 몸을 돌려 앉으며 옷매무시를 바로잡고 있었다. 젖을 빨던 어린애가 입언저리를 젖으로 흥건히 적신 채 가게 앞에 선 우리 둘을 말똥말똥 쳐다보았다. 그때 우리는 뒤에 어떤 인기척을 느꼈다. 가게 앞에 평상이 두 개 놓여 있고 그 한쪽에 안노인네 하나가 모로 누워 있다가 몸을 일으키고 있었다. 토미와 나는 그 평상 한쪽에 궁둥이를 붙이고 앉아 땀을 닦았다. 이제까지 우리가 끼고 올라온 호수의 원줄기와는 달리 가게 앞쪽으로 또 다른 호수가 넓게 펼쳐 들고 있었다. 청년이 말한 옛날 샘골이 바로 여긴 모양이었다.

내가 주문한 대로 아낙네는 사이다 두 병과 맥주 두 병, 그리고 과자 한 봉지를 평상 있는 데까지 날라왔다. 사이다와 맥주는 집안 마당으로 들어가더니 물에 젖은 걸 들고 나왔다. 그런대로 병이 차가왔다. 우물물에 담갔던 모양이다.

가게 마루에 혼자 남은 애기를 향해 걸어가는 그 안노인네를 내가 붙들었다. 칠십쯤 되는 아주 작은 체구의 그 노인은 토미를 자꾸 흘금거리며 평상에 엉거주춤 앉았다. 나는 노파에게 사이다

를 따라 건넜다. 그리고 가게 안마루에서 이쪽을 겁먹은 눈으로
보고 있는 아이에게 과자를 쥐어 주고 왔다. 나는 노파가 우리들
에 대한 경계심을 풀게 하기 위해 이것저것 시골 일에 대해 묻고
마루에 있는 애기에 대해서도 물었다. 애기는 그 노파의 네째 아
들이 낳은 어린애였다. 아들 넷, 딸 둘의 몸에서 열 여덟 명의
손자 손녀를 둔 체구가 작은 그 노파는 올해 여든 둘의 나이답지
않게 정정해 보였다. 귀도 전혀 어둡지 않았다.

「할머니, 여기 샘골에 오래 사셨어요?」

「오래 살다마다! 열 여섯에 조 너머 창말서 일루 시집을 와가
지고설랑 칠년 전에 여기 물이 들어차서 다들 대처루 떠났지만
아즉두 끄덕없이 살구 있으니께 육십 여섯 핼 예서만 산 게여.」

노파는 점방에 앉아 사람을 많이 겪은 탓인지 비교적 쉽게 얘
기가 됐다.

「할머니, 그럼 최창배란 사람 아시겠네요?」

노파는 잠시 옛날 마을이 있었던 호수 한가운데로 눈을 돌리고
생각하는 눈치더니,

「그런 사람은 모르겠구먼. 샘골에 최씨라면 최멘장 최두세이밖
에 없었는데……」

「맞아요, 할머니. 그 최 뭐라는 부면장 하시던 분의 아들이 바
로 최창배씨 아네요?」

「그럴지도 모르지. 그 최멘장한테 아들이 하나 있긴 했지만……」

「그 최면장 아들이 어떻게 됐어요?」

「내가 아나, 죽었는지 살았는지. 6·25 난리 때 인민군에 끌려
가선 입때 소식이 없으니께.」

「그러면 그 집 할머니가 여기 샘골에 사셨을 텐데요?」

노파는 새삼 내 얼굴을 휘휘 뜯어보고 나서 말했다.

「최멘장 마누라 말인가?」

「네, 그래요, 할머니!」

「거 왜 새삼스레 죽은 사람을 찾수?」

「죽었어요, 그 할머니가?」

나는 퉁기듯 평상에서 일어났다가 도로 주저앉았다. 토미는 가게 마루에 걸터앉아 그 어린애를 무릎에 앉혀 데리고 놀고 있었다. 그의 요란스런 남방셔츠 깃을 다잡아 쥔 채 그 어린애가 키들키들 웃고 있었다.

「죽었어. 그놈에 친구 맨날 나보다 십년은 더 산다구 자랑해쌓더니, 4년 전에 저 세상에 갔수!」

「4년 전이오?」

「거 왜, 남북이 왔다갔다한다구 한참 떠들썩하던 해 말이유. 그때 그 늙은이, 아들 만나게 됐다구 덩실덩실 춤을 추더니만……」

해가 쩡쩡한 여름 대낮인데 노파는 눈물을 질금거렸다.

「젊은인 신문도 못 봤는가? 우리 애들이 그러는데 그 늙은이 죽은 거 강원도 신문에 크게 났다던데……」

「어떻게 돌아가셨는데요?」

「그놈에 돈이 웬수지.」

「돈이요?」

「아들 돌아오구 손자 찾으면 준다구 꽁꽁 뭉쳐 뒀던 돈 말이지. 최멘장네 땅이 샘골서 제일 많았지. 렘이 생겨 물에 잠기는 값으로 타낸 돈이지. 돈이 적기나 한가, 남들이 위험하다고 춘천은행에 맡기라구 그렇게들 얘기했건만……난리가 나면 은행두 못 믿는다구 집안에 감춰 가지고 있더니만 결국 당한 거지 뭐.」

「범인은 잡혔나요?」

「웬걸, 참말 살던 건달패 녀석인데 돈을 싹 쓸어 가지고 도망을 쳤지. 애기들이 없는 걸 보니까 안즉 못 잡은가 봐.」

「그 할머니 어디에 사셨는데요?」

「먼저 그 큰 집이야 저 물속에 잠겼구……저기 보이는 저쪽 저 낡은 집이우. 게다가 집을 짓고 혼자 살았지. 대처루 나가면 아들과 손자가 돌아와두 못 찾을 게라구 하면서……」

나는 노파가 가리켜 보이는 골짜기 안쪽 노송이 두어 그루 물

쪽으로 가지를 펼치고 있는 언덕 위의 그 오뚝한 집 한 채를 바라보았다.

「저기 지금 누가 사나요?」

「누가 그 흉한 델 들어가 살겠수. 빈 집으루 저렇게 썩어가는 거지. 가끔 낚시꾼들이 비를 피해 들더구만.」

나는 어깨에 힘이 쭈욱 빠져 나가는 느낌이었다.

「그 할머니 산소가 어딥니까?」

「그 친구 저 죽으면 즈 영감태기 옆에 묻어달라구 해서 그 옆에다가 아무렇게나 파묻었지. 합장을 해 줄래야 돈이 있어야지. 땡전 한푼 안 남기고 다 털렸으니 어쩌. 마을 사람들이 추렴을 해서 장살 지냈지.」

「거기가 어딘데요?」

「왜, 찾아가 볼래우?」

노파가 다시 내 아래위를 훑다가 말했다.

「그 늙은이와 뭔 관곈지 몰라두 여튼 반갑수.」

노파는 그 두 그루 노송 있는 언덕 뒤편 골짜기를 가리키며 자세히 일러주었다. 그리고 혼잣소릴 했다.

「그래두 그 친구 무덤을 찾는 사람이 또 있군!」

「할머니, 누가 또 찾아왔었어요?」

「왔었지. 시어머이 죽은 지 반 년 만인가 그 최씨집 메누리가 그때 데리구 나간 병신 자식과 같이 왔더구만. 그 늙은이가 그렇게 찾아나서던 손잔데, 그땐 이미 죽은 걸 으쩌누. 올려면 진작 올 게지. 매정한 것들!」

「그 할머니가 손자를 찾았다구요?」

「찾다마다! 한 해에 한 번썩은 대처를 휘휘 나댕기다가 실심한 얼굴루 돌아와선 늘어진 걸 내 눈으루 직접 보구 살았구먼.」

「왜 찾았어요?」

「이런 사람! 아, 제 핏줄을 찾는 게 인지상정 아닌가. 그 늙은이 생각 한번 잘못해 가지고 죽을 때까지 가슴 치며 살았어. 그래두 제깐엔 젊은 것 잡아 둘 수 없다고 맘 크게 먹고 일부러 구실 붙여 내쫓긴 했지만 손자까지 왜 줬는지 모르겠다고 땅을 치며 애통하데.」

「할머니, 그때 찾아왔던 그 여자하고 병신 아들은 어떻게 됐지요?」

「어떻게 되긴, 지 애기룬 시어머니가 내쫓은 뒤 재가해서 자식 여럿 두고 잘 산다고 하면서, 시어머니 죽은 걸 꽤나 애통해 하더구먼. 제엔장할 것. 그렇게 애통하면 죽기 전에 찾아 뵐 거지. 뭇 써어! 젊은 사람들 우리 같은 늙은이 속 너무 모른다구!」

「저기 저 집에 갔었나요? 그 며느리하고 손자……」

「갑디다. 그 몸을 잘 가누지두 뭇하는 병신 자식을 껴안구 산솔 찾아갑디다. 핏줄이 뭔지……」

「그리고 돌아갔나요?」

「아 그렇잖구, 아무도 없는 게서 뭘 하겠나.」

「할머니가. 직접 보셨어요? 그 사람들이 저기서 돌아오는 거 말입니다.」

노파는 무슨 소리냐는 듯이 다시 한번 내 얼굴을 쳐다보고 나서,

「봤수다. 올라간 뒤 몇 시간이 돼두 안 내려오길래 참 이상타 했더니 날이 꽤 어두워서야 내려옵디다.」

「그 병신 남자두요?」

「그랬을 거유. 우리 가게서 빵이랑 사이다랑 잔뜩 사 멕여 가지고 저쪽 길루 내려갔으니께.」

노파는 좀 전 토미와 내가 걸어온 산비탈 길을 턱으로 가리켜 보였다.

「잘 걷지도 못하는 병신 자식하고 그 컴컴한 길을 우뜨게 갔는지……서울 산다구 하더구만.」

나는 평상에서 일어섰다. 그리고 젊은 여자한테 물건 값을 치렀다.

아울러 4홉들이 소주 한 병과 곰팡이 낀 마른 북어 두 마리를 사서 누런 봉투에 넣었다.

「헤이, 토미 ! 」

토미는 그 가겟집 어린애를 안고 물가 고추밭에서 잠자리를 잡기 위해 우스꽝스럽게 몸을 웅크린 채 누런 털이 숭숭한 그 팔을 내뻗고 있었다.

나는 토미를 그네들의 무덤까지 데리고 갈 참이었다. 그리고 내 친구 토미에게 소주를 먹일 생각이었다. 한국을 알고 싶어하는 미국 사람에게는 소주로부터 시작할 일이다. 또한 황량한 들판에 던져진 그 시든 나무들의 꿋꿋한 뿌리가 돼 줄는지도 모를 우리의 형 아베의 행방을 찾는 일도 우선 그 무덤에서부터 시작해야 한다고 나는 그렇게 생각했던 것이다.

물걸리 稗史
——軍番과 개

　　결국 우리들이 그처럼 무서워했던 것은 성구가 아니라 바로 성구 곁에 그림자처럼 붙어다니던 그 품종미상의 꽤나 사납게 생겨먹은 개새끼였다는 사실을 우리들은 퍽 나중에 가서야 깨닫게 되었다.

　　「도끄, 도끄!」

　　그 개를 부를 때만은 결코 말을 더듬지 않는 성구였다. 희한스러운 일이었다. 입 한번 떼려면 입을 해벌려 듣는 쪽에서 돌아설 정도로 애를 쓰는 그 말더듬이가 어떻게 그렇게 「도끄, 도끄——」 단숨에, 그것도 제법 위엄까지 풍길 수 있었는지 알 수가 없는 일이었다. 더 놀라운 것은 그처럼 사납게 생겨먹은 개새끼가 성구 앞에서 쭉도 못 쓰고 설설 긴다는 사실이었다. 나무토막에 침을 탁 뱉아 힘껏 팔매질한 다음,

　　「도끄, 쉭쉭!」

　　하기가 무섭게 내달아 그 나무토막을 물어다가 성구 앞에 놓고

앞다릴 착 굽혀 꼬리를 살래살래 흔들어대는 것이다.

「아, 아, 앉아! 이, 일어나!」

다 척척이었다.

우리들은 늘 그것이 부러웠다. 그래, 성구의 흉내도 내보았다. 나무토막에 침을 뱉아 팔매질하며, 「도끄, 쉭쉭!」해 보았지만 헛일이었다. 그것을 물어오기는커녕 되레 우리들을 향해 으르릉 기분 나쁜 소릴 내면서 우리들 바짓가랑이에 코를 대는 것이다. 그럴 때마다 우리들은 기겁을 해 도망을 쳤다. 그 개새끼는 도망치는 우리들을 뒤쫓아 뒤꿈치를 물듯 달라붙었다. 어떤 애는 아예 주저앉아 울음을 터뜨렸다

어떻든 무서운 개였다.

그 개를 우리 마을에 데리고 들어온 것은 인민군이란 빨갱이였다. 우리들은 처음 빨갱이가 마을에 나타났다고 해서 몹시 들떠 올랐다. 빨갱이를 우리들 눈으로 직접 보는 것이 처음이었기 때문이다.

그들은 북골 개천을 끼고 수리봉을 돌아 서낭당 있는 데서 딱쿵딱쿵 몇 방 총을 쏴댄 다음 마을에 나타났다. 울타리 구멍으로 그들을 본 우리들은 적잖이 실망하지 않을 수 없었다.

우리들이 생각했던 것은 그게 아니었다. 머리에 뿔이 돋고 귀가 여우처럼 곤두선 그런 괴물은 아니더라도 적어도 우리들이 생각했던 것은 얼굴의 빛깔만이라도 달라야만 했다. 차라리 원숭이 똥구멍처럼 샛빨간 얼굴빛을 하고 있든가——

우리들은 어른들이 그처럼 무서워 벌벌 떠는 이 난리가 갑자기 우스워졌다. 도대체 무엇이 무섭단 말인가. 더우기 그들 인민군 빨갱이 하나가 모자를 벗고 개울에서 세수를 하는 걸 보았을 때 우리들은 더욱 우스웠다. 빡빡머리의 그 인민군은 겨우 우리 또래의 나이로 보였기 때문이다. 우리들은 숨었던 데서 슬슬 기어나와 서로 얼굴을 마주 보며 웃었다. 어른들이란 정말 엉터리구나——그런 생각이었는지도 모른다.

 그러나 우리들을 이 실망으로부터 깨끗이 씻어 건져 준 것이
바로 도끄였던 것이다.

 인민군이 잡아쥔 가죽끈에 매여 펑펑 기세좋게 내닫는 그 개를
보자 그만 우리들은 넋을 잃고 말았던 것이다. 우선 그 개의 눈
에 팔팔 일고 있는 불꽃 같은 빛이 그랬다. 그것은 우리들에게 무
서움을 더럭 안겨 주었다. 만약 인민군이 잡고 있는 개줄을 놓기
만 하면 금방 달려들어 우리들의 멱통을 물 것 같은 기세였다.

 그리고 그 개의 험악한 상판도 그것이지만 그 쭈볏 곤두선 귀
와 굵직한 다리통과 꼭 어른 손바닥만한 발바닥——아무리 얕잡
아 보려 해도 이것은 분명 예삿개가 아니었다. 눈에 백태가 껴
양지 쪽만 비실비실 배돌거나 털이 부숭숭한 몸뚱이를 굼지럭대
는 우리 마을의 똥개들이 꼬랑지를 샅으로 말아 넣으며 꽁무니를
빼기 시작했다. 그러고 보니 그 인민군이 데리고 온 개는 분명
똥개는 아니었던 것이다.

 비로소 우리들은 인민군이란 이름의 그 빨갱이들을 얕잡아 볼
수 없게 되었다. 그들은 그 개새낄 앞세워 마을을 벌컥 뒤집어 놓
기 시작했던 것이다. 어른들의 말이 옳았다. 그 난리란 것은 사
람이 사람을 잡아 죽이는 일을 두꺼비가 파리 잡아먹듯 눈 하나
깜짝 안 하고 해냈던 것이다. 하룻밤 사이에 인심이 손바닥 뒤집
듯 바뀐 것도 난리 때문이었다.

 재필이가 그랬다. 그보다 재필이의 처남인 성구가 그처럼 사람
이 달라진 것은 더욱 놀랍고 볼 일이었다. 사람이 달라져도 보통
달라진 게 아니었다. 눈에 펑펑 살기를 띠고 마을을 설치기 시작
했다. 말을 꽤나 심하게 더듬어댐으로 해서 어딘가 한군데 빠진
것처럼 헬렐레하던 성구의 인상이 딴판으로 바뀌었다. 그렇게 딴
판으로 바뀐 성구를 마을 사람들이 무서워하기 시작했다. 성구가
나타나기만 하면 우정 몸을 피했다.

 「똥이 무서워서 피하는 게 아니여.」

 말들은 그렇게 하면서도 그와 맞닥뜨리는 걸 몹시 겁내고 있음

이 분명했다.

「거, 개새끼 조심해야겠데.」

사람들은 성구를 피하는 이유를 그 개새끼에게 둘러대고 있었다. 사실 성구의 곁에 그림자처럼 붙어다니는 그 개야말로 어른들이라도 무서워하지 않을 수 없는 존재였다. 마을에 몇 마리 남아 있지 않는 가축이 그 개한테 덕통을 물린 다음 발기발기 찢겨 발려져도 누구 한 사람 나서서 그 변상을 요구하는 이가 없었다. 이것이 성구를 더욱 기승부리게 한 원인이었는지 모른다.

「그 개새낄 성구한테 준 것이 바로 재필이여.」

사람들이 말하듯 그것은 사실이었다. 마을에 처음 들어와 마을 사람들의 혼을 빼놓고 간 인민군들은 그 무서운 개를 재필이에게 넘겨 주고 간 것이었다.

재필이가 그 개를 머칠 끌고 다녔다. 그때까지만 해도 마을 사람들 눈치를 보며 비실비실 자기 매형 뒤를 따라다니던 성구가 그 개줄을 잡고 다니는 때가 많았다. 결국은 그 개가 성구의 것이 되고 말았다. 이미 그때는 성구가 헬렐레한 낯짝으로 마을 사람들 눈치를 보는 일 같은 것은 하지 않았다. 어떻든 그는 자기 매형한테서 그 개를 물려받으면서부터 안하무인이었다.

「도, 도, 동무!」

아무나 만나면 어른, 애 가릴 것 없이 그렇게 불렀다. 제게 할아버지뻘이 되는 촌수라도 매한가지였다.

「재필이, 그놈에 농간이여.」

열 길 물 속은 알아도 한 치 사람 속은 모른다고——그렇게 혀를 차면서 마을 사람들은 그 헬렐레한 성구가 그처럼 백판으로 사람이 바뀐 책임을 모두 재필이에게 돌렸다. 성구가 저처럼 눈이 뒤집힌 게 모두 재필이 때문이라는 것이었다.

송재필. 물걸리는 물론 내촌면 일대가 떠그르르 재필이의 세상이었다.

마을 사람들은 난리를 물고 온 장본인이 바로 재필이라고 생각했다.

그럴것이 마을에서 자취를 감춘 지 꼭 일년 만에 마을에 얼굴을 내밀더니 그로부터 닷새쯤 후에 인민군이 들이닥쳤던 것이다. 그는 마을에 들이닥친 그 인민군들과 약속이나 한 듯 손발이 척척 맞아 마을을 뒤집어 엎기 시작했던 것이다.

물걸리는 대개 우리 김씨 문중이 얼기설기 뒤엉켜 사는 마을이었다. 타성바지라야 몇 집 되지 않았다. 재필이네도 그 타성바지 중의 하나였다.

재필이 아버지 송노인은 땅뙈기 하나 없이 마을에 빌붙어 사는 순전히 산 속만 뒤져대는 심마니였다. 산삼만 찾는 게 아니라 심산유곡 정갈한 흙에 뿌리를 내린 약초를 캐다가 읍내 한약방에 넘겨 생계를 이어갔다.

산에 들기 한 이레 전부터 아예 그 모습을 집 밖에 드러내지 않았다. 아무도 안 보는 밤중 예기소 웅덩이 물에 몸 씻고 들어앉아 부정한 것을 보지 않기 위해 바깥 출입을 삼가는 한편 현몽을 바라서인지 마을을 떠나는 그 새벽까지 곳곳이 누워 잠만 잔다는 것이다. 어떻든지 그가 타관에서 찾아든 심마니들과 어울려 입산 뒤 거의 두어 삭은 지나 읍내 거간꾼들이 재필이네 집에 모여 들기 시작하는 것으로 해서 우리 마을 사람들은 그제야 송노인이 하산했다는 것을 알 수가 있었던 것이다.

산에서 찾아낸 영물들을 돈과 바꾸는 일은 대개 송노인의 큰아들인 재필이의 소관이었다. 이리 쏠리고 저리 끌리고 하던 흥정이 술상을 손바닥으로 쳐 거래가 끝난 뒤 산의 영물이 집 밖으로 나간 뒤에야 송노인은 모습을 나타낸다. 얼굴이 온통 수염으로 덮여 꼭 짐승처럼 보이는 송노인이 장거리에 나타난 날이 바로 마을의 잔칫날이었다. 장거리가 밤 늦게까지 흥청거렸다.

장거리 정자나무 아래 멍석이 서너 장 깔리고 막걸리가 두어 동이 들려 나온다. 송노인이 이처럼 푸짐한 술잔치를 벌이는 것은 자기가 심을 잡은 것이 전연 마을의 인심 때문이라는 거였다. 송노인은 그런 위인이었다. 언제 보아도 말이 없이, 평생 남을 원망할 줄 몰랐다. 원망은 커녕 상대가 민망할 정도로 아무에게나 굽실거렸다. 늙은이 젊은이 할것없이 술사발을 안기며 굽실거렸다. 그의 얼굴 표정을 보면 금방 그의 굽실거림이 진심에서 나온 것임을 알게 된다.

이러한 술잔치에 대해서 불만을 품고 항상 툴툴거려 송노인과 티격태격하는 것은 재필이었다. 이처럼 죽어 지내면서 굽신거려야 할 이유가 도대체 뭐냐는 것이었다.

「인심은 천심인 게여.」

송노인의 대꾸는 오직 이 말뿐이었다. 재필이가 장거리에 벌인 술상을 뒤집어 엎었을 때에도 송노인은 「하늘 무서운 줄 알아라, 이놈아——」 그뿐이었다.

그처럼 재필이는 좀 불량스러운 데가 있었다. 그는 산삼을 판 돈을 품에 찔러 넣고 읍내 투전판을 찾아다니며 한 겨울을 난 뒤 털털 빈 주먹으로 돌아오기가 예사였다. 돌아오기가 무섭게 제 처를 못살게 닦달질했다. 툭하면 손찌검을 했다.

재필이 처는 바로 말더듬이 성구의 손위 누이로서 우리 마을 김씨 문중에서 타성바지에 출가를 한 여자였다. 우리 마을 김씨 문중과의 피섞음, 그것이 송노인의 뜻이었을 것이다.

사람들의 하는 얘기로는 송노인이 성구의 누이를 며느리로 삼기 위해서 성구네를 몇 년씩 먹여 살리다시피 한 것은 물론, 성구 홀어머니한테 송노인이 무릎을 끓기까지 했다는 것이다. 아뭏든 송노인네는 재필이를 장가들임으로 해서 우리 마을 김씨 문중의 일가붙이가 됐던 것이다.

그러나 재필이는 우리 마을 김씨 문중에 대해서 뿌리깊은 적의를 버리지 못하고 있었다. 어렸을 적부터 당해 온 갖가지 수모를 되살려 이주걱거리며 심사를 부렸다.

그러한 재필이가 물결리에서 자취를 감춘 것은 난리가 터지기 일 년 전쯤이었다. 송노인이 오대산에서 갓난애 크기만한 심을 잡았다는 소문이 마을에 쫙 퍼지기 시작한 게 그 빌미였다. 읍내 한약방 거간꾼들이 매일 서너 명씩 마을에 나타나 재필이에게 술을 퍼먹였다. 술취한 재필이 귀에 별의별 소리를 쏭쏭거려 얼렸다. 서울에서 왔다는 거간꾼은 아예 장거리에 숙소를 잡고 앉아 흥정을 트려 했다.

그러나 재필이는 딴 때와는 달리 심사 꼴리는 얼굴을 한 채 입맛만 쩍쩍 다셨다. 송노인이 이번 산삼만을 결코 팔지 않겠다고 버티기 때문이라는 거였다. 이런 영험스러운 걸 캤을 때는 옛부터 나랏님께 바치는 게 도리라며 아무리 높은 돈을 내놓아도 고개만 저었다. 이 산삼만은 어떠한 일이 있어도 이승만 대통령한테 직접 바치겠다는 거였다. 불측스럽다고 소문난 재필이도 이런 계제에는 맥을 못 쓰고 물러선 모양이었다. 나중에는 송노인을 도와 서울 갈 채비를 서두르는 등 마음을 돌려 먹기에 이르렀다.

그들 부자가 마을을 떠나는 날은 마을 전체가 술렁거렸다.

「이제 저 영감태기 팔자 한번 쫙 폈다구!」

「아암, 멘장 한 자린 틀림없을 게니깐.」

「멘장은 몰라두, 논 한 섬지기쯤이야 하사하시겠지유.」

어떤 사람은 아예 얼굴에 근심부터 깔았다.

「이러다가 우리 물걸리 문전옥답이 모두 송가집 껄루 넘어가는 거 아닐까유?」

「어쨌든 저놈에 재필이 자식 거들먹대는 꼬락서닐 으트게 봐준담.」

이처럼 남의 집 경사에 배를 앓기도 했다. 어떻든 송노인 부자의 상경은 예삿일일 수가 없었다.

「우, 우, 우리 누, 누, 누님, 시시, 시집 자, 자자 잘 갔쮸?」

터진 만두처럼 헬렐레한 성구까지 입을 벌죽거리며 좋아했다.

「이놈의 농사 집어치우구 아예 산에나 들까베.」

「체, 그 영물이 아무한테나 빈대여?」

「허긴 그래. 송영감처럼 법 없어두 살 사람이니까 그런 큰 심이 잡힌 게야.」

갑자기 송노인의 위치는 면장어른처럼 존귀해졌다. 그의 지난 행실 하나하나가 화제에 올라 결코 예사로운 것이 아니었음을 고개 주억거려 확인했으며, 재필이의 그 불측마저도 본때 있는 사람의 줏대처럼 여겨질 정도였다.

마을 사람들은 송노인 부자의 상경 이후 일손에 맥이 풀릴 정도로 들떠 있었다. 그들 송노인 부자가 얼마큼 변해 가지고 마을에 얼마만한 바람을 몰아칠 것인가를 몹시 궁금해 했다.

집 떠난 지 열흘쯤 후에 송노인이 돌아왔다. 결코 금의환향은 아니었다. 대통령을 만나 본 기세라곤 눈꼽만큼도 보이지 않았다. 송노인의 몰골이 말이 아니었다. 심을 잡아 하산했을 때의 그 뻔쩍뻔쩍 광을 내던 그런 눈이 아니었다. 눈은 더욱 깊숙이 꺼져 들어갔고 집 떠날 때 입고 간 바지저고리가 땟국이 졸졸 흘렀다. 군데군데 핏자국까지 보였다.

「대통령을 못 만난 게유!」

더구나 함께 떠났던 재필이가 보이지 않자 일이 심상치 않다는 얘기는 바람 있는 날 송화가루 날리듯 마을에 떠돌았다. 별의별 억측들을 다했다.

「재필이 그놈이 눈깔이 뒤집혀 그 산삼을 가지구 도망친 게 분명해.」

「버얼써 노름판에 다 털렸을 걸세.」

「모르이, 또 엉뚱한 놈한테 도둑을 당한 건지두——」

「허기야 서울이란 데가 눈 있어두 코 베 먹히는 데라니깐.」

「보나마나 네다바이당했을 게여.」

「네다바이라니?」

「거, 협잡당한다는 얘기 못 들었어, 서을 사람치구 협잡꾼 이닌 놈이 없대여.」

그러나 정작 장본인은 입을 다문 채 집에 들어박혀 두문불출이었다. 재필이 처마저도 시아버지의 속을 헤아리지 못하고 있는 모양이었다. 우리 또래의 재필이 동생 재철이도 고개를 내져 었다.

「어찌됐든간에 당하긴 당했구먼!」

마을 사람들은 일의 자초지종도 모른 채 또 한번 일손에 맥이 풀려, 갈을 꺾다가 말고 주저앉아 쑹쑹거렸다.

그 궁금증이 풀린 것은 며칠 후였다. 우리 물걸리 구장 어른이 송노인을 찾아가 갖은 신고 끝에 자초지종을 캐냈던 것이다.

그날 송노인 부자는 진종일 걸어 읍내 여인숙에 숙소를 잡을 수 있었다는 것이다. 읍에서 하루 한 번 떠나는 새벽차 시간을 대기 위해 옷을 입은 채 초저녁부터 잠자리에 들었다. 순경 하나 가 임검을 나왔다. 그냥 예사로 지나는 임검이 아니라 송노인 부 자의 상경 목적을 이미 알고 그 문제로 우정 나왔다는 것이다.

그 순경 얘기가, 그런 귀중한 걸 나라에 올릴 때는 순서를 거 쳐 올라가는 법이라며 이 일을 이미 군수님까지 다 알고 있으니 다음날 군수님을 만나 봐야 한다는 것이었다. 군수님이 표창장까 지 줄 거라는 얘기였다. 그러면서 좀 안전한 데로 옮겨야 한다며 하룻밤에 무려 세 군데나 숙소를 옮기는 소동을 피웠다. 바로 그 밤에 산삼이 자취를 감춘 것이다. 귀신 곡하게도 산삼을 싼 보자 기째 간 곳이 없었다.

송노인 부자는 날이 새기가 무섭게 읍내 경찰서로 들이닥쳐 아 우성을 쳤다. 임검을 나왔던 순경도 가짜가 아니라 분명 그 사람 이었다. 순서를 밟아 올려야 한다고 순경을 내보낸 것도 사실이 었다. 송노인 부자는 그 임검 나왔던 순경을 붙잡고 늘어졌다.

그러나 말짱 헛일이었다. 오히려 경찰서에선 송노인 부자를 잡 아 가두고 닦달질을 시작했다. 뒷구멍으로 그 산삼을 빼돌리고는 이제 와서 그런 소릴 한다며 욱대겨 딱장받으려 했다. 이쪽에서 억울하다고 맞서니까 이제는 아예, 그 산삼을 캔 것을 본 증인이 있느냐고 울러댔다. 마을을 떠날 때 그 산삼을 본 사람이 누구냐 고 다그치기도 했다. 그럴 때마다 송노인은 고개를 저었다. 실상 송노인 부자 외는 아무도 그것을 본 사람이 없었던 것이다.

재필이는 억울하다고 짐승처럼 날뛰었다. 몽둥이질이 시작되었다. 거꾸로 매달아 놓고 코에 물까지 부었다. 더 기막힌 것은 그 여인숙 변소에서 삼이 나왔는데, 그것은 송노인 부자가 나랏님께 올리려고 가지고 온 산삼이 아니라 도라지 뿌리 같은 가삼(家蔘) 너댓 뿌리였다는 것이다. 그러나 그 가삼이 싸였던 보자기는 분명 송노인의 것이 틀림없었다. 일이 맹랑했다.

경찰서측 얘긴즉 사기 행각을 벌이려다 관에서 알고 나서니까 그걸 감추기 위해 가삼 보따리를 버리고, 숫제 그 산삼을 도둑맞았다고 거짓말을 한다는 거였다. 기가 막힐 일이었다. 옴치고 뛸 구멍마저 막혀 버렸다. 송노인 부자는 똥이 묻은 가삼뿌리를 멀거니 내려다볼 수밖에 별 도리가 없었다. 결국 가삼을 가지고 거짓말을 했다는 자인서를 쓰고 이틀 후에 송노인 부자는 풀려나긴 했다.

그런데 문제는 그 뒤에 벌어졌다. 경찰서에서 풀려나는 즉시 재필이가 여인숙에 찾아왔던 그 순경을 찾아가 등에 칼을 꽂았던 것이다. 다행히 그 순경이 죽진 않은 모양이었지만, 재필이는 그 길로 도망을 쳐 버리고 아들 대신 송노인이 잡혀 들어가 며칠간 잠도 자지 못한 채 취조를 받았다.

사실 송노인이 집에 돌아와 처박힌 뒤 얼마 안 있어 읍내 경찰서에서 형사들이 여러 번 다녀갔다. 재필이의 소식을 묻고 가곤 했다. 그들이 올 때마다 송노인은 언짢은 기색 하나 없이 고분고분 대접을 해 보냈다. 그들을 빈 손으로 돌려보내는 일이 없었다. 송이버섯 두어 두름이나 하다못해 칡뿌리 갈아 말린 가루를 싸서 보내기도 했다.

「그 영감태기가 정말 죌 지은 건 아닐까유?」

마을 사람들은 송노인이 정말 가삼뿌리를 가지고 갔다고는 믿지 않았다. 그러나 읍에서 온 사람들한테 그처럼 절절매는 송노인을 보고는 너무 줏대가 없다고들 뒷욕을 했다.

「그게 다 자식을 위해설 걸세.」

그런 식으로 고개를 주억거리는 사람들도 있었다.

「다 운이 없는 거지유.」

그 산삼 얘기를 꺼내는 사람들을 만날 때마다 송노인은 이 한 마디로 얼버무리며 자리를 피하곤 했다.

그리고 난리였다. 빨갱이들이 쳐들어온 여름 난리였다. 재필이가 우리 물걸리 일대의 주인이 돼 나타난 것이다. 무서운 개를 앞세우고 마을에 처음 발을 들여 놓은 인민군이란 빨갱이들과 한 통속이 돼 그가 제일 먼저 해낸 일은 면소재지인 내촌 도관리 지서주임네 가족 넷을 잡아다가 우리 마을 사람들이 보는 앞에서 끔찍하게 죽여 버린 일이다. 국민학교 운동장 미류나무 밑에 거적대기가 덮여지고, 바람 한 점 없는 그 여름 대낮 미류나무 이파리 하나 흔들리지 않는데 나무숲에선 매미가 자지러지게 울어대고 있었다. 우리들은 그 지서주임네 가족 중 맨 나중에 죽은 그 서너 살짜리 꼬마가 이미 죽어 넘어진 제 엄마 곁으로 엉기엉기 기어가며 까르르 기 넘어가는 소리로 울어대던 소리를 잊을 수가 없었다. 그 아이 등에 너풀 구멍이 터지면서, 우리들의 분명한 기억으로는 그 아이가 발딱 일어서서 사방을 휘둘러보고 푹 고꾸라진 사실이었다. 그 기억으로 해서 우리들은 오래오래 몸서리 쳤다. 그것은 바로 재필이에 대한 두려움이었다.

그때까지만 해도 성구는 아직 터진 만두처럼 헬렐레한 낯짝을 한 말더듬이에 불과했다. 장터 가게집 딸 화숙이 말대로 「병신」이었던 것이다. 그런데 성구가 자기 매형을 따라다니면서부터 차츰 사람이 바뀌는가 싶더니 예의 그 도끄란 개를 제 것으로 하고부터 그는 이제 옛날의 터진 만두가 아니었다. 믿어지지 않을 만큼 놀라운 일은 장터 가게집 화숙이마저 성구한테 맥을 못 쓴다는 사실이다.

읍내에서 훌러 들어와 장터에 터잡아 앉은 장씨네 외딸인 화숙이는 도회지 계집애들처럼 얼굴이 희고 화사하게 고왔다. 우리 물걸리 사내애들쯤은 눈에도 안 두었다. 더더구나 성구 같은 건 턱도 없는 일이었다. 그런데도 난리가 나기 전부터 성구는 제 분수도 잊은 채 화숙이에게 추근거렸다. 아주 죽자하고 나섰다. 보다못한 성구 어머니가 중매장이를 넣었다가 망신만 톡톡히 당한 일까지 있었다. 그러나 성구는 물러서지 않았다. 개울 징검다리에 앉아 빨래를 하는 화숙이 궁둥일 툭 치고 지나기가 보통이었다.

「병신 지랄하구 자빠졌네.」

이처럼 매섭게 쏴붙이며 결코 눈 한번 거들떠보지 않는 화숙이었다. 도대체 당겨질 불이 아니요, 치어다볼 나무가 아니었다. 그런데 난리가 터지고 성구 손에 그 도끄란 무섭게 생겨먹은 개새끼를 매단 개줄이 잡힌 뒤부터 일이 맹랑해졌다. 화숙이 고것이 성구를 보는 눈이 달라졌던 것이다. 살살 암내까지 풍기기 시작했다는 것이다.

우리들 중 한 애가 본 바에 의하면, 성구가 데리고 다니는 도끄가 장터에 나타나 컹컹 짖기만 해도 화숙이가 치마폭에 손을 닦으며 살금살금 빠져나온다는 거였다. 그들 둘이 마을 뒷산 삼밭으로 들어간 뒤, 삼대가 바람에 쓸리듯 흔들리면, 도끄는 그 삼밭을 지키고 서서 하늘의 달을 향해 컹컹 짖어대기만 하더란 거짓말 같은 사실을 직접 봤다는 아이도 있을 정도였다. 우리들은 차츰 그런 얘기도 믿으려 했다.

성구가 그만큼 변해 있었던 것이다.

「허, 거 참……」

마을 어른들도 고개를 홰홰 저었다. 더구나 재필이와 성구가 그 도끄를 앞세워 구장어른네 광 속에서 얼굴이 하얗게 뜬 국군 한 명을 찾아내어 국민학교 마당에서 인민재판인가 하는 것을 열어, 총알이 아깝다며 몽둥이로 때려 죽였을 때부터 성구는 그 위력을 보이기 시작했던 것이다. 그 국군을 구장어른네 광 속에서 찾아낸 것이 바로 성구와 그의 도끄였던 것이다. 구장어른도 그 얼굴 하얀 국군과 함께 운동장까지 묶여 나왔었다. 그 국군처럼 인민재판도 받았다. 그러나 구장어른의 경우에는 아무도「옳소──」를 하지 않았다. 재필이가 악을 바락바락 써도 헛일이었다. 사람들 틈에 섞여「옳소──」선수를 치던 성구마저 입을 다물어 버렸다. 성구가 재필이한테 달라붙어 구장어른을 살려달라고 애원을 했다는 얘기도 있다.

구장어른은 성구에게 당숙뻘이 되었는데 그 친척붙이라고 해서 재필이한테 청을 넣은 게 아니라 아마 그 기회에 제 위력을 보이려고 그랬다는 마을 사람들의 중론이었다. 어찌됐든 구장어른은 그날 국군처럼 몽둥이로 맞아 죽진 않았다. 다만 재필이 손에 의해 그 풍신 좋아 보이던 수염이 몽땅 끄슬려 타버린 정도의 수모로 일이 끝났다.

「다다, 다, 당숙, 도도, 동무가 안 죽은 건, 나나, 나 때문인 줄 아, 알아유.」

성구는 이쯤 뻐길 정도로 달라져 있었던 것이다.

구장어른네 광 속에 숨었던 국군이 잡혀 국민학교 운동장으로 끌려 나갔던 날은 비가 내렸다. 성구의 도끄가 앞장서고 있었다. 도끄는 자기가 찾아낸 국군 패잔병을 가끔 돌아보며 장한 듯 컹컹 짖었다. 그러나 그 국군 패잔병은 두 손이 묶인 채 끌려가면서 고개를 푹 숙여 무엇인가 열심히 해내고 있었다. 그 뒤를 따라가던 우리들은 그것을 눈치챌 수 있었다.

그는 입에 무엇인가 물고 있었다. 그의 입에서부터 목까지 구두끈 같은 게 늘어져 있었다. 그는 그 줄을 이로 끊는 작업을 해내고 있었던 것이다. 우리들은 그 초조하고 긴 시간을 지켜보면서 따라갔다. 도끄가 가끔 뒤를 돌아다보며 컹컹 짖었다. 그럴 때마다 두서너 걸음 물러서며 숨을 삼켰다. 드디어 국군이 빗물이 흐르는 얼굴을 우리들 쪽으로 돌렸다. 입에서 목으로 늘어졌던 끈이 보이지 않았다. 우리들은 후우 숨을 내쉴 수가 있었다. 그리고 그 국군의 입만 쳐다보았다.

그의 눈과 우리들의 눈이 마주친 순간 그는 재빨리 침을 뱉듯 입엣것을 빗물 질펀한 밭두렁에 내뱉았다. 성구의 도끄가 어느새 밭두렁으로 훌쩍 뛰어내려 국군이 뱉아 낸 것을 냄새 맡았다. 그러나 놈은 그것을 물어다가 성구에게 바치는 일은 하지 않았다. 그래서 우리들은 그 국군을 묶어가지고 가는 패거리들이 훨씬 앞서 간 뒤에야 우루루 밭두렁으로 달려갔다. 한쪽이 잘룩 패인 타원형으로 된 쇳조각에 숫자가 적혀 있었다. 나중에 우리들은 그것이 군번(軍番)임을 알았다.

우리들은 그 군번을 품에 감췄다. 뭔가 그래야만 할 것 같았다. 우리들은 그 군번을 품에 감춘 채 국민학교 운동장으로 달려가 그 국군이 미류나무에 묶인 채 물푸레나무 작대기로 매맞아 죽는 걸 지켜보았다.

도관리에서 올라온 빨갱이들이 매질을 했다. 재필이는 구장어른의 빗물에 젖은 수염을 끄슬러대고 있었다. 성구는 목덜미가 벌겋게 달아가지고 우리들이 접근하지 못하도록 내쫓는 일을 맡고 있었다. 그의 도끄만이 운동장 한가운데 앉은 채 마치 사람처럼 국군이 매맞아 죽는 걸 치어다보고 있었다. 무서운 놈이었다. 상판대기 한번 찡그리는 일 없이 그 끔적한 광경을 고스란히 구경하고 있었으니 말이다.

도끄는 확실히 우리 마을의 똥개와는 그 질이 달랐다. 우선 귀가 쭈뼛 곤두선 데다 털이 몸에 자르르 윤기 있게 달라붙어 있었다. 그런 개가 늘 우리들의 소원이었던 것이다.

어른들이 어디서 강아지를 얻어오면 우리들은 우선 강아지의 귀를 세우기 위해 별 방법을 다 썼다. 귀에다가 참기름을 매일 발라 준다든가 꼬랑지를 잘라내야 귀가 선다고 해서 그대로 해봤지만 늘 헛일이었다. 똥을 먹기 때문에 귀가 서지 않는다고 해서 강아지를 붙잡아 매어 키워도 보았지만 그것도 괜한 일이었다.

「이놈들아, 귀가 서는 건 씨가 다른 거야!」

어른들은 우리들이 그처럼 안타까와하는 걸 나무라면서 말했다.

뉘가 서는 개는 씨가 다른 것이라고. 사실 성구의 도끄는 사람의
똥 같은 건 냄새도 맡지 않았다. 웬만해선 낱알로 된 밥은 입에
대지도 않고 육식만 좋아했다. 우리들은 열심히 개구리나 들쥐를
잡아 도끄에게 바쳤다. 뭐 별난 뜻으로 그런 것이 아니고 그저
한 마을에 사는 아재비 조카의 그 정분으로 그렇게 했을 뿐이다.

그러나 성구는 옛날처럼 촌수 높은 아이에게, 「사사, 사, 삼촌,
어어, 디 가우?」 이렇게 묻지도 않았다. 우리들이 들쥐를 잡아
다가 바쳐도 헛기침만 캥캥거리면서 누구하고나 맞대 놓고 말을
하려 들지 않았다. 또한 우리들 이름은 일체 입에 올리지 않았다.
어떻게 생각하면 그것은 입을 열지 않음으로 해서 우리들에게 줄
두려움 같은 걸 계산에 넣고 그것으로 자기의 약점을 감추려는
저의가 아니었던가 싶다.

「누가 그걸 성구한테 줬니?」

우리들은 서로 얼굴을 쳐다보았다. 누가 배반자인가, 우리들은
적의 깊게 서로의 얼굴을 읽으려 했다. 그것은 분명 배반자의 짓
이었기 때문이다. 그것은 실로 우리들에게 있어서 중대한 일이
었다.

우리들 품속에 부적처럼 간직되어 전해져 오던 군번이 성구의
도끄 목에 걸려 있었던 것이다. 처음 우리들은 그것이 우리들이
지닌 것과는 다른 것이거니 생각했었다.

그러나 도끄의 목에 걸린 것과 같은 그런 군번은 우리들 중 누
구에게서도 나오지 않았다. 그 숫자마저 같다는 걸 확인해낸 우
리들은 그야말로 당황하지 않을 수 없었던 것이다.

「내가 널 줬잖아!」

「그래, 그걸 네가 도로 너한테 줬는데 뭘 그러니?」

「임마, 네가 언제 날 줬니?」

「줬어!」

「안 줬어!」

우리들은 그렇게 옥신각신 다퉜다. 그 군번의 최종 소지자를

찾아내려고 여러 모로 애를 썼지만 헛일이었다. 우리들은 그 죽은 국군 패잔병의 군번을 몸에 지니고 다니는 것을 얼마나 자랑스럽게 여겨 왔던가. 서로가 그것을 몸에 지니려고 다툴 정도였다. 그러나 얼마 못 가서 우리들은 그것을 몸에 지니기를 두려워했다. 도끄 때문이었다.

도끄는 신기하게도 그것을 지닌 애한테 치근차근 따라붙어 코를 킁킁거렸다. 그러면 그 애는 기겁을 하게 놀라고, 잠시 뒤에 바로 자기가 그 군번을 지녔기 때문에 도끄의 목표물이 됐었다는 걸 깨닫는 순간 벌벌 떨면서 그것을 꺼내 다른 애한테 넘겨 주곤 했다. 그것을 얼결에 넘겨 받은 애는 또 그 나름으로 겁을 집어먹으면서 무슨 핑계고 꾸며내어 다른 사람에게 넘기려 했다.

그러나 누구고 그 군번을 몸에 지니는 것을 겁내면서도 그것을 아무데나 버릴 생각은 하지 못했던 것이다. 그것은 그 군번의 주인이 비 추적추적 내리는 날 손이 묶인 채 끌려가면서 그 군번을 목에서 끊어내던 그 초조한 시간과 미류나무에 묶여 물푸레 작대기로 매맞아 죽으면서 짐승처럼 부르짖던 「어머이예!」란 그 소름끼치는 비명의 절실함 때문이었는지도 모른다.

그래서 우리들은 가끔 그것의 소재를 확인하곤 했다. 그 국군 패잔병의 죽음을 좀더 절실하게 간직하려는 듯.

「그거 누구한테 있니?」

「나야, 나!」

그러면서 우리들은 의미 있게 웃었다. 그것은 우리들의 결속이요, 그 힘이랄 수도 있었다.

그런데 이제 군번은 성구의 손에서 뱅뱅 돌려지다가 드디어는 도끄의 목에 매달려 있었던 것이다. 우리들은 두려움으로 떨기 시작했다. 우리들 중에 성구와 내통한 자가 반드시 있을 것이란 생각이었다. 우리들의 결속은 우습게 깨어져 버렸다. 우리들은 말을 잃었다. 입을 열더라도 그전처럼 성구나 재필이의 욕을 하지 않았다. 집에서 어른들이 소리 죽여 말하는, 저 재필이놈들

세상도 이제 곧 끝장이라는 그런 비밀스런 얘기도 나눌 수가 없
었다. 아재비 조카 사이는 갑자기 뜨악해져, 냇물에서 첨벙거리
며 고기를 잡는 일도, 산비탈을 기어오르며 칡뿌리를 캐는 일도
흐지부지 고만이었다.

다만 우리들의 결속이 깨어진 사실을 알기라도 하듯 도끄는 군
번을 목에 걸고 살기가 등등하게 마을을 돌아쳤다.

겁결에 넋을 잃고 보낸 여름이었다. 애초 마을에는 여름이라는
그 나른한 계절은 찾아들지 않았는지도 모른다. 도끄란 개새끼를
앞세운 인민군의 그 몸에 안 맞는 헐렁한 군복, 어른들의 야반도
주, 그리고 국민학교 운동장에서의 그 소름끼치는 비명, 밤이면
마을 사람들은 등잔불을 끄고 덜덜 떨었다.

그리고 어느덧 썰렁한 가을이었다. 왜갈봉 산비탈 밤나무밭에
서 우리들은 알밤을 주우며, 마을을 내려다보았다.

마을 신작로를 따라 십여 명씩 무리를 이룬 병사들이 띄엄띄엄
지나가고 있었다. 그들은 읍내 쪽인 솔치 고개를 넘어와 마을 한
복판을 가로질러 북쪽 가루개 고개 입구로 사라지곤 했다. 비행
기가 이따금 마을의 좁은 하늘 위를 날아갈 때가 있었다. 그럴 때
마다 인민군들은 산기슭에 몸을 감추었다. 그들은 대오를 갖추지
않은 채 그냥 는정는정 마을을 지나고 있었다.

「도도, 도, 동무들, 어어, 어, 어디서 오오, 나유?」

팔에 붉은 완장을 두른 성구가 마을을 지나는 인민군들을 향해
말했다.

그러나 인민군들은 대개 대답 없이 지나쳐 가기가 보통이었다.
성구를 힐끔 치어다보곤 길에다 침을 쩍 내뱉으면서 그냥 터벌터
벌 지나가 버렸다.

그러나 어떤 인민군들은 성구의 팔에 두른 완장을 보고 씩 웃
어 보이면서,

「동무, 수고 많소!」

그럴 때면 성구가 추근추근 따라붙었다.

「도, 도도, 동무들, 어어, 어―디루 가지유?」

「동무는 것도 모르오?」

인민군이 내쏘듯 말했다.

「무무, 무―얼유?」

「동문 헹펜 없구만. 남조선은 이제 해방됐소. 우린 해방전사로 고향에 가는기 아이요!」

하지만 그들의 표정은 절실한 구석이 없었다. 그저 지치고 넋 나간 그런 얼굴이었다.

「우린 해방전사요!」

하나같이 말들은 그렇게 하고 있었지만 이미 그들은 얼굴에 석연찮은 그늘과 오랜 피로로 해서 의욕을 잃은 표정이었다.

마을 어른들이 서로 눈길을 조심조심 마주하며 의미 있게 웃었다.

그러나 재필이와 성구는 더욱 안하무인 날뛰었다. 밭에서 거둔 곡식이 집으로 들어오기 전에 달구지에 실려 도관리로 내려갔다. 집집마다 집뒤짐을 해 달구지에 실어 날랐다. 마을 청년 다섯이 의용군으로 끌려 나갔다. 구장어른의 외아들도 그 속에 섞여 끌려 갔다.

재필이와 성구는 그 즈음 도관리에서 얻어온 자전거를 타고 하루에도 두서너 번씩 도관리를 오르내렸다. 성구의 자전거 옆에는 언제나 도끄가 껑충껑충 뛰고 있었다. 성구는 장터에 이르러선 휘파람을 휘익 날렸다. 가게집 화숙이가 얼굴을 살큼 내밀어 웃었다. 성구가 손을 흔들어 보였다. 우리들은 그러한 성구를 장군처럼 우러러 보았다.

마을 어른들의 눈치가 수상쩍게 여겨지기 시작한 것도 이즈음이었다. 어른들은 밤을 타 이집 저집 몰려 다니며 숭숭거렸다. 우리들이 그 숭숭거림에 끼어들 눈치면 그들은 어훔어훔 시침을 떼면서 돌아앉았다. 그렇게 시치밀 떼면서 짐짓 수염 꺼칠한 턱을 쓰다듬는 그들의 눈에 이상한 빛이 번쩍거렸다. 그것은 분명 살 기였다. 더구나 난리가 터지면서 마을에서 자취를 감췄던 몇몇 어른들이 밤을 타 마을에 나타났다. 뭔가 심상치 않은 공기가 마 을을 서서히 목조이고 있었던 것이다. 이 심상치 않다는 느낌은 주로 밤에만 그랬다. 낮이면 멀쩡한 얼굴로 마을을 지나는 인민 군들이나 재필이한테 굽실거렸다. 헤헤 웃으면서 그들과 얘기도 나눴다.

「부산까지 싹 밀어냈다면서유?」

어른들은 음흉했다. 그 헤헤 풀렸던 얼굴이 해 넘어가기가 무 섭게 굳어지면서 눈동자가 이리저리 불안스럽게 돌았다.

우리들은 어른들의 동태를 어느 정도 눈치채고 있었다. 그러나 섣불리 입을 열려고 하지 않았다. 도끄의 목에 걸린 군번이 머리 에 떠올랐다. 우리들은 우리들 속에 배신자를 가지고 있었기 때 문이다. 어쩌면 우리들은 모두가 배신자였는지도 모른다. 이 느 낌은 정말 이해할 수 없는 일이었다. 우리들은 모두 그 군번을 성구에게 넘겨 준 것은 자기 자신이라고 믿기 시작한 것이다. 그 래야만 마음이 놓였다. 성구 곁에 붙어 있어 그의 더듬거리는 말 소릴 들어야만 이상하게 마음이 갈앉는 그런 심리였다.

우리들은 기를 쓰고 성구와 그의 도끄 곁에 있으려고 했다. 그 렇게 하지 않고는 불안해서 견딜 수가 없었다. 어른들이 꾸미고 있는 그 음모의 공포가 우리들을 그런 상태로 몰아 갔는지도 모 른다. 우리들은 성구가 우리들의 이름을 불러 주기를 목을 내밀 어 기다렸다. 그의 더듬거리는 말소릴 듣고 싶어했다. 화숙이를 불러낼 때의 그 휘파람 소리를 듣고 싶어했다. 화숙이를 개울가 젤레덩굴 뒤에서 만나고 나오다가 우리를 보고 열적게 힉 웃는 그의 얼굴이 보고 싶었다. 그런 얼굴을 볼 때마다 우리들은 성구 가 하나도 무섭지 않다고 마음 속에 확인했다. 말더듬이, 저런 바보가 무엇이 무섭다는 말인가. 우리들은 어른들의 생각이 못마 땅했다. 성구를 그처럼 무서운 적으로 점찍어 놓고 음모를 꾸미고 있는 어른들이 우스웠다.

어른들이 그동안 숭숭거려 온 일을 처음 해 보인 것은 재필이
와 성구가 자전거를 타고 도관리로 내려가 올라오지 않던 그 바
람 심하게 부는 오후였다.

마을을 지나가는 인민군 하나를 처치해 버린 일이다. 바람이
무섭게 불었다. 마을 뒷산의 송림이 웅웅 적막하게 울었다. 멀리
보이는 산등성이가 황사에 가려 흐릿하게 윤곽을 드러내 보이고
있었다. 세찬 바람이 초가지붕의 이엉을 벗겨낼 듯 불어댔다. 산
과 마을이 온통 흔들리고 있는 것 같았다. 그러나 마을의 공기는
죽은 듯 갈앉은 느낌이었다. 사람 하나 얼씬하지 않았다.

처음 대여섯 명의 인민군이 마을을 지나가면서 바람 속에 죽은
듯 갈앉은 마을의 공기를 느꼈음인지 총을 쏴댔다. 세찬 바람 속
에 총소리는 그닥 크게 울리지 않았다. 인민군들의 찢어진 옷이
바람에 너불거렸다. 그들은 바람을 안은 채 걸음을 빨리하여 가
루개 쪽으로 사라져 갔다.

그리고 조금 지나 단 한 명의 인민군이 절뚝거리면서 마을 입
구 서낭당 앞에 나타났다. 어른들이 노린 것이 바로 이런 순간이
었다. 서낭당 뒤 바위에 몸을 숨겼던 어른들이 뛰어나왔다. 여럿
이 한 덩어리가 되었다. 그리고 그들은 일어서서 세찬 바람에 날
리듯 서낭당 뒷골짜기로 자취를 감췄다.

난리가 끝난 뒤에 어른들은 말했다.

「그때 그놈은 재수가 없었던 거야.」

서낭당 뒷골짜기까지 끌고 올라가 보니 턱없이 어렸다. 어른들
이 그를 소나무에 묶자 그 어린 인민군은 엉엉 울었다. 그는 울
면서 부르짖었다.

「내사 빨갱이 아입니더, 진짜 빨갱이 아입니더.」

「이 새끼야, 입 닥쳐!」

마을 어른 하나가 그 인민군에게서 빼앗은 장총으로 그의 어깻

죽지를 내려치면서 말했다.

「보이소예, 내사 빨갱이 아임니더.」

그의 먼지 묻은 얼굴에 눈물이 번져 내렸다.

「보이소예, 나 겡상도 사람이제, 빨갱이 진짜 아임니더.」

「경상도 놈이 왜 이북으로 가? 이 새끼야, 이런 옷을 입구두 빨갱이가 아니야?」

어른 하나가 그의 흐치흐치 떨어진 군복을 잡아 찢었다.

「우리 어무이가예, 이북에 가면 아부질 만날 수 있다고 했읍니더.」

「느 아버지 빨갱이지?」

「그건 나도 모릅니더. 어무이가 그라는데, 돈 불러 이북에 갔다고 안 합니껴.」

그는 징징 울고 있었다.

「이 새끼 이거, 말짱 거짓말이라구!」

어른 하나가 소리쳤다.

「아임니더, 거짓말 아임니더! 여기 태극기도 있읍니더.」

그러면서 그는 자기 배를 입으로 가리켜 보였다. 누군가 그의 바지춤께서 두 손바닥 크기만한 꾸깃꾸깃한 태극기를 찾아냈다.

「대한민국 만세! 대한민국 만세!」

그는 울부짖듯 소리쳤다.

어른들은 서로 얼굴을 마주 보았다. 그리고 서로 눈을 피해 딴 전을 봤다.

「재필이가 올라온다아!」

마을 쪽에서 어른 하나가 올라오며 소리치고 있었다.

「재필이하고 성구가 도관리서 지금 올라오는 중이래!」

그는 세찬 바람을 맞아 헐떡이면서 말했다.

그래서 그 어린 인민군은 죽었다. 미처 숨도 넘어가기 전에 구덩이 속에 묻어 버렸다. 어른들은 이 일을 두고 그 뒤 매우 찜찜한 기분으로 말했다.

「해필 그런 놈이 걸리다니!」

그래서 어른들은 그 찜찜한 기분을 씻어 줄 수 있는 좀더 그럴 듯한 적을 찾기에 혈안이 되고 있었다.

「해치웁시다!」

어른들은 서로 눈짓을 했다. 그러나 한쪽에선 항상 고개를 저었다.

우리들은 그것이 마을 어른들의 최종 목표임을 벌써부터 눈치채고 있었다. 어른들은 재필이와 성구가 대세를 깨달아 마을을 결딴내고 도망치기 전에 처치해 버리자는 생각이 들었던 것이다.

「동막골 이춘섭이 아부지 환갑이 낼이래유!」

「이 난리에 무슨 환갑잔치라는 게여?」

「그래두 자식된 도리는 해야지유.」

「거 기특은 하다마는……」

「춘섭이 아우가 의용군 끌려갔다며?」

「예, 재필이가 끌어갔는데, 재필이 말룬 지가 읍에 가서 빼다가 준다구 했다나 봐유.」

「치, 지랄 같은 소릴 허구 자빠졌네. 끌어갈 땐 은제구.」

「그래서 춘섭이가 이번 즈 아버지 환갑잔치에 재필일 모셔다가 특별히 대접을 한대나봐유.」

「대접을 해? 치, 그놈 아가리에 비상이나 타 멕이라고 해!」

그냥 소문이 아니었다. 정말 동막골 이춘섭이가 장거리에 내려와 이집 저집 수소문해 가며 잔치상 차릴 걸 장만해 가는 모양이었다.

물걸리에 몇 마리 남아 있지 않은 닭 날갯죽지를 비틀어 쥐고 마을을 돌았다. 춘섭이가 마지막으로 들른 집이 재필이네 집이었다.

「영감님, 재필이 양반 집에 읎나유?」

「난, 모르네.」

마당에 앉아 약초를 뒤적이던 송노인이 그답지 않게 퉁퉁 받았
다. 춘섭이는 아예 자기 부친 환갑 얘기 같은 건 꺼내지도 않았
다.
「낼 우리 집에 재필이 양반 좀 모실까 허구요.」
「누굴 모셔?」
「재필이 양반 어디 멀리 가신가 부지유?」
「내가 아우? 그놈이 어딜 가는지.」
「그 동안 재필이 양반헌테 신세두 지구 해서……」
「신셀?」
송노인은 약초를 뒤적이던 손을 멈추고 춘섭이를 빤히 치어다
보았다. 춘섭이는 얼른 딴전을 피우면서 돌아섰다.
장거리를 지나다가 개를 끌고 오는 성구를 만났다.
「……자네가 꼭 좀 모시고 올라오시게.」
성구는 입이 헤헤 벌어지고 있었다.
「도도, 도, 동무, 여여, 여―염려 말라니까유.」

동막골은 물걸리 장터에서 좋이 십 리는 되는 산 속이었다. 신
작로는커녕 소달구지 하나 지나갈 길이 못 되는 소로였다. 인민
군들을 한 사람도 못 본 곳이라서 사람들은 그곳이 바로 피난처
라고 했다. 사람들의 눈을 피하기에는 안성마춤인 골짜기였다.
재필이는 동막골 이춘섭이네 잔치 초대에 갈 꿈도 꾸지 않고
있는 것처럼 보였다. 우리들이 마을 어른들의 심부름으로 재필이
네 마당에 들어섰을 때 재필이는 자전거를 손질하고 있었다. 성
구도 그 옆에 서 있었다. 도끄가 몰려간 우리를 향해 으르렁거렸
다. 그 도끄의 목에 걸린 군번이 흔들거렸다.
우리가 마당에 들어서자 성구의 얼굴이 활짝 밝아졌다.
「도도, 동―막골서 빠―빠, 빨리 오라구 하디?」
우리는 고개를 끄덕였다.
「거거, 거, 거 봐유. 매매―매형 동무!」

「안 간다는데 왜 이래!」

재필이가 자전거 페달을 쥐고 돌리면서 퉁퉁거렸다.

「서, 서서, 서―성의 봐서두, 가, 가……」

재필이네 사랑방 문이 펄쩍 열렸다.

「이눔아!」

송노인의 수염 덮인 얼굴이 나타났다.

「이눔아, 너두 사람 껍데길 썼으면 남의 성월, 그렇게 무시하
는 법이 아니여!」

송노인의 푹 꺼진 눈꺼풀 속의 눈이 이글이글 타고 있는 것처
럼 느껴졌다.

「가라, 이눔아. 니가 죄가 많으니까 사람 모이는 델 못 가는
거지, 이 죽일 눔아!」

재필이가 자전거 바퀴를 잡아 고정시키며 흘낏 송노인 쪽으로
눈을 주면서 말했다.

「저 또 망령――왜 자꾸 성가시게 떠드는 거유?」

「성가셔? 이 대역 죄인놈!」

「이봐요. 좋은 세상 만드는 것두 죄가 되유? 아무것두 모르면
잠자코나 있을 것이지……」

「이눔아, 좋은 시상, 좋은 시상 해싼다마는, 그래 니눔의 좋은
시상은 사람 잡아 죽이는 거냐?」

「죽일 놈은 죽여야 하는 거예유!」

「그래, 맞다, 이놈! 죽일 놈은 바로 너여.」

재필이가 침을 내뱉으며 입안엣소릴 했다. 그런 아들을 향해
송노인이 다시 말했다.

「인륜을 어기는 놈은 천벌을 받는 벱이여, 이 망할 놈 같으니
라구!」

「작작 좀 떠들어유. 맥두 모르면서……」

「에라, 이 더러운 놈!」

송노인은 방 안에서 봉당을 향해 가래침을 내뱉었다.

「매, 매—매형 도도, 동무, 그, 그지 마, 마, 말구, 같이 가유!」

성구가 조심스럽게 끼어들었다.

「자네나 가 봐. 저놈이 그런 델 갈 놈이 아니야. 지깐 놈이 사람 모이는 델 갈 위인이 된다던가 워디.」

송노인은 방문을 소리나게 닫으며 말했다. 재필이가 자전거를 헛간에 들여 세우다가 말고 힐끗 사랑방 쪽으로 눈살을 찡그렸다. 그리고 사립문 쪽으로 걸어갔다.

「가가, 가, 갈 거야유?」

도끄가 길길이 뛰면서 그들 뒤를 따라붙었다. 사립문 밖까지 나갔던 재필이가 몸을 되돌려 세우며 안쪽을 향해 큰 소릴 내질렀다.

「나, 동막골 올라가니까, 도관리서 뭘 연락 오거든 재철일 올려 보내란 말이여.」

재필이 처가 안방 문을 삐끔이 열고 내다보고 있었다.

우리들은 재필이와 성구가 도끄를 앞세우고 흔들흔들 동막골로 오르는 걸 확인하고 나서 마을 어른들에게 그 사실을 알리기 위해 장터로 내달았다. 얼마쯤 뛰어가다가 우리들은 다시 동막골 쪽을 확인했다. 역시 그들은 틀림없이 동막골로 오르고 있었다.

「재필이 아버지 좀 봐라!」

우리들은 재필이네 집 쪽을 쳐다보았다. 송노인이 사립문 밖에 나와 꾸부정한 자세로 동막골을 향해 흔들흔들 올라가는 재필이들을 멍하니 울려다보고 있었다. 수수수——썰렁한 가을바람이 추수 끝난 빈 밭의 낙엽을 쓸면서 지나갔다.

이날따라 솔치 고개를 넘어와 마을을 지나는 인민군들이 무더기 무더기 많았다. 그들이 지나갈 때마다 이 날의 거사를 아는 마을 어른들은 가슴이 덜컥 내려앉곤 했다. 재필이와 성구가 동막골에 당도했다는 전갈은 이미 내려온 터였다. 이제 그들은 거기 가 있는 사람들이 맡아서 할 것이었다. 문제는 마을에 남은 사람들이 뒷탈이 없도록 조처하는 일만이 남아 있었다. 마을 전체의 동정을 엿봐야 하는 일이었다. 재필이와 성구네 집에서 무슨 낌새라도 챈 눈치면 거기에 다른 방법을 강구해야 했다. 만약 그 두 집 식구 중에서 한 사람이라도 몰래 마을을 빠져나가 도관리에 연락을 한다든가, 지나가는 인민군을 붙잡고 늘어지는 날이면 일은 크게 벌어지고 말 것이 틀림없었다. 마을이 온통 피바다가 될 일이었다. 그런 걸 염려해서 마을에 남은 어른들은 그 두 집은 물론 그 두 집들과 통정이 있을 만한 집의 적당한 목을 빠짐없이 지키고 앉아 있었던 것이다. 동막골에서 일이 제대로 됐다는 전갈만 오면 되는 것이다. 그때는 그 두 집의 식구들을 모조리 묶어 마치 그들이 마을을 떠난 것처럼 해놓기로 약속이 돼 있었던 것이다.

「재철이 그놈 조심하라구. 즈 형하곤 영 딴판으로 애가 되긴 했어두, 어디 사람 속을 알 수 있어야지.」

재필이 동생 재철이가 나뭇짐을 해 지고 집으로 들어간 뒤 마을 어른들은 이리저리 설치고 다니며 숭숭거렸다.

「어디 재철이뿐이야? 거 장거리 화숙이 지즈배두 잘 지키라구 해!」

「왜 아니래! 글쎄 그 지즈배가 미쳐두 드럽게 미쳤지 글쎄……」

「그게 사내 맛을 보니까 환장을 헌 거지 뭐!」

「아무튼 그 지즈배 조심해야 한다구.」

「성구 어머인 요새 기침이 좀 어떤가 몰라.」

「어디 그게 낫는 병인가. 저번짝에 잠깐 들러 보니 다 죽게 됐더군.」

「성구 그놈 하나 바라구, 초년 과부로 고생두 숱하게 하드니만……」

그럭저럭 마을은 저녁나절까지 별 이상이 없었다. 마을을 지나는 인민군도 끊어졌다. 간헐적으로 들리는 포소리가 좀더 먼 데서 쿠웅쿵 들려오고 있었다.

마을 어른들은 조바심을 하고 있었다. 여차하면 산으로 치뛸 채비까지 하고 있었지만 동막골에서는 이렇다 할 전갈이 없었던 것이다.

「느덜 동막골 좀 가 볼려?」

마을에 남은 어른 중 하나가 우리들 몇을 불러 세웠다.

「엔 아무 일도 읎다고 전하기만 하면 되는 거여.」

소임을 맡은 우리들은 가슴을 후둘후둘 떨며 저녁 그늘에 잠기기 시작한 동막골을 향해 겅중겅중 치뛰기 시작했다. 빈 밭에 앉았던 들꿩이 푸드득 날아올라 우리들의 가슴을 철렁 내려앉게 했다. 동막골 골짜기를 덮은 참갈나무 앙상한 숲이 수수수—— 바람에 쓸리고 있었다.

상여집과 지금은 다 허물어져 퇴락한 당집 앞을 지날 때는 쭈볏쭈볏 소름까지 돋았다. 더더욱 무서운 것은 어디선가 금방 도끄가 껑껑 짖으며 뛰어나와 뒷덜미를 물 것 같은 두려움이었다. 도끄를 머리에 떠올리기가 무섭게 그 도끄 목에 매달려 있는 군번이 생각났고, 우리들은 골짜기를 치뛰면서 그 얼굴 하얀 국군이 매맞아 죽으면서 지르던 비명을 귀 속에 쟁쟁 떨쳐 버릴 수가 없었다.

동막골에 올라가 있던 어른들은 우리들의 전갈을 기다리고 있었던 모양이다. 우리들이 마을에 아무런 이상이 없다고 하자 그들은 서로 눈짓을 하여 고개를 끄덕거렸다. 여기저기 흩어져 있는 어른들의 눈에 이상한 빛이 번득거렸다. 술상을 들고 나오는 사람의 손이 후들후들 떨리고 있었다. 목덜미도 벌겋게 달아오르기 시작했다.

사립문 밖 우물 옆에 섰던 어른이 집 뒤꼍으로 손짓을 했다. 부엌과 마당에서 서성거리던 아낙네들이 아이들 손을 끌고 황황히 춘섭이네 집을 빠져나오기 시작했다. 안방에 퍼질러 앉아 술을 마시던 노인네 서넛이 고무신을 거꾸로 끌며 허둥허둥 걸어나와 춘섭이네 건너편 다 쓰러져 가는 오두막집으로 숨어 들어갔다.

춘섭이네 사랑방만이 지껄지껄 사내들의 목소리가 높았다.

춘섭이가 방문을 열고, 술주전자를 들여 보냈다. 방문을 닫고
사립문 쪽을 내다보는 그의 얼굴이 하얗게 질려 있었다. 우물 옆
에 선 어른이 어서 나오라는 신호를 했다. 춘섭이가 힐끔힐끔 사
랑방 문 쪽을 뒤돌아보며 밖으로 나왔다.

껑껑 개가 짖었다. 분명 도끄가 짖는 소리였다. 논둑 밑에 몸
을 숨기고 있는 우리들은 벌벌 떨기 시작했다. 왜 우리들은 이때
까지 성구의 도끄를 생각하지 못했는지. 뭔가 불길한 느낌이었다.
숨도 크게 쉴 수가 없었다.

동막골에 햇빛이 자취를 감춘 것은 이미 오래였다. 서서히 어
둠이 내릴 기세였다. 썰렁한 해 저물 무렵의 가을바람이 골짜기
를 휘돌았다.

우리들은 모두 그 자리에 주저앉고 말았다. 그것은 벼락치는
소리였다. 문짝 떨어져 나가는 소리와 그것이 도무지 사람의 입
에서 나온 소리라고 할 수 없는 그 비명—— 그리고 누군가 봉당
에 나가떨어지는 소리가 들렸다. 그것은 거의 한 순간에 벌어진
일이었다.

우리들 눈 앞을 한 사내가 꼬꾸라질 듯 뛰쳐나와 골짜기 아래쪽
으로 내닫고 있었다. 꺼르르—— 다급하게 짖어대는 개소리.

우물 옆에 몸을 감추고 있던 어른들이 꼬꾸라질 듯 골짜기를 뛰
쳐 내려가는 그림자를 쫓아 내려갔다. 우리들도 주저앉았던 몸을
일으켜 허겁지겁 어른들 뒤를 따라 뛰기 시작했다.

「성구는 붙들었겠지?」

우리들 앞에서 한 사람이 헐떡이며 말했다.

「잡았어!」

「지금 내려뛴 놈이 재필이가 틀림없지?」

「맞아, 그놈이 재필이가 틀림없어!」

「어떡허다가 그놈을 놓친 거요?」

「분명히 쩔렀거든. 왝—— 하고 비명을 친 게 그놈이었다구!」

「그런데 그놈이 어떡해 도망을 친 거유?」

「글쎄, 그걸 모르겠단 말이야.」

「일은 난 거야. 그놈을 빨리 잡지 않는 한……」

어른들은 더이상 내려뛰지를 않았다. 그들은 사방을 두리번거렸다.

「성님이 찌른 게 재필이가 분명하지우?」

「그렇다니까, 그놈 배를· 찔러 놨으니 멀린 못 간다구.」

마을 어른들은 마음을 진정시켜 가며 차근차근 사태를 풀어 나가고 있었다.

세 사람이 도관리로 통하는 구듬치 고개까지 뛰어가 목을 지키기로 했다. 한 사람은 동막골에 남아 아직 춘섭이네 집에 남아 있을 사람들과 함께 뒷일을 처리하기로 했다.

「빨리빨리 하구들 내려오라구 해. 첨 약속헌 대루 처리하라구. 재필인 우리가 잡을 테니까 염려할 것 없다구……」

동막골에 남는 두 사람에게 누군가 말했다.

「여긴 염려말구유, 어서 재필이나 잡아유. 그놈을 오늘 저녁 못 죽이던 우린 다 죽는 거야유.」

「알았어. 어서 올라가 봐!」

두 사람이 동막골 이춘섭이네 집으로 되돌아 뛰었다.

남은 어른들 대여섯과 마을의 전갈을 가지고 올라간 우리들은 재필이를 찾아 더듬더듬 골짜기를 훑어 내려오기 시작했다. 어른들도 벌벌 떨고 있었다. 목소리도 우렁우렁 겁을 먹은 티가 역력했다. 우리들은 이까지 딱딱 부딪칠 정도로 몸이 떨렸다. 말을 하려고 해도 제대로 입이 떨어지질 않았다.

「여기다!」

앞서서 내려가던 어른 하나가 길바닥에 깔린 돌 위를 손가락질했다.

「피다, 피야!」

그리고 보니 길바닥 여기저기에 핏자국이 있었다.

핏자국은 마을을 향해 계속 혼적을 보이고 있었다.

「더 좀 빨리 내려갑시다!」

「아니야, 서두를 거 읎다니까. 이놈이 이래가지곤 멀리 못 갈
게여.」

「허지만 조심덜 하자구요. 악에 바친 놈 잘못 건드렸다간……」

「거, 맞는 소리네. 재필이 그놈이 보통 것이 아녀.」

어른들의 말소리가 웽웽 들떠 있었다. 우리들은 서로 엉켜붙어
손을 잡아쥐고 어른들 뒤를 따랐다. 껑껑—— 귓속에 쟁쟁 도끄
의 짖어대는 소리가 떠나지 않았다. 우리들은 서로 뒤처지지 않
으려고 발걸음을 종종 다툼질했다.

핏자국을 더는 찾을 수 없게 날이 어두웠다. 퇴락한 당집 앞이
었다. 당집 뒷산으로 수수수—— 바람이 쏠리고 있었다. 어른들이
성냥을 그어댔다. 길에 핏자국이 없었다. 허물어져 시커멓게 문짝
이 떨어져 나간 당집이 음울하게 아가리를 아—— 벌리고 있었다.
어른 두엇이 궁 마음에 악을 쓰며 당집으로 기어올랐다. 그어댄
성냥불빛에 당집의 썩은 서까래가 귀신의 손가락처럼 어른거렸다.
다시 한번 성냥불이 그어지고, 어둠 한 귀퉁이가 밝혀졌다가는
또다시 어둠이었다. 두런두런 말소리가 가까와지고 있었다.

「읎지?」

이쪽에서 물었다.

「읎어유!」

우리들은 후우 한숨을 몰아 쉬었다.

「여깃네유!」

성냥불을 켜 길바닥을 살피던 사람이 외쳤다.

다시 발견된 핏자국은 역시 마을 쪽으로 내려가고 있었다.

어른들은 점점 더 머뭇거리면서 내려갔다. 금방 눈앞에 재필이
의 시체가 나타날 것만 같았기 때문이었을 것이다. 우리들도 어
둠 속에서 갖가지·무서운 모습을 한 재필이의 얼굴을 떠올리면서
몸을 벌벌 떨었다.

어른들이 나뭇가지를 모아 불을 당겨 들고 앞장섰다. 다시 재
필이의 흔적은 보이지 않았기 때문이다.

「저 아래, 덩굴 속을 좀 보구 오라구!」

그래서 나뭇가지에 불을 당겨 든 사람이 더듬더듬 개천가 잎
앙상히 떨어져 내린 찔레덩굴 속을 돌아오기도 했다. 어른들은
죽창을 들고 마음 걸릴 만한 데는 다 찔러 보았다.

동막골 초입 상여집 앞에 다시 핏자국이 보였다. 한 군데 엄청
나게 많은 피가 쏟아져 있었다. 상여집은 낡은 자물쇠가 걸린 채
였다. 상여집 앞에 불을 켜든 사람들의 얼굴이 불빛에 무서운 형
용으로 나타났다. 불빛에 번쩍 빛나는 눈빛은 온통 살기로 차 있
었다.

「이놈이 결국 마을까지 내려갔구먼!」

누군가 횃불마저 꺼진 어둠 속에서 겁먹은 목소리로 말했다.
우리들은 이미 마을 어구에 이르러 있었던 것이다. 마을의 어느
집에도 불이 켜 있지 않았다.

「이놈이 즈 집으로 간 게유!」

「……」

「그럴 수가……」

어른들은 마을 어구에 선 채 망연자실 서 있었을 뿐이다.

「누구야?」

앞에 인기척이 있었기 때문이다. 모여 섰던 사람들이 우우 흩
어졌다.

「왜 인제들 오지유?」

마을에 남았던 사람 중의 하나였다.

「재필이 못 봤나?」

이쪽에서 물었다.

「왜 못 봐유. 아까 즈 집으로 들어간 걸유.」

「거 보라구!」

「……」

「왜 동막골서 안 죽이구, 예까지 내려오게 했지우? 아까 보니까 밸창자를 손에 움켜쥐고 내려왔데유.」

「밸창잘 움켜쥐구?」

「그렇다니까유. 밖으로 빠져나온 게 한 발은 더 될 것 같던데유.」

「그래가지고 제 발로 집까지 왔단 말이지?」

「아, 그럼 제 발루 안 오구 어떡해유? 허지만 지금쯤은 죽었을 꺼야유.」

「그래, 망은 잘 보고 있겠지?」

「망이구 뭐구, 동막골서 왜 안 내려들 오느냐구 야단들 났어유.」

재필이네 집 사립문 밖에 대여섯 사람이 웅크리고 앉아 담배를 피고 있었다. 모두 손에 무기를 들고 있었다.

「왜 집으루 들어가두룩 그냥 내버려 둔 거야?」

동막골서 내려온 어른이 힐난조로 말했다.

「아, 그렇게 말하는 자네들은 도대체 어떻게 된 거야. 그거 하나 못 죽이고 예까지 내려 보내? 예끼, 얼뜬 사람들 같으니라구!」

「아, 우리가 못 죽였으면 여기서라두 처치했어야 옳지 않은가 말이야.」

동막골서 내려온 어른들이 또 한번 툴툴거렸다.

「말두 말어! 어디 그걸 죽일 수가 있겠던가? 끔찍허데. 제 밸창잘 끌어쥐구, 살겠다구 제 집을 찾아든 걸……」

그렇게 밸창자를 끌어안고 자기 집 봉당에까지 기어온 재필이가 벌렁 나가자빠지면서 벼락치듯,

「아부지이!」

어떻게 그런 큰 소리를 지를 수 있었는지, 듣는 사람들의 온몸에 소름이 쫙 끼쳤다는 것이다.

「그래, 재필이 식구들은 어쨌나?」

「어쨌긴? 먼저 계획한 대로 모두 묶어서 재갈까지 물려 안방

에 뒀지!」

「그건 잘들 했네!」

그러면서 동막골에서 내려온 어른들은 재필이네 봉당을 기웃거렸다.

「아니, 재필이놈, 봉당에 없잖은가?」

「사랑에 끌어다 뒀네. 보기두 뭣하구 해서……」

「잘들 했네.」

어른들은 모여앉아 두런두런 머리를 맞대고 뭔가 의견을 나누고 있었다.

「어차피, 죽을 놈, 빨리 숨을 끊어 주는 게 낫잖을까?」

그런 의견이 지배적이었다.

「허지만서두, 것두 목숨인데, 죄야 밉지만 사는 데까진 둬 둬 봅시다.」

「허긴 그놈이 동막골서 예까지 내려온 게 어디 예삿일인가? 것두 제 집을 찾아왔다니!」

「저것이 제 집을 찾아온 건 순전히 즈 아버질 믿고 그런 걸세.」

「왜 아닌가. 재필이 아버지라면 저놈을 살려낼 수도 있을지도 모르지!」

우리들은 송노인이 마을의 다 죽어가는 사람을 여럿 구해낸 걸 기억하고 있었다. 산에서 독사에게 물렸다든가, 토사곽란으로 눈을 허옇게 치뜬 아이들을 위기에서 곧잘 구해냈다. 여물 써는 작두에 손가락이 잘려 나갔거나 발방아공이에 손이 으깨어진 아낙네도 읍내 비싼 공의한테 치료를 받지 않고도 송노인을 통해 거뜬히 나았다.

「재필이 아버일 한번 풀러 줘 봅시다.」

어둠 속에서 누군가 머뭇머뭇 의견을 내놓았다.

「무슨 소릴 허구 있는 거여?」

모두 펄쩍 뛰었다.

「뭐 별일이야 있을라구유. 더구나 재필이 아버이 같은 사람은……」

또 한 사람이 겨들고 나섰다.

「허긴, 죽은 사람 소원도 들어 준다는데, 그래 제 집을 찾아온 놈, 원이나 풀어 줍시다. 아무래도 죽을 놈이 아니오!」

처음 펄쩍 뛰던 사람들이 담배만 뻐끔뻐끔 피워댔다.

「기왕에 죽을 놈……」

「풀어 줘 보지유?」

누구고 그렇게 하라는 말을 한 사람은 없었다. 또한 그래서는 안 된다는 말을 하지도 않았다. 나이 많은 축들은 담배만 피워댔다.

몇 사람이 슬며시 재필이네 집으로 들어가는 기척이었다.

「죽었든?」

안에 들어갔다가 나온 사람들을 향해 나이 든 사람이 짐짓 묻고 있었다.

「어디유!」

그렇게 말하면서 담배를 말아드는 그들의 손이 부들부들 떨리고 있었다.

「그 어린 것들, 묶여 있는 건 차마 못 보겠데유.」

「맞아, 것들이 뭔 죄가 있나. 낼 딴 집으로 옮겨 풀어줘야지. 지금은 안 돼.」

「재필이 아버일 지금 풀어 놓고 나왔는데, 그 영감이 식구를 전부 풀러 놓지는 않을까유?」

「보면 알겠지만, 그럴 영감이 아니지.」

그날 밤, 우리들 몇은 어른들을 따라 여기저기 몰려다니며 날을 샜다. 주로 재필이네 사립문에 붙어서서 집안의 동정을 살폈다. 묶인 게 풀린 송노인이 재필이를 힘이 펄펄 나게 살려낼는지도 모른다고 생각했기 때문이었다.

그러나 우리들은 재필이 아버지 송노인이 안방 문을 열고 봉당에 쭈그려 앉은 채 날을 새우는 걸 꼼짝없이 지켜보아야만 했다. 그리고 숨 넘어가는 재필이의 비명과 송노인의 그 소름끼치는 호령소릴 들어야만 했던 것이다.

「아버지, 나 줌 살려 줘유——」

짐승처럼 울부짖는 재필이었다.

「아버지이——」

그는 거듭거듭 헐떡거리는 목소리로 부르짖었다. 그러나 송노인은 봉당 구석에 웅크려 앉은 채 기동을 안 했다.

「아버지, 나 줌 나 줌 살려 줘유.」

송노인은 죽은 것처럼 그 자리에 앉아 있었다.

「저걸 어떡하지유?」

사립문 밖에 웅숭그려 앉았던 어른들 중에서 누군가 말했다.

「어떡하긴——, 이젠 우리가 나설 계제가 아니라구.」

마을은 야기에 싸인 채 죽은 듯 갈앉아 있었다.

「아버지이, 나, 무물, 물——」

재필이가 헐떡거리고 있었다.

「에라, 이 못난 놈! 어서 죽어라, 이놈아!」

죽은 듯 봉당에 웅크려 앉았던 송노인이 벼락치듯 외쳤다. 밤이 갈앉아 눅눅히 쌓였던 밤공기가 쩌르르 허물어졌다가 다시 적막에 싸였다.

「아버지이——, 나 줌, ……어이구, 나, 죽겠네.」

「에라, 이 죽일 놈, 니놈이 지금 천벌을 받는 게여. 이눔아, 이 미욱한……」

「아버지이……」

「이눔아, 난 니 애비가 아니여!」

「아이구, 아버지, 나 죽어유.」

「그래, 어서 셀 칵 물구 죽어라, 이눔아.」

「아버지이, 나 줌 살려 줘유. 나, 나 줌……」

「이눔아, 내 맘대루 니놈을 살리냐? 이눔아, 난 널 살릴 권한이 읎어!」

「어이구, 나 죽어……」

그리고 나서 한참 동안 잠잠했다.

「나 성구네 집 좀 돌아보구 올라우.」

사립문 밖의 어른들이 하나 둘 자리를 피해 사라졌다. 우리 아이들 몇몇은 숨도 제대로 못 쉰 채 그 자리에서 옴쭉달싹할 수가 없었다.

다시 꿍꿍거리는 재필이의 비명이 들려 나왔다.

「성, 어서 죽으라구. 나 첨부터 이렇게 될 줄 알았다구!」

재철이의 악을 써 울부짖는 목소리가 안방에서 흘러나왔다. 우리들은 후다닥 놀라면서 몇 발짝 달아났다.

「재철이두 풀어 놓은 거 아니야?」

우리들은 검정 고무신을 벗어 손에 쥐고 도망갈 채비를 하면서 말했다.

「걱정할 것 없어! 아까 들어갔을 때 재갈만 풀어 놓은 거니까!」

사립문 밖에 남아 있는 어른 하나가 우리들을 향해 말했다.

「재철아, 나, 나 좀 살려 줘——」

「성, 어서 죽어! 형형……」

재철이는 울음 섞어 내지르고 있었다.

「아버지이, 나 좀 살려 줘유, 내가 잘못했어유. 아버지 나 좀……」

이번에는 봉당에 웅그려 앉은 송노인이 대꾸하지 않았다. 안방에서 칭얼칭얼하는 재필이네 계집아이들 울음소리가 새어 나왔다.

「어떻게 됐나?」

동막골에 남아 있던 어른들 대여섯 명이 돌아왔던 것이다.

「그대로 했겠지?」

동막골에서 먼저 내려온 어른 하나가 다그쳐 물었다.

「여부가 있나유?」

「수고들 했네. 헌데 그 개새긴 잡았겠지?」

「예, 그런데 그 개새끼 땜에 혼났어유. 그렇게 쉽게 죽지 않는 놈 내 첨 봤다니까유.」

「고것이 진짜 빨갱이여서 그런 거여.」

「그래, 구장어른두 뵙구 왔지?」

「그러믄유. 다 염려말구, 재필이 일이나 잘 처리하라던데유.」

「재필이구 뭐구, 이거 미치겠네!」

사립문 밖에 내내 지키고 앉았던 어른이 후우—— 한숨을 몰아 쉬면서 말했다.

「왜, 재필이가 아직 안 죽었나유?」

사립문 밖의 어른이 동막골서 내려온 사람들을 향해 손짓으로 재필이네 집을 가리켜 보였다.

「아버지이……, 나 즘 살려 줘유우……」

「이거 큰일났네유, 저러구 날이 새면 야단인데유, 빨리 처치해야지, 뭣들 하고 있었어유?」

「왜, 자네가 죽이겠나?」

사립문 밖의 어른이 말했다.

「어이구, 당숙두! 내가 으트케……」

「거 보게. 지금 우리가 재필일 죽이구 살릴 수 있는가?」

「그럼 어떡하지우?」

「기다려 봐야지. 좌우지간 새벽까진 기다려 볼밖에——」

성구네 집 쪽으로 갔던 어른 두엇이 두런두런 돌아왔다.

「거긴 어때유?」

「성구 어머인 성구가 안 돌아온다구 부성을 하고 있데. 거 웬 기침이 그렇게 심한지……」

「손주 봐서, 안어 보구 죽는 게 한이라던데유.」

「성구 그놈이 죽일 놈이지!」

「장거리 화숙이 지즈밴 괜찮던가유?」

「괜찮긴! 낮에 그것이 어떻게 눈칠 챘는지, 성구가 죽음 저두 뒈지겠다구 길길이 뛰구, 밖으로 나갈려구 해서 애먹었다더군.」

「거 참, 귀신이 곡할 노릇이지우, 우째 사람 마음이 그렇게 돌아갈 수가 있을까유?」

「그것들이 작은 작인가 본데……」
「그래, 지금은 괜찮은가유?」
「죽는다구 하두 날뛰길래, 그 애비한테 쬐끔 귀뜸은 해 줬구만
서두——」
「잘 허셨네유.」
재필이네 집 안에서 또 한번 재필이의 신음소리가 흘러나왔다.
「아버지이——아이구, 나 죽어유……」
「죽어라, 이눔아, 어서 셀 칵 물구 죽어 뿌려!」
그리고 다시 잠잠해졌다.
「하, 참!」
어른들은 혀를 끌끌 차며 부지런히 담배 쌈지만 꺼내 들었다.
그러면서 우리들에게 집으로 들어가라고 했다. 우리들은 뿔뿔이
흩어져 집으로 들어왔다. 오히려 집에 들어앉은 어른들이 이불을
뒤집어쓰고 벌벌 떨고 있었다. 집에 들기가 무섭게 우리들은 잠
속으로 굴러 떨어졌다.
꿈에 제일 먼저 나타난 것이 입을 헬렐레 벌린 성구의 얼굴이
었다. 그의 목에 군번이 걸려 있었다. 이상하게 도끄는 우리들
꿈에 나타나지 않았다. 우리들은 다리를 쭉 뻗고 잘 잤다.

다음날 아침 우리들은 햇빛이 봉당 툇마루까지 기어오르도록
늦잠을 잤다. 일어나기가 무섭게 우리들은 재필이네 집으로 달려
갔다. 재필이네 마당에 어른 대여섯이 서성거리고 있었다. 또 다
른 사람들은 밖에서 망을 보고 있었다.
우리들은 봉당에 시선을 못박은 채 서로 얼굴을 쳐다보았다.
송노인의 조그마한 몸뚱이가 거기 꼼지락꼼지락 움직이고 있었다.
그가 매만지고 있는 것은 두 구의 시체였다. 이미 깨끗이 염습까
지 되어 베로 몸이 감겨져 있었다.
「어젯밤에 성재 아저씨가 재필이 처까지 풀어 놨대는 거야.」
「성재 아저씨가?」

성재 아저씨는 성구의 육촌형, 그러니까 재필이 처에겐 오래비 뻘이었던 것이다.

「새벽에 보니까, 재필이 처가 뒤란에서 칼을 물구 죽어 있더래.」

어른들이 우리들을 내쫓으려 했다. 그러나 우리들은 한쪽 구석으로 슬슬 피해 서며 봉당 위의 시체를 훔쳐 봤다.

「재필인 누가 죽였대니?」

「누가 죽인 게 아니구, 밤중에 보니까 그냥 죽어 있더래.」

「밸창자가 두 발두 넘게 빠져나왔더랜다. 그걸 그 아버지가 손으로 전부 집어넣었대.」

새벽같이 달려와 어른들 얘기를 귀동냥해 들은 아이들이 마구 재면서 말했다.

「그럼, 재철이랑 그 애들은 얼루 갔대니?」

「저 방안에 가둬 놨대나봐!」

재필이네 안방 문에 여러 곳 숭숭 구멍이 뚫려 있었다. 섬뜩한 느낌이 등으로 으스스 끼쳐 왔다.

「저 아주머인 송씨 집에 시집와서 죽두룩 고생만 하다가 결국엔……」

어른들은 마당에 불을 피워 가마니 같은 것을 태우면서 쯧쯧 혀를 찼다. 워낙 경황이 없는 터라 눈물 같은 건 뵈지 않았지만 얘기 중에 마당에다가 코를 헹헹 풀어 던졌다.

「그럼 성구넨 이제 대가 끊겼잖아유?」

좀 나이 든 애가 불쑥 어른들 말에 끼어들었다.

「야, 이눔들아!」

어른들은 우리들을 향해 팔을 내저으면서 말했다.

「이눔들아, 느덜은 예 있지 말구, 얼른 서낭당에 올라가 망이나 봐야 할 꺼 아니여? 인민군들 오면 다 죽는 거야, 이눔들아!」

우리들은 우루루 사립문으로 밀려 나오면서 다시 한번 봉당 쪽을 봤다. 아직도 송노인이 그 두 구의 시체 옆에 붙어 꼼지락대고 있었다.

  정작 마을이 발칵 뒤집힌 것은 그날 점심 때쯤 돼서였다. 쨍쨍
해맑은 가을 날씨였다. 고추잠자리가 처마 밑으로 풀풀 날았다.
그날 따라 간헐적으로 들려오는 포소리가 좀 뜸했다. 난리가 다
끝난 게 아니냔 그런 생각으로 마을 사람들은 점심 때를 맞고 있
었다. 「난리가 끝난 게여.」 어른들은 보리밥에 물을 부어 퍼넣었
다. 간밤 날을 샌 어른들은 눈을 붙이기 위해 기지개를 켜며 꺼
억꺼억 하품을 하고 있었다. 악몽 같은 지난 밤이 그들 하품에
묻어 나온다는 느낌이었다.
  이상한 것은 이날 들어 단 한 명의 인민군도 마을을 지나지 않
았다는 것이다. 그들이 솔치고개에서 내려올 것을 대비해 장정
십여 명이 서낭당 뒷산에 숨어 망을 보고 있었지만 인민군은 그
림자도 보이지 않았다. 또한 도관리에서 올라올는지도 모를 재필
이 패들을 막기 위해 여기저기 목을 지키고 앉은 곳에서도 별다
른 소식이 없이 점심 때가 됐던 것이다.
  「빨랑들 도망가래유!」
  서낭당 쪽에서 누군가 헐레벌떡 뛰어 내려오며 소리쳤다.
  「뭐여?」
  「큰일났어유. 인민군이 솔치고개루 새카맣게 내려오구 있대
유!」
  「인민군이?」
  마을이 발칵 뒤집혔다. 얼굴이 파랗게 질린 어른들이 허둥지둥
이집 저집으로 뛰어다니며 외쳤다.
  「빨랑들 산으로 피해유!」
  왜갈봉으로 오르는 묵은 수수밭이 마을 사람들로 하얗게 덮였
다. 아이들이 악머구리 끓듯 울어댔다.
  「재필이 아버일 안 묶었대며?」
  어른들이 산으로 치뛰며 얘기를 나누고 있었다.

「안 묶은 게 아니구, 못 묶었네!」

「왜, 왜 못 묶었나, 이 큰일날 사람아!」

「허지만 염려없을 게여. 잘 알면서 뭘 그래?」

「허—참, 아, 지금 그 영감이 제정신인 줄 알어? 하여튼 일은 났네!」

「제기랄 눔의 꺼, 큰일나야 죽기밖에 더 하겠어!」

솔치고개를 새카맣게 덮었다던 그 병사들은 모두 열 다섯 명에 불과했다. 그런데 그들 병사들은 인민군과는 그 행색이 달랐다. 터벌터벌 맥살 없는 걸음으로 마을을 지나던 인민군과는 그 거동부터 달라, 씽씽 바람이 일었다.

「아군이에유, 아군!」

왜갈봉 위에서 우리들이 소리쳤다. 그러나 어른들은 질색을 하면서 우리들 입을 막았다.

「이눔들아, 느덜 서석 사람들 죽었다는 얘기두 못 들었냐?」

솔치고개 너머 서석리 사람들이 인민군이 마을에 나타난 걸 아군인 줄 알고 태극기를 펴들고 나갔다가 마을 장정이 다섯이나 총 맞아 죽었다는 소식이 온 게 며칠 전이었던 것이다.

마을에 나타난 병사들은 여느 날의 인민군처럼 그냥 마을을 지나쳐 가지 않고 마을 장터에 머물러 앉은 기색이었다. 마을 여기 저기에서 총소리가 났다. 그들은 길에 서서 하늘을 향해 총을 쏴대고 있었던 것이다. 터엉 빈 마을을 그들은 급히 뛰어다니기도 했다.

「아군이 틀림없는 게여, 딱쿵 총소리가 아닌 걸 봐두……」

나이 든 노인들이 서너 명 기색을 살피러 마을로 쭈볏쭈볏 내려가기 시작했다. 병사들이 내려가는 노인들을 향해 총을 겨누고 있었다. 노인들이 저고리를 벗어 혼들면서 내려갔다.

왜갈봉 묵은 수수밭머리까지 마주 올라온 몇 사람의 병사가 노인들에게 총구를 들이대며 말했다.

「이 마을 사람들 전부 어됐오?」

노인들이 말했다.

「댁들은 국군인가유, 인민군인가유?」

병사들은 서로 돌아보며 조금 웃어 보였다. 그러나 그들의 눈엔 번쩍번쩍 살기가 떠돌고 있었다. 난리가 터지고 맨 처음 마을에 들어왔던 인민군들에게서도 이런 번뜩이는 살기가 있었다. 다만 이들은 먼저의 인민군들보다 억양이 좀 순한 게 달랐다.

「바른 대루 말해 줘유. 죄없는 백성들을 왜 자꾸 속이는 거예유?」

「뭐요, 우리가 뭘 속인다는 거요?」

병사 하나가 노인들 발 밑에 총을 쐈다. 노인들이 모두 두 손을 쳐들었다.

「어이, 김병장, 여기가 빨갱이 마을이 맞지?」

「넷, 맞습니다. 여기가 빨갱이 마을입니다.」

두 손을 쳐들었던 노인들이 손을 내리며 여럿이 대들 듯 말했다.

「뭐라구유? 우리가 빨갱이라니!」

「빨갱이가 아니면, 우릴 보고 왜 숨는 거요?」

또 다른 병사가 거듭 말했다.

「도대체 왜들 숨는 거요?」

노인들이 서로 얼굴을 마주 보며 고개를 끄덕거렸다.

「인민군이 온대사 숨었잖수!」

그러자, 한 병사가 목소릴 버럭 높여 말했다.

「인민군이 와서 숨어? 뭐야, 이거! 당신들 몇 달 동안 빨갱이짓하구 살고서 이제 와서, 인민군이 온다고 숨어?」

「우릴 놀리는 거야?」

한 병사가 그렇게 말하면서, 노인들이 내려온 왜갈봉을 향해 총을 겨눠 들었다.

「안 돼유! 글루 총을 쏨……」

노인들이 병사들 앞을 막아서며, 왜갈봉을 향해 손을 휘휘 저었다. 내려와도 좋다는 신호였다. 왜갈봉 밑 묵은 수수밭이 다시 마을 사람들로 하얗게 덮였다. 태극기를 펴들고 뛰어 내려오면서 만세를 부르는 어른도 보였다.

그 중에는 서낭당 뒷산 골짜기에서 죽은 그 어린 인민군의 허리띠 속에서 나온 손수건만한 태극기를 든 사람도 있었다.

「당신이 김구장이오?」

구장어른이 아직 제대로 자라지 않은 채 꼬불꼬불 말려 올라간 수염을 매만지며 군인들 앞에 나섰다.

「당신들 우리가 오는 걸 보고 왜 숨었느냔 말이야?」

그들은 자꾸 같은 걸 되묻고 있었다. 그들은 마을 어른들의 말을 하나도 믿으려 하지 않았다. 두리번거리며 마을 어른들의 눈치를 살폈다. 우리들은 알 수 있었다. 그들이 지금 찾고 있는 것은 이런 우호적인 만남보다 우당탕 결판을 내고 말아야 할 적이었던 것이다. 그들은 군인이었던 것이다.

「증말 인민군이 오는 줄 알구 숨은 거유!」

구장어른도 꿀리지 않고 거듭거듭 같은 대답만 했다.

「여긴 빨갱이 마을이라는데 그 빨갱이들은 지금 어디 있오?」

고개 너머 서석리에서 다 알고 왔노란 거였다. 재필이의 힘이 그곳까지 뻗친 것은 사실이었다. 서석리에서 곡식을 제일 많이 뒤져 냈다고 재필이 입으로 직접 말하는 걸 여러 번 듣기도 했다.

구장어른은 전날 마을에 있었던 일을 처음부터 끝까지 엮어 냈다. 재필이와 성구를 처치한 얘기였다. 그 일에 앞서 마을을 지나는 인민군 패잔병을 잡아 총을 마련한 일까지도 조금은 과장해서 말했다.

그래도 군인들의 표정은 풀리지 않았다. 그들은 불만스런 그런 눈으로 사방을 두리번거렸다. 어딘가 심심해 하는 그런 표정 같기도 했다.

「직접 가 보심 될 거 아닙니까유?」

구장어른이 볼멘소리로 말했다.

「뭘 보란 말이오?」

「인민군 잡아 묻어 놓은 걸 가 보시자는 거 아니우!」

구장이 서낭당 쪽으로 앞장서며 말했다.

「여보시오, 그것보다 어제 당신들이 처치했다는 빨갱이들이나 봅시다.」

마을 어른들은 서로 얼굴을 마주 보았다. 난처한 그런 기색이 얼굴에 역력했다.

「당신들 거짓말했지?」

군인 한 사람이 꽥—하고 소릴 높여 말했다.

「따라오시우!」

구장어른이 앞장서고 있었다. 그 뒤를 세 명의 군인이 따랐다. 셋이 적당한 간격을 두어 경계하는 걸음으로 조심조심 따라붙었다.

송노인이 아직 봉당에 쪼그려 앉아 마치 벌쬐임이라도 하듯 머리를 두 무릎에 괴고 있었다. 아침나절 본 두 구의 시체 위에 덩석이 덮여 있었다.

봉당에 올라선 구장어른이 그 멍석을 걷었다. 송노인은 그 자리에서 움직이지 않은 채 무릎에 괴었던 고개를 들어 마당에 들어선 군인들을 내려다보았다.

「어떤 게 송재필이오?」

군인 하나가 수첩을 펴 내려다보곤 봉당 위의 시체를 턱으로 가리켰다.

구장어른이 두 구의 시체 중 좀 커 보이는 걸 손가락질했다.

「이건 누구요?」

역시 그 군인이 수첩을 내려다보다가 재필이 옆의 시체를 가리켰다.

구장어른이 머뭇거렸다. 우리들은 마당에 선 채 숨을 죽였다.

「그게 김성굽네다……」

우리들 곁에 섰던 마을 어른 하나가 말했다.

「김성구……」

군인이 고개를 끄덕거렸다. 우리들은 서로 마주 보며 혀를 날름 내밀어 보였다.

「당신들 엉뚱한 수작 하는 거 아니야?」

군인 하나가 봉당 위 염습까지 된 시체를 군화 끝으로 꾹꾹 눌렀다.

쭈그려 앉아 있던 송노인이 몸을 일으켰다. 그리고 걷혀진 멍석을 두 구의 시체 위에 다시 씌웠다.

「어이, 김병장! 집을 수색해!」

마당에 서 있던 두 명의 군인 중 한 사람이 봉당에 서 있는 군인에게 말했다.

봉당에 서 있던 군인이 재필이네 구멍 숭숭 뚫린 안방 문을 열어젖히며 총구를 들이댔다. 방은 텅 비어 있었다. 우리들은 후우 숨을 내쉬었다.

그가 다시 사랑방 문을 열어젖혔다. 방안을 들여다보던 군인의 얼굴이 찡그려졌다. 군화 신은 발로 방문을 되닫으며 설레설레 고개를 흔들었다.

「뭐야?」

마당에 선 군인이 물었다.

「핍니다.」

바로 그 순간이었다. 군인들이 사립문 밖으로 뛰어나가기 시작했다.

총소리였다. 후득후득 콩볶듯, 마을 공회당 쪽에서 들려 왔다. 재필이네 집에 들어왔던 군인 셋이 빈 밭을 가로질러 뛰고 있었다.

「인민군이 왔대!」

누군가 이쪽으로 뛰어오며 외쳤다.

소총소리는 계속되고 있었다. 우리들은 재필이네 뒤꼍으로 돌아갔다. 굴뚝 뒤에 몸을 숨겼다.

「저 피 봐라!」

한 아이가 부엌 뒷문 쪽을 가리켜 보였다. 섬뜩한 게 등허릴
스쳤다. 피였다. 검붉은 선지피가 땅에 흐른 채 엉겨 있었다. 그
러나 우리들이 무서운 것은 총소리였을 뿐이다. 우리들은 덜덜
떨면서 총소리가 끝나기만을 기다렸다.

공회당 마당에 앉아 식사를 하던 군인들이 인민군 패잔병에게
기습을 당했던 것이다. 공회당 마당에 네 사람의 아군이 입에 밥
을 문 채 쓰러져 있었다. 구장어른네 대문 앞 퇴비더미에도 세
사람의 아군이 죽어 있었다.

인민군은 넷이 죽고, 셋이 사로잡혔다. 세 명의 포로 중 하나
는 여자였다.

남은 여덟 명의 아군들 눈에 불이 팔팔 일고 있었다. 그들은
제정신이 아닌 것 같았다. 사로잡은 세 명의 인민군 포로에게 총
을 들이댔다. 높은 사람이 그것을 막아서곤 했다. 그러나 군인
하나가 이를 악물며 포로들을 향해 총을 휘둘렀다. 인민군 하나
의 다리에서 피가 흘러내렸다. 여자였다.

「죽이라우, 어서 죽이라우!」

머리채를 끌려 가면서 그 여자 인민군이 발악을 했다. 짐승처
럼 눈에 독기를 띠고 악을 써댔다.

「저거 봐라!」

우리들 중 한 애가 구장어른네 집 쪽을 손가락질했다.

구장어른네 집에서 한 사람이 군인들에게 끌려 나오고 있었다.

「저거……」

우리들은 입을 열 수가 없었다.

「이럴 수가!」 그러나 눈을 비비고 볼 것도 없이 그것은 성구
임이 분명했다.

「이 새끼가 저 집 광 속에 숨어 있었읍니다. 광 속에 비밀 다락
이 있는 걸로 보아, 이 새낄 일부러 숨겨 놓은 게 분명합니다!」

성구를 끌고 온 군인들이 높은 사람한테 말했다.

「끌고 가!」

높은 사람이 국민학교 쪽을 턱으로 가리켰다.

우리들은 끌고 가는 성구의 뒤를 귀신에 홀린 것처럼 줄레줄레 따라갔다. 끌려 가면서 성구는 징징 울고 있었다. 울면서 그 눈물 번지르르한 얼굴로 가끔 뒤를 돌아다보았다.

그가 뒤를 돌아다볼 적마다 우리도 홈칫 놀라며 뒤를 돌아다보았다. 그러나 돌아다본 거기 도끄는 보이지 않았다.

세 명의 인민군 포로 옆에 성구가 묶였다. 성구는 발버둥치며 울었다. 접먹어 질린 얼굴로 사방을 두리번거리며 울어댔다.

「다들 왔오?」

군인들 중 높은 사람이 운동장 한가운데 응성응성 모여선 마을 사람들을 향해 말했다. 높은 사람이 마을 남자들을 모두 국민학교 운동장에 모이도록 명령했던 것이다.

「당신들은 우릴 배반했오. 인민군이 마을에 나타난 걸 알면서도 우리한테 알리지 않은 거요!」

권총 찬 허리에 두 손을 짚고 서서 높은 사람이 격한 어조로 말했다. 그의 눈에 이글이글 불이 타오르고 있었다.

「당신들 죄는 그것뿐이 아니오. 저 빨갱일 광 속에 숨겨 뒀던 것도 당신들이란 말이야. 저 놈이 숨어 있던 집 주인은 이리 나오라구!」

그의 말소리는 더욱 격앙돼 가고 있었다.

구장어른이 머뭇머뭇 앞으로 나갔다.

「당신, 왜 빨갱일 집에 숨겨 뒀어?」

높은 사람이 권총을 구장어른의 배에 들이댔다.

「죽이라우, 이 간나새끼들, 어서 죽이라우!」

갑자기 미류나무에 묶여 있는 포로 중에서 여자가 집승처럼 부르짖었다. 무서운 욕을 쏟아댔다.

군인 하나가 그 곁으로 다가갔다. 그 발악하는 여자의 군복을 찢었다. 여자가 그 군인 얼굴에 침을 뱉으면서 악을 썼다. 얼굴의 침도 닦지 않은 채, 군인은 세차게 여자의 옷을 찢어 내렸다. 여자의 하체가 드러났다. 벗겨진 무릎 밑에 피가 엉겨 있었다. 옷을 찢어낸 군인이 소총 개머리판으로 여자의 하체를 내리쳤다. 우리들은 고개를 돌렸다. 그것은, 그 인민군 여자가 내뱉는 소리는 사람의 소리가 아니었다.

그 순간 우리들은 눈 감은 채, 지서주임네 그 어린애의 자지러지게 울던 울음소릴 들었다. 등에 구멍이 풀쑥 나며, 발딱 일어섰다가 꼬꾸라진 그 어린애가 보였다. 「어무이예!」 물푸레 작대기로 매맞아 죽던 그 국군 낙오병의 비명이 들렸다.

그러나 그 국군의 얼굴은 떠오르지 않았다.

다만 그가 입에서 뱉아낸 그 비 뿌리던 날의 밭두렁에 떨어진 군번이 머리 속에 스쳤을 뿐이다.

「김하사, 너 미쳤나?」

높은 사람이 급한 걸음으로 그 곁으로 다가갔다. 그리고 권총을 높이 들어 쏘았다. 김하사가 돌아서지 않은 채 소총 든 손을 부들부들 떨고 있었다.

높은 사람이 옷쪼가리를 주워 그 인민군 여자의 하체를 가렸다.

그 여자가 높은 사람의 얼굴에 침을 뱉았다. 그리고 악을 썼다.

「죽이라우, 이 쌍간나새끼!」

「너희들은 포로야! 이 개새끼들아, 우린 포로는 안 죽여!」

높은 사람이 나지막하게 말했다.

갑자기 고막을 찢듯 총소리가 요란했다. 김하사가 국민학교 건물을 향해 총을 갈겨대기 시작했다. 저녁 햇빛을 받아 번쩍이던 유리창이 마구 부서져 내렸다. 또 다른 군인 세 명이 김하사를 따라 유리창을 향해 총을 쏘아대기 시작했다. 처르르, 처르르—— 하늘이 부서져 내리듯 유리창이 산산이 흩어져 내리고 있었다.

탄창을 갈아 끼우는 군인들의 손이 몹시 떨리고 있었다.

운동장 한가운데 모여 섰던 어른들은 모두 땅바닥에 엎드린 채였다.

총소리가 멎었다. 잠시 쑤아——정적이 밀리는가 싶었다.

「어, 어, 어—무이 ! 」

성구가 벼락치듯 울부짖었다. 모두 그리로 고개를 돌렸다. 그의 바지가 젖어 내리고 있었다.

「당신, 저 빨갱이 새끼 왜 숨겼지 ? 」

높은 사람이 식식거리며, 다시 구장어른 앞에 섰다.

「잰 미친 애라구유 ! 」

구장어른이 말했다.

「미쳤다구 ? 」

「난리 전부터 미친 애라니까유. 」

「당신 정말 이러기요 ? 당신 말대로 정말 저놈이 미쳤다면, 왜 미친 놈을 숨겼느냐 말이야 ? 」

「미쳤으니까, 숨겨 놓은 거유. 미친 놈이 무슨 짓을 못 하겠우. 하늘 무서운 줄 모르고 날뛰다간 결국 목숨 잃기 십상이라……」

구장어른이 말했다. 그러자 또 다른 어른이 나섰다.

「저 사람이 삼대 독자야유. 아무리 실성한 사람이지만 씨는 받아야……」

그러나 높은 사람이 그 말허릴 잘랐다.

「이거 왜들 이래 ? 당신들 정말 죽고 싶어 이래 ? 아까 저놈이 끌려 오면서 다 불었다구. 지가 빨갱이라는 거야. 」

「그러니까 저놈이 미쳤다는 게유. 저 죽는 것도 모르는 놈이……」

「그래—요오 ? 」

높은 사람이 싸늘한 표정을 지으며 말했다.

「당신들 정 그렇다면, 누구 한 사람 책임질 사람 이리 나오시오. 내 어떤 일이 있어도 저놈이 빨갱이라는 걸 밝혀내고 말 테니까. 자, 누구 자신 있으면 나오라구 ! 」

구장어른이 뒤를 한번 돌아다보았다. 모두 시선을 피했다. 구장어른이 머뭇거려 한 발짝 높은 사람 앞으로 나섰다.

「뭐야? 당신이 무슨 책임을 져? 당신은 저놈을 숨겨 놓은 사람인데 뭘 그래!」

사람들은 서로 얼굴을 마주 대하지 않으려 했다. 나설 기색이 전연 아니었다.

어쩔 수 없는 그런 계제였다.

「자, 당신 이래도 할 소리 있어?」

구장어른의 얼굴이 벌겋게 달아올랐다.

「이봐, 김하사, 저놈 총살시켜!」

높은 사람이 말했다.

학교 유리창을 향해 총을 쏴댄 뒤 얼굴이 불에 타듯 이글이글 타오르는 김하사가 높은 사람을 쳐다봤다.

「총살시켜!」

높은 사람이 잘라 말했다.

김하사가 옆에 서 있는 군인 두 사람에게 눈짓을 했다. 그들 셋이 일제히 총을 들어올렸다.

「어, 어, 어—무이! 나, 나, 나 좀 사, 사, 살려 주주, 주어유!」

성구가 부르짖었다.

총을 든 사람들이 거의 동시에 노리쇠를 철커덕—— 후퇴시켰다 놓았다.

「어, 어, 어—무이!」

성구가 짐승처럼 울부짖었다.

「이거 보시우, 군인양반들!」

모두 소리나는 데로 고개를 돌렸다.

운동장 한가운데 웅크려 앉은 사람들 속에서 누군가 몸을 일으켰다.

뒷날 난리가 끝난 뒤 어른들은 말했다.

「그 노인네가 자기들 속에 섞여 있었던 사실을 전연 몰랐었다」
고. 그만큼 넋들이 빠져 있었던 것이다.

「당신 누구요?」

높은 사람이 그 일어선 노인을 향해 물었다. 노인은 대답 대신
꾸부정한 몸을 움직여 높은 사람 앞으로 걸어 나왔다.

「당신 뭐요?」

높은 사람이 한 걸음 물러서며 다그쳤다.

「나 이 마을 송만석이란 사람입네다!」

송노인이 군인들 앞에 너붓이 무릎을 꿇었다.

산그늘에 잠긴 운동장이 수수수── 저녁 바람에 쏠리고 있
었다.

난리가 끝났다고들 했다.

서너 달이 지난 뒤였다.

우리들은 아재비 조카와 어울려 동막골로 향했다. 그동안 벼러
오던 그 일을 해내기 위해서였다. 그 일에 어떤 별다른 의미가
있어서는 아니었다. 그냥 그렇게 해 보고 싶었던 것뿐이다.

동막골 이춘섭이네 집 뒷산, 어른들이 그날 저녁 성구를 묻었
다고 한 그 구덩이를 파헤친 일이다.

생각했던 대로 다 썩어 흐치흐치 문들어진 개의 주검이 그 구
덩이 속에 들어 있었다.

하나도 무섭지 않았다. 죽어서 썩은 그 냄새가 구역질 났을 뿐
이다.

더구나 그 개는 귀가 쭈볏 곤두서고 다리통이 굵어, 우리 물걸
리 것들과 종자가 다르다고 느껴졌던 그런 흔적은 어디에고 찾을
수가 없었다.

그러나 우리들이 그 구덩이를 파헤친 것은 그 개의 주검을 보
기 위해서가 아니었다. 내내 마음에 께림했던 그 군번을 찾아내
는 일이었다. 도대체 그것이 개새끼의 목에 걸렸다는 사실이 우

리들 마음 속에서 용서될 수 없었던 것이다.

문은 흙을 떨어내자 그 군번은 아직 말짱한 그대로의 모습이었다.

그것을 손에 쥔 채 우리들은 짐짓 뒤를 돌아다보았다.

마을에서 굳이 우리들 뒤를 따라 올라온 성구가 파헤친 흙더미 위에 서서 터진 만두같이 헬렐레한 얼굴로 계면쩍게 웃고 있었다.

잊고 사는 歲月

「동우넨 안 갈 테유?」

피난짐을 싸 짊어진 이웃사람들이 우리 집 담 너머로 기웃거리
며 말했다. 그럴 때마다 엄마는 진저리치듯 고개를 흔들며,

「글쎄, 가야 할 텐데 노인네가 고집을 꺾어야 말이지요.」

그랬다. 겨울 난리가 나면서 대포소리가 점점 가까와지고 큰길
에는 삼마치 고개를 넘어오는 피난민이 사태를 이룬 지도 벌써
며칠인데도 할머니는 막무가내였다.

「이러다간 다 죽어요!」

아버지가 볼멘 소리로 다그쳐도 할머니는 움쩍도 안 했다.

「누가 다 죽으라냐? 어서들 떠나라니까 자꾸 그러네.」

할머니 혼자 집을 지키겠다는 고집이었다. 그것들이 아무리 무
섭다 해도 죄없는 늙은이 설마 어쩌겠냐? 이렇게 우겨대며 피난
떠나길 한사코 마다했다.

「삼촌 때문에 그러지, 할머이?」

내 말에 할머니는 대답 없이 돌아앉았다. 또 그 왼손 가운데손 가락에 낀 금반지를 만지작거리며 눈물을 질금거릴 것이다. 할머니가 시집 올 때 할아버지가 끼워 준 이래 그 오랜 세월을 단 한 번도 할머니 손가락을 벗어난 일이 없는 금반지였다. 시집 온 지 며칠 되지 않아 방앗간에서 방아확에 손을 넣었다가 방앗공이에 으깨어진 손가락 마디가 툭 불거진 채 굳어 버렸던 것이다. 동우 할머인 그 반지 땅 속까지 끼구 가게 생겼구면. 할머니 친구들이 말할 때마다 할머니는 늘 자랑스럽게 말했다. 그럼, 여부가 있나, 우리 영감이 나 끼워 준 건데 누가 이걸 뺄 수 있대여? 저승 가서 영감님한테 여봐란 듯이 내보일 거구면! 그런 반지를 할머니가 스스로 빼내려고 무척 애먹은 날이 있었다. 삼촌이 떠나기 전날 밤이었다. 아버지는 숫제 삼촌과 말도 하려 들지 않았다. 할머니 역시 삼촌 고집을 꺾지 못하자 당신의 손에 낀 반지를 빼어 줄 양으로 그 일을 시작한 것이다. 손가락에 비누칠을 하고 빼려 했으나 처음부터 헛일이었다. 아침에 일어나 보니 할머니의 왼손 가운데 손가락은 온통 껍질이 벗겨진 채 퉁퉁 부어 있었다. 그 부은 손가락 마디 안쪽에 무늬 다 닳아빠진 금반지가 아직 끄떡없이 버티고 있었다. 그러나 삼촌은 떠나고 말았다. 무엇엔가 단단히 홀린 삼촌은 의용군으로 가기 위해 할머니를 버렸던 것이다.

드르르, 문풍지가 떨면서 찬바람이 새어들었다. 밖에는 눈보라가 휘몰아쳤다. 바람 방향에 따라 대포소리의 크기가 달랐다. 이 날따라 대포소리는 쿠웅쿠웅 더 잦게, 그리고 좀더 가까운 데서 울려 왔다. 바람소리에 섞여 부엌 바닥을 파내는 아버지의 삽질소리가 쉬임없이 계속됐다. 아버지와 엄마는 며칠 전부터 좀 값나갈 만한 세간살이를 모아 부엌 바닥에 묻는 작업을 해오고 있었다.

「할머이, 또 우는 거지?」

돌아앉은 할머니의 조그마한 몸뚱이가 가늘게 들먹거렸다. 그

때 삼촌은 열 아홉 살이었다. 읍내 농업고등학교 3학년이었다. 나
는 금빛 모표가 달린 삼촌 모자를 몰래 훔쳐 쓰고 밖에 나가 아
이들 앞에서 으스댔다. 여름 난리가 있은 그 해 가을 나는 국민
학교 운동장에 모였다가 어디론가 떠나가는 삼촌을 배웅했다. 삼
촌 또래의 의용군들은 고개를 아래로 떨군 채 운동장을 기신기신
걸어 나갔다. 내 눈과 마주친 삼촌이 빙긋 웃으며 지나갔다. 나
는 비로소 내 머리에 씌워진 삼촌의 학생모를 생각하고 얼른 그것
을 벗어들어 흔들었다. 이제 그 모자는 온전히 내 것이 됐다. 할
머니 또한 내 차지였다. 삼촌은 그 나이가 되도록 할머니 곁에서
할머니 젖을 만지작거리며 잤던 것이다. 삼촌이 읍을 떠난 뒤 할
머니는 내내 눈물 속에 살았다. 왼손 가운데 손가락의 그 반지를
빼 주지 못한 걸 못내 안타까와하면서 바람이 조금 차도, 비가
내려도, 서리가 내린 아침에는 숫제 밥상을 외면한 채 물 한 모금
입에 넣지 않았다.
「갸가 오늘밤은 꼭 올 것 같구나!」
그런 날은 대문에 아예 빗장을 지르지 못하게 했다. 걸었다가
도련님 오심 열어 드리면 되잖아요? 엄마가 달랬지만 할머니는
손을 설레설레 흔들었다. 그게 즈 아버지 얼굴도 모르고 큰 놈이
다. 세상에 불쌍한 것. 할머니는 유복자인 삼촌에게 그야말로 있
는 정성 다 쏟았던 것이다.
「갸가 갈 때 양말두 안 신었쟈?」
삼촌을 생각해서 할머니는 겨울이 돼도 버선을 신지 않았다. 숨
둔 옷은 아예 장롱에서 꺼내지도 못하게 했다.
「어머일 생각하는 새끼가 빨갱이가 돼요?」
옛날부터 아버지와 삼촌은 사이가 좋지 않았다. 할머니는 삼촌
이 의용군에 간 것은 아버지가 삼촌을 미워했기 때문이라고 믿고
있을 정도였다.
「에그, 사람도 아닌 것!」
아버지가 안방에서 코만 골아도 할머니는 몹시 역정을 냈다.

한 뱃속에서 나온 것이 어찌 저다지 무심할 수가 있느냔 거였다.

「갸 밥 떠 놨냐?」

엄마가 할머니한테 날벼락을 맞은 일이 있었다. 식구들 밥을 푸다가 그날 밥이 모자라 삼촌 몫을 빼놓았기 때문이다. 할머니는 들었던 수저를 방바닥에 팽개치고 할머니 방으로 들어가 이불을 뒤집어쓰고 누웠다 하면 하루 내내 문고리를 안으로 걸어 잠갔다. 그 뒤부터 엄마는 어떤 일이 있어도 삼촌 밥부터 큰 주발에 떠 놓았다. 할머니는 부엌에 나가 삼촌 밥주발 뚜껑을 유심히 들여다보는 일을 하루도 거르는 일이 없었다. 그 밥주발 뚜껑 위에 수증기 엉긴 게 주르르 흘러내려야만 할머니 얼굴에 화색이 돌았다. 그렇게 주발 뚜껑에 눈물이 흘러야 그 임자가 살아 있다는 할머니의 생각이었다. 이놈이 지금 어디서 밥을 먹고 있는지. 할머니는 눈물이 흐르는 주발 뚜껑을 어루만지며 중얼거리곤 했다.

「어머이, 제발 이제 고집 좀 꺾으시우.」

부엌 바닥에 세간살이 묻는 일을 끝낸 아버지가 오늘은 좀 세게 나왔다.

「고집이 아니다. 살구 싶은 느덜이나 어서 가면 될 꺼 아니여?」

할머니 또한 여전히 만만찮다.

「갸가 그래 집이라구 찾아왔는데 식구 하나 없이 집이 텅 볐어 봐라. 그래, 을마나 허전할기여?」

아버지가 마당에 가래침을 카악 꼬나뱉은 다음 말했다.

「빨갱이 새낄 기다려서 뭘 어떡하겠다는 말씀예요, 어머이?」

「빨갱이두 내 새끼여. 내 새끼 내가 보고 싶어 기다리는데 누가 뭐래여?」

「그럽시다, 어머이. 피난이 무슨 놈의 피난이유. 우리 식구 다 여기 남았다가 그놈의 새끼 총에 다 맞아 죽으면 될 꺼 아니유!」

할머니 표정이 머쓱해졌다. 여름 난리 때 재식이 아버지가 읍내 사람들을 도끼로 찍어 죽이는 걸 직접 본 할머니였다. 재식이 아버지가 아버지를 찾으러 들이닥쳤을 때 할머니는 치를 떨었다. 한 이웃에 살면서 불쌍하다고 입는 것 먹는 것 보살펴 준 게 누군데 아무리 세상이 달라졌기로 이럴 수가 있느냔 거였다. 은혜를 원수로 갚는 순 불한당이라고 두고두고 뇌까린 할머니였다.

아버지는 할머니가 방으로 들어가 버리자 다시 가래침을 꼬나 뱉곤 밖으로 나갔다. 나는 갑자기 심심해졌다.

「수진아, 우리 목자치기하자!」

안방에 대고 소리쳤다.

「이 자식아, 난리가 쳐들어오는데 웬 목자치길 하자는 거냐?」

수진이 대신 엄마가 높은 목소리로 대답하고 있었다. 그러고 보니 대포소리가 더 가까운 데서 여러 번 거듭 울려 왔다.

「오빠야, 무섭다, 이리 들어와 놀자!」

겨우 들리는 목소리로 수진이가 말했다. 보나마나 겁많은 것이 이불을 뒤집어쓰고 엎드렸을 것이다. 무서운 건 사실 나도 마찬가지였다. 놀아 주는 아이들이 없는 텅 빈 읍내 거리, 국도로 밀려나오는 피난민들의 아우성, 눈보라 속에 섞여 간간이 울려 오는 포성, 더구나 지금처럼 땅거미 지는 겨울 저녁의 썰렁한 추위는 내게 더욱 무서움을 안겨 주었다.

문득 재식이 얼굴이 떠올랐다. 재식이네와 우리 집은 꽤 가깝게 지냈다. 우리 집에 무슨 큰 일만 있으면 재식이 아버지와 재식이 계모가 나타나 궂은 일을 도맡아 해 주었다. 닭 모가지를 낫으로 뚝뚝 끊어 끓는 물에 집어넣었다가 털을 뜯는 일이며 돼지를 잡아 각을 친 다음 뒤껼 대추나무에 매다는 일 같은 건 아예 재식이 아버지 차례였다. 잔치 끝나고 동네서 빌어온 가마솥이며 교잣상을 돌려 주는 일도 그의 일이었다. 재식이네 아이들도 모두 우리 뒤껼에 와서 얻어 먹었다. 그러나 재식이만은 결코 우리 집에 나타나지 않았다. 나타나기는거녕 나만 보면 으르렁거렸다. 나는 항상 그의 밥이었다. 재식이한테 맞을 때마다 나는 맞아서 아픈 몇 배쯤 언구럭을 떨며 울어댔다. 내가 언구럭을 떨면 멸수록 사람들은 재식이를 욕했다. 그 애비에 그 자식이구나.
재식이 아버지가 불량스런 짓을 많이 하고 다녔기 때문에 사람들
은 재식이 아버지를 좋아하지 않았다. 그래서 이웃 사람들은 항
상 내 편이 돼 주었다. 사람들이 모여들면 나는 아예 땅에 뒹굴면
서 울었다. 배를 그러쥐고 금방 숨이 넘어갈 것처럼 울었다. 재
식이 계모까지 나와 내 옷에 묻은 흙을 털어 주며 나를 달랬다.
그 정도면 됐다. 그쯤 되면 재식이는 이제 며칠간 집에 들어갈 수
가 없었다는 것을 나는 잘 알고 있었던 것이다. 그럴 때마다 그
는 다리 밑에서 잠을 자며 아이들이 가져다 주는 누룽지를 먹고
지냈다. 여름 난리 때 재식이 아버지가 붉은 완장을 차고 다녔다.
재식이 아버지 세상이었다. 중구난방, 아무에게나 시비를 걸고
닥치는 대로 사람을 죽였다. 아버지는 아예 팔봉산 속에 숨어 도
토리를 주워 먹으며 지냈다. 망둥이가 뛰니 꼴뚜기도 뛴다는 격
으로 재식이는 읍내 아이들을 모아가지고 별의별 좋지 않은 짓을
다 하고 다녔다. 나를 찾아 몇 번이나 우리 집에 들렀지만 그럴
때마다 할머니가 그들을 쫓아 버리곤 했다. 나는 밤마다 재식이
꿈을 꾸었고 심한 가위에 눌려 허덕거려야 했다. 여름 난리가 끝
날 무렵 읍내 청년들이 재식이 아버지를 붙잡아 죽였다. 인민군
패잔병들이 떼를 지어 읍내를 지나가던 때였다. 그 애비에 그 새
끼여. 사람들이 혀를 내둘렀다. 재식이가 인민군 패잔병을 붙들
고 자기 아버지 원수를 갚아 달라고 매달렸던 것이다. 별 피해는
없었지만 그 바람에 읍내가 한때 수라장이 되기도 했다. 결국 재
식이는 인민군 패잔병을 따라 북쪽으로 가 버렸다. 가면서 이 다
음에 오면 제 아버지 원수를 꼭 갚고 말겠다고 하더란 것이다. 그
때 재식이 나이 열 다섯이었다. 가다가 필경 어디서 굶어 죽었을
게여, 지까짓 게 그 험한 산길을 타는 재간이 있어야지. 사람들
은 재식이 얘기를 하면서 끌끌 혀를 차곤 했다. 열한 살 내 또래
의 아이들은 재식이 계집애 동생을 골목에 가둬 놓고 못 살게 굴
었다. 동우야, 니가 해라. 나보다 나이 많은 애들이 부추겼다. 나

는 거침없이 그 계집애의 저고리 옷고름을 잡아 떼었다. 속내의
를 입지 않은 그 계집애의 보송보송한 젖가슴이 드러나자 아이들
은 키들키들 웃어댔다. 계집애는 가슴을 감싸안고 땅바닥에 주저
앉아 울었다. 숱 많은 계집애의 머리칼에 서캐가 하얗게 슬어 있
었고 아이들은 나뭇가지로 그 머리를 들쑤셔 놓았다. 재식이 계
모가 뒤뚱거리며 나와 계집애의 머리채를 휘감아 쥐고 질질 끌고
들어갔다. 우리들은 계집애가 매맞으며 내지르는 그 비명소리를
들으면서 골목을 떠났다. 그 계집애가 남산 중턱 소나무에 목매
달아 죽었을 때 사람들은 정말 혀를 내둘렀다. 고작 열세 살 나
이로 목매달아 죽은 사람을 아직 본 적이 없다고 모두 놀랐다.
남산에는 공동묘지가 있었다. 사람들은 팔다리를 추욱 늘어뜨리
고 혀를 앙다문 채 목매달아 죽은 그 아이를 그 공동묘지에 묻어
주었다. 나는 다시 꿈에 재식이를 보았고 심한 가위에 눌려 땀을
흘리는 일이 많았다.

「뙤놈들이 피리를 불면서 새카맣게 내려온다는구먼.」

밖에 나갔다 들어올 때마다 아버지는 닥쳐드는 난리 소식을 집
안에 뿌려 수진이와 나를 무섭게 했다.

「인민군들은 이제 애구 늙은이구 막 죽인대는 거여.」

「어이구, 이 일을 어쩐다죠?」

엄마가 우리들을 끌어안으며 우는 소리를 했다.

「어쩌긴, 앉아서 다 죽는 거지 뭐!」

아버지가 할머니 방 쪽을 겨냥하고 말했다.

「이럭하면 어때요?」 엄마가 소리를 죽여 아버지 귀 가까이에
다 말했다.

「도련님이 죽었다고, 벌써 오래 전에 죽었다고 말씀드리면 단
념하실 거 아녜요?」

아버지가 엄마 얼굴을 뻔히 쳐다보다가 한참 뒤에 말했다.

「그럴 수야 없지. 죽지도 않은 사람을 죽었다고 할 수가 있나.」

「차라리 도련님은 죽은 게 나을 거예요.」 엄마가 뾰족한 목소

리로 받았다.

「무슨 소릴 하고 자빠졌는 게야?」

「그렇잖구요! 만약 도련님이 살아서 와 보라구요. 동우 아버지도 빨갱이루 몰리구 말 껀데 뭘 그래요. 또 도련님이 무슨 짓을 할는지 알아요?」

「걘 아직 어린애란 말이야.」

「그러니까 더 무섭다는 말예요.」

아버지와 엄마는 피난을 떠나지 못하는 화풀이로 삼촌 문제를 놓고 티격태격했다.

해 다 저물어 바람이 죽는가 싶더니 다시 눈발이 흩날리기 시작했다. 그날 저녁 우리 동네에서 제일 잘 살던 영희네가 자기네 트럭으로 피난을 떠났다. 쌀이며 웬만한 세간살이를 가득 싣고 자기네 친척 두어 집과 함께 떠났다. 그 트럭이 우리 집 앞에 잠깐 멈췄다.

「동우 어머니, 지난번에 우리 체 하나 빌려 가셨지요?」

영희 엄마가 트럭 운전석 옆에서 소리쳤다. 엄마가 허둥허둥 영희네서 빌어온 체를 찾는 동안 트럭은 흩날리는 눈발 속에서 발동을 끄지 않은 채 부릉거렸다. 「수진아!」운전석 옆에 끼어 앉은 영희가 수진이를 손짓해 불렀다. 수진이 눈에는 벌써부터 눈물이었다. 영희가 꼭둑각시 인형 하나를 던져 주었다. 지난번 내려 쌓인 눈 위에 처박힌 인형을 주워 드는 수진이를 향해 영희가 말했다. 「수진아, 잘 있어!」엄마가 체를 찾아다 건네자 영희네 자동차는 흩날리는 눈발 속을 꿈결처럼 헤치며 사라져 갔다.

「낼은 우리두 갑시다.」

영희네가 떠나고 난 뒤 약이 바싹 올라 어쩔 줄 모르고 있는 엄마를 향해 아버지가 말했다.

「저인 어떡하구요?」엄마가 할머니 방을 턱으로 가리켜 보였다.

「하는 수 없잖아? 낼두 정 안 가시겠다면 우리끼리 가는 수밖에.」

「진작 그랬어야 했다구요.」

아버지와 엄마는 피난짐을 챙기러 서둘러 방으로 들어가 버렸다. 풀풀 흩날리는 눈발이 영희네 트럭이 남기고 간 바퀴 자국을 거의 다 덮어 버릴 때까지 나는 대문턱에 기대 서서 좀더 선명한 울림을 가진 대포소리를 듣고 있었다. 꿈이 아닌데도 나는 흩날리는 눈발 속에서 재식이를 보았다. 어쩌면 그것은 남산 중턱 소나무에 목매달아 죽은 재식이 계집애 동생이었는지도 모른다.

내가 할머니 방에 들어섰을 때 그네는 바느질을 하고 있는 중이었다. 지난 밤 다듬이질을 하던 그 천으로 삼촌 솜바지를 거의 마무리해 가고 있었다. 호롱불빛에 실을 꿰느라 쳐든 할머니의 왼손 가운데 손가락의 금반지가 누런 빛을 뿜어냈다.

「할머이, 우리두 낼 피난 떠난대!」

할머니가 바늘에 실을 어렵게 꿰어 잡아빼면서 호롱불빛으로 방문에 커다란 그림자를 만들고 서 있는 나를 쳐다봤다.

「할머이두 같이 갈 거지?」

「할민 안 간다아!」

그렇게 대답하는 할머니의 목소리는 꼭 노랫가락에 실린 한숨소리 같았다.

「할머인 순 바보야!」

「그래, 니 할민 바보다.」

할머니는 바느질에 열중하면서 내 말에 너무나 쉽게 대답했다. 나는 약이 올랐다.

「할머이, 삼촌은 벌써 죽었다드라 모.」

「뭐랬냐? 너 지금 뭐랬냐?」

나를 쳐다보는 할머니의 얼굴이 빛바랜 창호지처럼 창백해 보였다.

「아버지가 그러는데 삼촌은 벌써 죽었대!」

바느질감을 방바닥에 떨구며 할머니가 내 손을 더듬어 쥐었다.

마디 튕겨진 할머니의 왼손 가운데 손가락 그 안쪽에 박힌 금반지
가 으스스 귀기를 풍겼다. 나는 아직 이처럼 무서운 할머니의 얼
굴을 본 적이 없었다.

「종찬이가 죽었어?」

나는 덜덜 떨렸지만 끝까지 시치미를 뗐다. 재식이가 죽었단
말이에요. 이상하게도 나는 막내삼촌과 재식이를 혼동하고 있었
다.

「삼촌은 죽었단 말이야. 할머이만 모르고 모두 다 알고 있단
말이야.」

내 손을 잡았던 할머니의 손이 스스로 풀렸다. 넋 나간 사람처
럼 내 얼굴을 쳐다보고 앉았던 할머니가 느닷없이 뿌르르 일어나
방문을 열어젖뜨렸다. 어둠 속의 눈발이 호롱불빛에 희끗희끗 흩
날려 보였다.

「아범, 나 좀 보자!」

방문을 열어젖뜨린 서슬과는 달리 할머니의 목소리는 낮았다.
그것이 오히려 듣는 사람에겐 가슴 섬뜩한 것이었다.

「왜요, 어머님?」

엄마가 안방 문을 빼끔히 열고 얼굴을 보였다.

「니가 아니고 아범 말이여!」

할머니 목소리에 조금 서슬이 섰다.

「아범, 나 좀 보자니까!」

할머니가 대청마루에 올라서고 있었다.

「그래, 이제 맘 고쳐 잡쉈수, 어머이?」

엄마 얼굴 대신 아버지의 얼굴이 그 빼끔히 열린 문 틈으로 드
러났다.

「종찬이가 죽었냐? 갸가 죽은 게 사실이냐 말이여?」

할머니의 목소리는 너무 가라앉아 뱀가죽처럼 차갑게 느껴졌다.

「무슨 얘기유, 어머이?」

「무슨 얘기긴. 네 동생 종찬이 말이다, 갸가 죽었다는 게 사실

이냐 이 말이여?」

빼끔히 열린 문 틈으로 보였던 아버지 얼굴이 금세 자취를 감췄다. 좀 있다가 아버지와 엄마가 대청으로 나왔다.

「그래요, 어머님. 도련님은……」

엄마가 아버지 앞을 막아서며 말했다.

「닥쳐라, 너 이년!」

엄마 말을 추상같이 잘라 버린 다음 할머니 목소리는 다시 착 낮아졌다.

「아범아, 네 입으로 어서 말해 보렴.」

아버지는 머뭇거리며 사랑방 문턱에 기대선 나를 힐끗 건너다 보았다.

「동우 아버지, 왜 말 못 하는 거예요? 도련님이 빨갱이가 돼서 죽었다고 왜 사실대로 말씀드리지 못하냔 말예요? 도련님 때문에 우리 식구가 여기 남아서 다 죽어야 옳단 말예요?」

엄마가 할머니 기세에 눌리지 않겠다는 듯 암팡지게 내쏟았다.

「오냐, 그건 에미 말이 닺다. 너 아범, 왜 말 못 하는 게냐?」

할머니가 아버지 앞가슴을 잡아쥐었다.

「왜 이러우, 어머이?」

「종찬이가 증말 죽었냐?」

아버지가 힐끗 엄마를 쳐다봤다.

「말해 봐라, 이놈아!」

할머니가 고함을 내질렀다.

「죽었어요. 본 사람이 있대요.」

아버지가 눈을 내리깔며 필요 이상 큰 소리로 말했다.

나는 부르르 몸을 떨며 지켜보았다. 아니나다를까, 할머니가 대청마루에 벼락치듯 넘겨졌다. 넘어지면서 할머니가 내지른 그 고함소리는 도저히 사람 입에서 나온 것이라고 믿을 수 없을 만큼 엄청난 것이었다.

할머니가 제정신이 든 것은 자정이 지나서였다. 엄마와 아버지가 할머니 곁에 지켜앉아 팔다리를 주무르며 눈물을 흘렸다.
「어머이, 종찬이가 죽었다는 건 거짓말이었어요.」
「어머님, 저희들이 죽을 죄를 졌어요.」
아버지와 엄마는 울먹이면서 할머니한테 계속 빌었다.
「할머이가 피난 안 갈까봐 일부러 그랬단 말이야.」
나 역시 울음을 터뜨리고 말았다.
할머니가 손가락 마디 뭉툭한 그 반지 긴 손으로 내 등을 뚜덕
이며 말했다.
「그래, 이 할미가 잘못했다.」
할머니 눈에 눈물이 그렁그렁했다. 아버지와 엄마의 거짓말도
용서한 할머니였다. 물론 삼촌이 죽지 않았다는 걸 할머니는 당
신 스스로에게 다짐두고 있는 것 같았다. 기왕 갈 거, 눈이 더
쌓이기 전에 갈 걸 그랬다. 할머니는 당신의 옷가지를 챙기며 말
했다. 도무지 믿어지지 않을 정도로 할머니가 변해 있었다. 나는
그렇게 변해 버린 할머니가 무서웠다. 할머니 가슴에 삼촌의 무
덤을 파고 죽음의 그림자를 던진 게 바로 나였기 때문이다.

집을 떠날 때 할머니는 삼촌 방에 이부자리를 펴고 그 속에 삼
촌 내복과 할머니가 손수 지은 바지저고리를 넣은 다음 아궁이에
군불까지 지피고 일어섰다.
「남 좋은 일만 허신다니까!」
아버지가 대문 밖에 서서 끌끌 혀를 찼다. 아버지는 이불짐 위
에 쌀자루를 얹어 지고 있었다. 엄마는 군복 사지로 지은 몸뻬를
거뜬하게 차려 입고 머리에는 양은솥 따위의 취사도구를 한 보따
리 이고 있었다. 옥양목 흰 두루마기를 입은 할머니가 솜 둔 고
깔모자를 쓴 수진이 손을 잡고 나왔다. 수진이 가슴에는 엊저녁
영희가 던져 주고 간 꼭둑각시 인형이 안겨 있었다. 뽀그락뽀그
락 눈 밟아 나가는 우리 식구들의 발자국 소리가 텅 빈 마을에
울렸다. 그러나 큰 길에는 길이 메게 사람이 많았다. 반질반질

다져져 미끄러운 눈길을 피난민들이 줄을 잇고 있었다. 소달구지 위에 피난짐을 싣고 그 위에 올라앉아 흔들리며 가는 사람, 지게 위에 백발 노인을 지고 가는 남자의 묵묵한 걸음 뒤에는 올망졸 망한 아이들이 팔소매에 코를 훔쳐가며 따라가고 있었다. 여름 난 리 때 비행기 폭격으로 끊어진 화양강 다리 옆으로 놓인 가교 위 에는 서로 먼저 건너려 아우성치는 사람들로 인산인해였다. 아예 다리를 포기하고 눈 덮인 얼음 위로 아슬아슬 건너는 사람도 많 았다.

읍을 벗어난 이십여 리 밖 삼마치 고개 중턱에 이르러 우리 식 구들은 엊저녁에 먼저 떠난 영희네 트럭을 보았다. 배기통으로 연기를 팡팡 뿜어대며 우리 집 앞을 떠났던 그 자동차가 산비탈 그 아래 골짜기에 찻바퀴를 하늘로 향한 채 처박혀 있었다. 차가 굴러 내린 산비탈에는 쌀가마며 잡다한 세간살이들이 너저분하게 널렸고 피난민들이 개미처럼 달라붙어 쌀자루를 져 올리는 중이 었다.

「싹 죽었다는구먼. 엊저녁 여기에 공비가 나타났었대.」

차가 굴러 내린 그 지점까지 갔다가 온 아버지가 얼굴을 벌겋 게 달군 채 말했다.

「영희 안 죽었지, 아빠?」

수진이가 꼭둑각시 인형을 만지작대며 물었다. 엊저녁 영희네 를 떠나 보낼 때처럼 수진이의 커다란 눈에 눈물이 그렁그렁 고 이고 있었다.

「안 죽은 게 뭐야, 싹 죽었다니까!」

잘라 말해 놓고 아버지가 엄마 눈치를 보며 더듬거렸다.

「우리두 쌀이나 좀 가져갈까? 오늘 새벽에 어떤 사람은 눈 속 에서 돈자루를 찾아가지고 갔다던데.」

「아범, 어서 가자!」

할머니가 매몰차게 말했다. 아버지는 눈 위에 내려 놓았던 피 난봇짐을 다시 짊어지며 멋적은 웃음을 씨익 웃었다.

「수진아, 그거 버려!」엄마가 수진이 가슴에서 꼭둑각시 인형을 잡아채어 길 옆 낭떠러지에 던졌다. 수진이는 울지 않았다. 입술이 파랗게 질려 와들와들 떨었을 뿐이다.

우리들은 고개마루턱을 지나 내림길에서 눈 덮인 길가에 버려진 채 죽어 있는 어린아이를 보았다. 포대기 한끝을 다부지게 잡아쥔 그 갓난애의 손가락이 시퍼렇게 얼어 있었다.

「어이, 그거 묻어 줘라!」

길 양쪽으로 나누어 줄을 이룬 채 피난민들과 함께 묵묵히 걷고 있던 국군 속에서 좀 높은 사람이 말했다. 죽은 갓난애 옆을 지나던 군인이 군화 끝으로 그 시체를 밀었다. 눈 덮인 산비탈에서 갓난애의 시체는 금세 커다란 눈덩이가 되어 무서운 기세로 굴러 내려 골짜기 중턱 바위 틈에 처박혔다. 눈무덤이었던 것이다.

하나같이 남쪽을 향한 걸음이었다. 앞으로 전달, 뒤로 전달──길 옆을 두 줄로 나누어 터벌터벌 걷고 있는 군인들이 이따금 맥빠진 전령을 보내느라 떠들썩할 뿐 그 가운데로 커다란 흐름을 이루어 걷는 피난민들은 누구 하나 입을 열지 않았다. 눈길을 따라 끝없이 이어진 흐름이었다. 그러나 가끔 이 도도한 흐름을 거슬러 올라오는 사람도 있긴 했다. 길에서 부모를 잃은 어린아이들이나 그 아이를 찾는 어른들의 울부짖으며 허둥거리는 걸음이었다.

「놓치지 마라!」아버지가 말했다. 우리 식구들은 아버지 등에 짊어진 이불 보따리에 노끈을 매놓고 그 한 오라기씩을 손에 쥐고 걸었던 것이다.

겨울해는 짧았다. 구름 속의 해가 산등성이쯤에 걸렸다고 어림되는 시간이면 벌써 찬 바람이 돌아치기 시작했다. 세찬 바람이 불 때마다 커다란 이불짐을 짊어진 사람들은 비틀거리며 게걸음을 쳤다. 소달구지 위에 앉아 가는 아이들은 머리를 가슴에 처박아 저녁바람을 피했다.

「엄마, 발 아파 죽겠다.」 수진이가 징징거리며 뒤떨어지기 시작했다. 그러고 보니 함께 걷던 그 숱한 사람들이 어디론가 하나 둘 흩어져 없어지고 있었다.

「우리도 방을 얻어야겠어.」

아버지가 길에 망연히 멈춰 서며 멀리 산 밑의 인가를 바라보았다. 우리들은 아버지를 따라 지치고 꽁꽁 언 몸을 따뜻이 녹여 줄 방을 얻기 위해 국도를 벗어나 눈 쌓인 논둑길을 줄타기하듯 움칠움칠 걸어 산 밑 외딴 초가를 찾아들었다. 그러나 우리 식구들의 몸을 녹여 줄 그런 방은 없었다. 허둥허둥 눈 쌓인 밭을 가로질러 찾아간 다음다음 집도 매한가지였다.

「어떻게 좀 하룻밤 같이 끼어 잘 수가 없을까유?」

아버지가 사정을 했다.

「글쎄, 이 양반 답답하구먼. 자, 보다시피 이 방만 해두 자그마치 다섯 가구에 삼십 명이 넘는 식구요.」

어느 집에서나 방을 먼저 차지한 사람들이 그대로 주인이었다. 방뿐만 아니라 헛간이고 마루고 정말 발들여 놓을 틈이 없었다.

그날 밤 우리 식구들은 논 한가운데 눈을 쳐내고 거기 장작불을 피운 다음 볏짚을 깔고 방을 못 구한 다른 사람들과 함께 노숙을 했다. 엄마가 소금을 넣어 뭉쳐 준 주먹밥을 들고 나는 수진이와 누가 빨리 먹나 내기를 했다.

「오빠, 빨리 좀 먹어라 모.」 수진인 제 것을 야금야금 아껴 먹으면서 내 주먹밥이 얼른 없어지기를 기다리고 있었다.

「기집애야, 넌 일부러 천천히 먹고 있잖아!」 내가 핀잔 주자 수진이는 그 커다란 눈에 눈물을 그렁거리다가 후딱 이불을 뒤집어썼다. 그리고 그 맛있는 주먹밥을 입에 문 채 잠들어 버렸던 것이다. 어른들은 장작불 위에 마른 볏단을 얹어 사르면서 난리 중의 세상 사람들 인심 얘기를 했다. 「세상 인심이 이래 놓으니 왜 난리가 안 나겠소.」

「그렇지요. 사람 씨알이 숱하게 많아 놓으니까 이건 서로 만났다 하면 웬수지간이요. 서로 잡아먹으려고 으르렁대질 않나, 사람 목숨이라는 게 파리 목숨이나 진배없고……」「도무지 사람이 사람 귀한 줄을 모르고 사는 세상이니……」「누가 아니랍니까. 어떻든 난리 한번 잘 났다구요. 난리가 나야 숱한 인총두 덜구, 그래야만 사람이 사람 귀한 줄도 알지요.」이 엄동설한에 방 한 칸 못 얻고 논바닥에서 밤을 지새우는 한풀이들이었다. 할머니는 토시에 팔짱을 낀 채 웅크려 앉아 꾸벅꾸벅 졸았다. 이불 덮기를 한사코 마다하는 할머니를 두고 곁의 사람들이 말했다. 「아따, 저 할머이, 저래다가 좋은 시상 다시 못 보구 얼어죽겠다.」언제 눈이 왔느냔 듯이 쩡쩡 맑은 하늘에 파란 별빛이 오르르 떨고 있는 밤이었다.

눈을 붙인 둥 만 둥 지새운 다음 날이 새기가 무섭게 덜덜 떨리는 몸으로 다시 국도로 나서는 사람들이었다. 그렇지만 워낙 미끄러운 눈길이라 고작 삼사십 리도 못 가 하루해가 저물었다. 거기다가 지난 밤 방을 얻지 못해 논바닥에서 잔 사람들은 아예 겁을 먹고 대낮부터 국도를 떠나 인가를 찾아나섰다.

눈 쌓인 들판을 휩쓸며 불어치는 눈보라는 이파리 하나 없이 앙상한 길가 미류나무 가지를 휘잉휘잉 울리며 지나갔다. 수진이와 나는 발을 동동 구르며 방을 얻으러 산 밑 인가로 떠난 아버지를 기다려야 했다. 할머니는 토시에 팔짱을 낀 채 우리들이 걸어온 북쪽 고향길을 멍하니 바라보고 서 있었다.

산 밑 마을 입구에서 아버지가 이쪽을 향해 손을 흔들고 있는 게 보였다. 아버지 등에는 이불짐도 보이지 않았다.

「아범이 방을 얻은 게로구나.」할머니가 말하지 않아도 우리들은 아버지가 따뜻한 방 한 칸을 얻어 놓고 우리들을 부르고 있다는 걸 대번 알아냈다. 수진이와 나는 할머니를 뒤에 남기고 장딴지까지 덮이는 생눈길을 허겁지겁 뛰었다. 「얘들아, 넘어질라.」 문득 뒤돌아보니 할머니는 흰 옥양목 두루마기에 흰 머릿수건을 쓰고 있어 눈밭을 뒤뚱뒤뚱 걷고 있는 것이 마치 눈사람 같았다.

엄마와 아버지는 빈 집을 독차지하고 앉아 사뭇 주인 행세를
했다. 사랑방과 웃방을 인심 좋게 내주어 몇 가구석 혼숙을 시키
면서도 우리들이 차지한 안방은 초저녁까지 아무도 얼씬 못 하게
했다. 우리 집 피난 봇짐은 아예 다락에 얹어 놓고 엄마는 부엌
에서 장작불로 밥을 끓이는 등 완전한 그 집 주인이었다. 방을
구하지 못한 사람들이 몰려들어 우리들 널찍한 안방을 기웃거리
며 아버지한테 시비를 걸었다.

「정말 이러기가 있소? 우리두 다 고향에 고래등 같은 기와집
을 버려 두고 떠난 사람들이란 말이요. 사람 이렇게 괄시받으니
이거 서러워서 어디 살겠나.」

그러나 아버지가 만만찮게 받았다.

「이거 내가 당신들 괄실 하는 거요? 자, 보다시피 저기 환자
가 누워 있소. 살아야 며칠 더 못 살 내 어머니요. 내 집에서 내
어머이 며칠 간이나마 조용히 모시고 싶다는 이 자식 소원이 그래
틀렸단 말이요?」

할머니를 아랫목에 이불을 뒤집어씌워 놓고서 아버지와 엄마는
그런 연극을 했다. 할머니는 다행히 초저녁부터 잠이 들어 있었
던 것이다. 아버지는 울먹여 가면서 오히려 시비 거는 사람들을
나무랐다. 계속 꾸역꾸역 몰려드는 사람들을 그런 식으로 잘도
물리쳤다.

그러나 그것도 초저녁까지가 통했을 뿐이다. 밖에 눈이 내리기
시작하면서부터 텃논바닥에서 불을 피우고 노숙을 하던 사람들이
다짜고짜 방으로 기어드는 데는 어쩔 도리가 없었던 것이다. 더
구나 잠을 깬 할머니가 아버지의 연극 낌새를 눈치채자 이불을
걷어 치우고 일어나 봉당에 웅숭그리고 있는 사람들을 방으로 불
러들여 안방은 그야말로 발 들여 놓을 틈이 없게 돼 버렸다. 「사
람이 이런 땔수록 맘을 곱게 써야 하는 벱이여.」 마뜩찮은 얼굴
을 하고 앉았는 아버지를 핀잔 주는 할머니였다.

밖에서 꽁꽁 언 아이들 얼굴이 훈훈한 방안 공기에 풀리면서

벌겋게 달아올랐다. 침을 질질 흘리면서 어른들 무릎에 얼굴을
묻고 자는 아이들도 있었다. 아뭏든 그 많은 사람들이 다리를 뻗
고 잔다는 것은 생각도 못할 일이었다. 식구들끼리 서로 옹기종
기 붙어 앉아 꾸벅꾸벅 졸았다. 가까이 앉은 사람들끼리는 서로
통성명을 한 뒤 고향을 묻고 대포소리의 지금 위치를 어림잡으며
내일쯤은 중공군이 예까지 밀려오는지도 모른다는 그런 뒤숭숭한
얘기며, 여름 난리부터 이번 겨울 난리까지 그 숱하게 죽은 사람
들의 원귀가 공중에 득시글거린다는 얘기들을 나누고 있었다.

「거, 젠장, 불 좀 끕시다!」

윗목께서 누군가 아버지 쪽을 향해 말했다. 잠을 자자는 뜻이
었을 것이다. 아버지가 벽에 걸린 호롱불을 입김으로 꺼 버리자
갑자기 방안은 칠흑처럼 캄캄해졌다. 방문턱 있는 데서 아까부터
갓난애가 빼액빼액 울어댔다. 갓난애 엄마와 또 그 애의 할머니
인 듯싶은 노파가 계속 번갈아가며 둥개질을 시키는데도 그 갓난
애는 울기를 그치지 않았다. 불을 끄고 다른 사람들의 말소리가
뜸해지면서 갓난애의 울음소리는 더욱 귀에 거슬렸다.

「애기가 배가 고픈가보우!」

어둠 속에서 할머니가 말했다.

「젖이 통 안 나온다우.」

불을 끄기 전 애기를 둥개질시키던 노파가 대답했다.

「저런, 애기 엄마가 먹는 게 부실해서 그런 게유!」

「그런가봐유. 원래 젖이 적은 데다가 요즘 에미가 도통 낟알
국물을 먹었어야지유.」

할머니를 비롯해서 방 안에 있는 몇몇 노인들이 혀를 끌끌
찼다.

「이러다간 아무래두 애 잡겠구먼유. 이놈이 글쎄 7대 독자라구
유. 즈 하라버이가 이놈 낳는 걸 보지두 못하구 여름 난리 끝날
때 인민군들한테 끌려갔지 뭐겠수!」

「왜, 무슨 죌 졌나유?」

「죄는 무슨 놈의 죄유. 인민군들이 애 아범을 길 안내하라구 끌구 가니까, 애 하라버이가 아범 대신 따라간 거지유.」

7대 독자인 그 갓난애의 할머니가 코를 훌쩍거리며 말했다.

「그래, 그 영감님을 기다리지두 않구 이렇게 피난길을 떠난 거유?」

할머니 목소리 아닌 다른 노파가 그렇게 묻고 있었다.

「눈이 빠지게 기다렸지유. 정한수 떠다 놓고 빌기두 숱하게 했지유. 허지만 그놈의 영감쟁이가 돌아와 줘야 말이지유. 꿈에두 안 나타나는 걸 보면 죽은 게 틀림없지유. 입때까지 안 돌아온 걸 봐선 죽은 게 뻔한데두요, 사람의 맘이란 게 요사해서 지금두 꼭 즈 하라버이가 집에 와 앉아 있는 것만 같다구유.」

나는 문득 삼촌 방에 할머니가 펴놓은 이불과 그 속에 넣어 둔 삼촌 옷을 생각했다. 삼촌이 그 바지저고리를 점잖게 차려 입고 그 위에 학생모자를 쓴 우스꽝스런 모습이 보여졌다.

「산다는 게 뭔지……」

누군가 어둠 속에서 한숨 섞어 중얼거렸다. 갓난애가 다시 칭얼거리기 시작했다.

「거, 좀 잡시다!」아까 아버지한테 불을 꺼달라고 말하던 웃목께의 남자가 다시 퉁명스럽게 말했다. 이상하게도 그 소리에 7대 독자인 그 갓난애의 울음도 뚝 그쳤다. 방안은 금세 쑤아아 정적이 밀렸다. 조심조심 앉은 자세를 고쳐 앉는 사람들의 부시럭대는 소리, 제법 코까지 고는 사람들도 있었다. 스락스락 뒤뜰에 내려앉는 싸락눈 소리를 들으면서 나는 가물가물 잠 속으로 빠져들었다.

문득 잠을 깨었을 때는 오줌통이 터지게 뻐끈했다. 아무리 오줌을 싸려 해도 오줌이 나오지 않아 애를 먹다가 문득 깬 잠이었다. 변의 말고도 내가 깨게 된 다른 기척이 있었다. 내 머리를 받치고 있던 아버지의 무릎이 움직인 것이다. 아버지가 더듬더듬 일어서고 있었다. 느낌에 아버지가 소변을 보러 밖으로 나갈 낌

새였다. 아버지는 어둠 속에서 더듬더듬 방문께로 다가가는 모양
이었다. 나 역시 어쩔까 망설이며 일어나 앉았다. 어디가 방문인
지 분간이 가지 않았다.

그때 나는 분명 무슨 소린가 들었다. 짤막하면서도 쥐어짜는 듯
한 신음소리였다. 느닷없이 전신으로 소름이 쫙 끼쳐들었다. 아
버지가 방문을 열고 나가는 대신 어느새 내 곁에 돌아와 있었다.
아버지의 숨결이 예사롭지 않았다. 내 머리를 들어 무릎에 눕히
는 아버지의 손이 몹시 떨리고 있었다.

「아버지.」내가 속삭이듯 불렀다. 오줌이 마렵다는 말을 하고
싶었던 것이다. 그러나 내가 입을 떼기 전에 아버지의 손이 내
입을 막았다. 아버지의 손이 우악스럽게 느껴졌다. 나는 얼굴을
돌려 아버지의 손을 떨쳐 버리려 했다. 「임새끼야, 가만 있어!」
아버지가 내 귀에 대고 말했다. 그 목소리에서 나는 무엇인가 절
박한 걸 전해 받았다. 머리끝이 쭈뼛 뻗치는 무서움이었다. 재식
이 여동생의 목매달아 죽은 그 축 늘어뜨린 사지와 길게 빼문 혀
가 보였던 것이다.

어떻게 잠이 들었던 모양이다. 내가 눈을 떴을 때는 희붐하게
날이 밝아오고 있었다. 피난봇짐을 제가끔 챙기느라 방 안이 온
통 수라장이었다. 그런데 방 한구석에서 울음소리가 들렸다. 지
난 밤 울어대는 갓난애를 서로 번갈아가며 등개질시키던 젊은 여
자와 노파였다. 젊은 남자가 그네들 뒤에 침통한 표정으로 서 있
었다. 그네들은 포대기에 싸인 애기를 가운데 놓고 기직바닥을
잡아뜯으며 절통한 울음을 꺽꺽 울고 있었다.

「갓난애기가 밤에 죽었대!」

수진이가 솜 고깔모자를 머리에 뒤집어쓰며 속삭이듯 말했다.

「누가 밟아 죽였는지도 모른대.」

수진이의 그 큰 눈에 눈물이 그렁그렁 고여드는 게 보였다.

나는 문득 아버지를 돌아다보았다. 그러나 피난봇짐을 고쳐 싸
기에 바쁜 아버지는 내게 눈 한번 주는 일 없었다. 달그락달그락,

그 짐을 챙기느라 북새질치는 속에서도 사람들은 밥을 먹느라 여념이 없었다. 우리 역시 엄마가 부엌에서 끓여온 된장국에 밥을 말아 아귀아귀 퍼먹었다. 그러나 할머니는 두어 숟갈 떠먹다가 일어나 방 한구석에서 울고 있는 사람들한테로 다가갔다. 「어이구, 시상에 이 일을 어쩌면 좋은가유?」 갓난애의 할머니가 우리 할머니 손을 쥐고 다시 울음을 터뜨렸다.

「또 낳으면 되는 게 자식인 걸……산 사람들이나 정신들 차려야지.」 그렇게 말하면서 할머니는 땅바닥에 엎어져 통곡하는 갓난애 엄마의 등을 뚜덕여 주는 것이었다.

「자, 빨리빨리 가자!」

아버지는 이날따라 몹시 서둘러대며 필요 이상 큰 소리로 말했다. 밤이면 잠들었던 포성이 오늘은 이른 새벽부터 더욱 선명한 울림으로 밀려와 가슴을 후둘거리게 했다. 멀리 건너다 보이는 국도에는 벌써 피난민들이 쏟아져 나와 길을 메운 채 남쪽을 향해 도도히 움직여 나가고 있었다.

「엄마아, 내 인형!」 피난민 수용소로 쓰고 있는 어느 학교 마룻바닥에서 얼굴이 찹쌀과줄처럼 벌겋게 부풀어오른 수진이가 제 가슴을 쥐어뜯으며 헛소리쳤다. 얼굴은 물론이고 온몸에 꽈리 같은 반점이 불긋불긋 피었고 열로 해서 입술은 까맣게 타들어갔다. 수진이는 며칠째 눈을 뜨지 못하고 있었다. 「영회야, 내 인형 이리 내!」 그렇게 높은 열로 앓으면서도 수진이는 분명한 목소리로 영회 이름을 불렀다. 「망할것, 갸가 우리 수진일 데려가려나 보다.」 할머니가 수진이 손을 붙잡으며 고개를 돌렸다. 「아범, 이것 좀 빼 봐라.」 할머니는 왼손 가운데 손가락 깊숙이 박힌 채 닳고 빛마저 퇴색한 금반지를 아버지 앞에 내보였다. 「이까짓 걸 뭐하냐, 팔아서 애 약이나 쓰자.」 「이 병에 무슨 약이 소용 있어야지요.」 아버지가 할머니 왼손을 잡고 반지를 뺄 요량인 듯 눈어림하며 말했다. 「약이 옳음 먹고 싶다는 거나 실컷 사다 멕여

라. 에미두 그렇구.」아버지는 할머니 손을 이리저리 뒤쳐 보며
고개를 저었다. 「돼 돼요, 빠지지두 않아유.」내 눈에는 삼촌을
주기 위해서 그 반지를 빼려다가 할머니 손가락에 난 상처가 보
였다. 엄마는 수진이 발 끝에 앉아 무릎에 얼굴을 묻은 채 계속
울고 있었다. 엄마 얼굴은 백지장처럼 해쓱해 보였다. 심한 이질
에 걸려 있었던 것이다. 엄마는 한 시간에도 몇 번씩 교실을 들
락거렸다. 밖으로 뛰쳐나가 수용소 뒤편 똥밭에 앉아 징징 울
었다.

「애가 아무래도 이상하다.」할머니가 아버지 귀 곁에 대고 속
삭이듯 말했다.

「동우야, 너 좀 나가 놀아라.」

아버지가 말했다. 나는 할머니 어깨 너머로 수진이 얼굴을 보
았다. 수진이 입에서 피리소리가 났다. 그건 수진이 얼굴이 아니
라 전연 다른 애의 얼굴이었다. 남산 중턱에 목매달아 죽은 그
계집애의 얼굴이었다. 온몸으로 소름이 끼치면서 몸이 덜덜 떨
렸다.

「괜찮다.」아버지가 내 손을 잡아줘며 말했다. 그 순간 나는 아
버지를 용서하고 있었다. 그 갓난애를 밟은 건 우리 아버지가 아
니야. 그렇게 아버지를 용서하고 나니까 나는 눈물이 쏟아졌다.

「엄마, 빨리 와 보래!」

온통 안개로 뒤덮인 피난민 수용소 뒤편 똥밭에 희끄무레한 형
체로 쭈그려 앉아 있는 엄마를 향해 울음 섞어 소리쳤다. 우왁우
왁 짙게 깔린 안개가 일렁이면서 빛바랜 창호지처럼 해쓱한 엄마
의 얼굴이 나타났다.

안개가 서물서물 수용소 뒤편 산골짜기로 걷혀 올라갈 무렵 나
는 복도에서 할머니와 아버지, 그리고 엄마가 한꺼번에 쏟아내는
울음소리를 들었다. 수용소를 덮었던 안개가 뒷산 중턱에까지 이
르러 있었다. 수진이가 그 안개를 타고 갔던 것이다.

「애, 니 동생 죽었재?」

산비탈 묵은 밭에서 씀바귀를 캐고 있던 같은 수용소에 사는 애들이 물었다. 그러나 나는 들은 체도 않고 골짜기를 치뛰었다. 할머니가 수진이를 안고 갔다. 아버지는 수용소 사무실에서 삽을 빌어가지고 할머니 뒤를 따라 올라가면서 내가 따라오지 못하게 눈을 부라렸다.

수진이는 이미 땅에 묻힌 뒤였다. 삽을 든 아버지가 농구화 신은 발로 땅을 꽝꽝 다져 밟고 있었다. 엄마는 땅을 다지는 아버지 다리에 매달려 몸을 뒹굴며 울었다. 할머니는 수진이 옷가지를 불사르면서 「어이구, 시상에!」 울음 섞인 한숨을 몰아쉬었다.

산을 내려올 때 나는 아버지가 만들어 놓은 수진이 무덤을 몇 번인가 돌아다보았다. 수진이 것 옆에 수십 개의 애총이 옹기종기 모여 있었다. 나는 가슴이 텅 빈 것 같았다. 묵은 밭에서 씀바귀 뿌리를 캐던 아이들도 이미 보이지 않았다.

「이게 수진이라고 하자.」

수진이가 죽어 묻힌 그날, 하필이면 그날 저녁 피난민 수용소 인원 파악이 있었다. 아버지가 이불을 덩그렇게 펴서 그 속에 수진이가 누워 있는 것처럼 만들어 놓았다. 마마를 앓다가 죽어 나간 다른 애들 어른들도 모두 우리처럼 그랬다. 한 식구분이라도 배급을 더 타야 했기 때문이다.

「다섯 사람입니까?」

높은 데서 식구 조사를 나온 사람이 수첩에 무엇인가 적어 넣으며 다시 물었다.

「환잡니까?」 덩그렇게 놓인 이불을 가리키면서였다.

「예, 제 딸이 마마를 앓고 있어요.」

아버지가 어렵잖게 대답했고, 그 조사 나온 사람은 고개를 끄덕이며 다른 데로 가 버렸다. 다섯 식구분의 배급 카드를 받아든 아버지가 씨익 웃었다. 할머니가 그 이불에 엎디어 소리 죽여 울고 있었다.

「죽은 걸 생각함 뭘 허우? 산 사람이나 살고 봐야지요.」

아버지가 배급카드를 조심스럽게 접어 넣으며 말했다.

　결국 할머니가 수십 년간 손가락에 끼고 있던 그 닳고 제 빛까
지 잃은 금반지는 아버지 손에 옮겨와 있었다. 할머니 손가락에
서 아버지가 빼낸 것이다. 피난민 수용소를 떠나 잠시 옮겨 산
그 폐광터 골짜기에서 할머니가 열병으로 죽었던 것이다. 피를
한 바가지나 쏟고 죽은 할머니를 폐광터 뒷산 기슭에 파묻고 내
려온 밤에 아버지가 엄마한테 속삭였다.
　「내가 어머이한테 큰 죄 졌구면!」
　「그게 그렇게 안 빠져요?」
　엄마가 아버지 곁으로 바싹 다가누우며 물었다.
　「잘 빠지면 내가 죽은이 손가락을 그렇게 했겠어?」
　「할 수 없지요, 뭐. 더구나 황금은 땅 속에 묻으면 안 좋대요.」
　「아뭏든 난리두 끝나 가니까, 고향 갈 때 노자(路資)야 되겠
지!」
　엄마 허리에 팔을 감으며 아버지가 말했다.
　「나, 수진이 대신 애기 하나 낳고 싶다 모.」
　어리광 부리듯 코맹녕이 소릴 하며 엄마가 아버지 품에 얼굴을
묻었다.

산 울 림

너희는 모를 거야
우리가 어디서 왔는지
우리의 꽃이 무엇인지
그러나 우린 몸을 망쳤어
이제는 그저 안개일 뿐
슬픈 안개일 뿐
　　　——金年均 〈안개〉 중에서

　그 해 봄 우리 식구는 피난민 수용소를 떠나 다른 곳에 옮겨 살게 되었는데 바로 거기서 정임이네 이모를 만나게 되었던 것이다.
　커다란 강과 그 강변을 따라 함께 흘러내리다 시나브로 휘어져 들어간 국도의 한켠 골짜기 그 폐광터를 찾아 떠나던 날 아침 나는 진흙이 덕지덕지 앉은 교실 복도에 서서 그 건물 뒤편짝을 향해 침을 뱉았다. 얼었던 땅이 지르르 녹아나기 시작한 그 건물 뒤쪽은 그야말로 발 하나 들여 놓기 힘들 정도로 무더기 무더기 똥밭이었다. 거기 다 낡아빠진 목조의 변소가 없는 것은 아니었지만 이미 그곳은 이용가치를 잃고 있었던 것이다. 막상 체면을 생각해 그곳까지 가 일을 보려고 한 사람이 있다손 쳐도 그는 몇발짝 못 옮겨 비명을 지르며 결국은 똥무더기에 주저앉고 말았을 것이다. 여자고 남자고 또 어른 아이 가릴 것이 없었다. 자리 잡아 앉는 데가 그대로 변소였다. 거기다가 수용소의 사람들이 대부분 심한 이질에 걸려 있던 판국이라 그 건물 뒤편짝을 향해 종종걸음치는 회수는 말할 것도 없고 얼굴에 인상 긋고 앉아 있는 시간 또한 뻔뻔스러울 정도로 길었다. 그것이 바로 고향 떠나 천리타향에 던져진 피난민들의 생활이었던 것이다.

「빨리 가자아!」

다른 데로 옮겨 살게 된 그 달뜬 기분으로 나는 어른들을 잡아 끌면서 말했다. 그러나 아버지는 얼마 되지도 않는 이삿짐 보따리를 등에 진 채 그 건물 뒤편짝 산골짜기를 멍청하니 바라보고 서서 좀체 움직일 생각을 안 했다. 양은솥과 다 쭈그러진 식기 몇 개를 모아 머리에 인 엄마의 얼굴에는 온통 눈물이었다. 수진이가 안개 자욱한 그 골짜기에 묻히던 날도 엄마는 소리없이 눈물단 줄줄 쏟았다. 아이구우, 하느님두 무정두 허셔라. 할머니가 마룻바닥을 쳤고 나는 얼굴이 마마로 퉁퉁 부은 채 숨 넘어가는 수진이의 입에서 피리소리가 나는 걸 들었다. 수진이와 나는 단 하루 신문팔이를 했다. 그러나 아침해가 골목 구석까지 내리깔린 그 시간까지 우리는 한 장의 신문도 팔지 못했다. 오빠야, 배 안 고프지? 나는 수진이와 함께 그 거리의 동쪽 냇물이 흐르는 다리 난간에 기대앉아 신문지로 커다랗게 비행기를 접어 날렸다. 오빠, 냇물이 비행기를 먹었어. 수진아! 꿈처럼 그때 엄마가 우리들 앞에 나타났다. 엄마, 밥 많이 얻었나? 대답 대신 엄마는 바가지에 씌웠던 보자기를 젖히고 흰 밥 한 움큼씩 꾹꾹 쥐어 내밀

었다. 수진이가 손바닥에 묻은 밥알을 핥으며 바가지를 내려다보
았다. 할머니 배고프셔. 바가지에 보자기를 씌우며 엄마가 말했
다. 수진이와 나는 낮에도 그 교실 바닥에서 때에 전 이불을 뒤
집어쓰고 누워 눈을 감고 있기를 좋아했다. 수진아, 너 뭐 먹었
니? 내가 묻고, 개피떡. 오빠는? 수진이가 다시 나한테 물었다.
나는 눈을 감은 채 그 찬연한 안막 속의 잔치상을 탐내고 있었다.
오빤 뭐 먹었는지 빨리 말해 봐. 수진이가 묻힌 그 골짜기의 안
개가 햇살에 쫓기듯 산등성이로 엷게 흩어져 오르고 있었다.

「이 길이 북쪽으로 가는 게냐, 남쪽으로 가는 게냐?」

우리들 뒤를 따라오며 할머니가 물었다. 북쪽으로 가는 길, 한
발짝이라도 집에 가까워지길 비는 마음이었을 것이다.

「서쪽으로 가는 거예요.」

엉뚱하게 아버지가 대답했다. 길가의 사람들이 우리 식구를 구
경하고 있었다. 거지 봐라. 한 여인네가 등에 업은 아이의 고개
를 우리들 쪽으로 돌려대면서 말했다. 그러나 나는 부끄럽지 않
았다. 그 길가의 사람들도 우리처럼 헐벗고 있기는 매한가지였기
때문이다. 시가지를 벗어나 그 커다란 강이 흐르는 강변을 따라
우리들은 계속 걸어 나갔다. 강 건너 높은 산골짜기에는 아직 경
성드뭇 흰 눈이 남아 있었다. 그러나 우리들이 걷고 있는 강변과
한결 가까이 산비탈은 완연 봄빛을 띠고 있었다. 아직은 갈색의
들이었지만 나뭇가지마다 속으로부터 팅팅 물오른 흔적이 역연
했다.

「아직두 멀었나?」

그 겨울의 눈 덮인 피난길보다야 한결 편한 걸음이었지만 강물
을 따라 길게 구불구불 벋어나간 그 길이 지루해서 나는 더 걷고
싶지 않았다.

「다 왔다!」

강물 줄기와 그 강변을 끼고 함께 흘러내리던 길이 시나브로
꺾이면서 폭 좁고 경사 급한 개울물이 강의 허리를 찔러드는 지

점이었다. 그 개울의 근원인 골짜기 안쪽 산비탈에 형편없이 낡은 네 채의 목조 건물이 거무죽죽 붙어 있는 게 눈에 띄었다. 네 채 중 한 채는 건너편 산비탈에 외떨어져 있었으며 그 안쪽으로 더 깊이 굴 두 개가 아가리를 벌리고 있었다. 금을 캐냈다는 광산굴이었다. 그러나 지금은 사람의 흔적이 닿지 않는 그런 폐광터였을 뿐이다.

　거기 버려진 골짜기 다 허물어져 가는 네 채의 집 속에 피난민들이 살고 있었다. 이게 우리집이다. 아버지가 자랑스럽게 말하면서 헛간으로 쓰였던 듯싶은 건물을 가리켰다. 골짜기에 썰렁한 기운이 감도는 해거름이었다. 누가 호드기(버들피리)를 부는구나. 어둑한 방 안에서 이삿짐 보따리를 풀던 할머니가 말했다. 그러고 보니 할머니는 징징 울고 있었다. 에이구, 하느님두 무정하시지. 호드기 소리를 찾아 나는 밖으로 뛰쳐나왔다. 수진이가 개울 들다리를 건너 이리로 올라오고 있었다. 수진이 혼자가 아니었다. 수진이 또래의 사내아이가 하나, 그리고 그 앞에 애기를 등에 업은 처녀애가 보였다. 그 애기 업은 처녀애가 호드기를 불고 있었다. 그네가 정임이네 이모였던 것이다.

　「넌 몇 살이냐?」

　개울 돌다리를 건너 우리집까지 올라온, 건너편 산비탈 외떨어져 있는 집의 그 아이들 중 내가 수진이라고 생각했던 수진이 나이 또래의 그 계집애를 향해 할머니가 물었다. 수진이가 아니었기 때문에 나는 그 계집애를 미워하고 있는 참이었다.

　「열 살이어유.」

　대답을 한 것은 그 계집애가 아니라 호드기를 불던 애기 업은 처녀였다. 그네는 내 얼굴을 핥듯 쏘아보며 다시 말했다.

　「앤 벙어리어유.」

　「쟨 몇 살이누?」

　「일곱 살이어유. 난 벙어리가 아네유.」

　열 살 먹은 계집애 옆에 서 있던 사내아이가 잽싸게 대답했다.

「걘?」

할머니가 처녀애 등에 업힌 아이를 턱으로 가리켰다.

「얜 세 살인데, 기집애야유.」

그네는 자기 등에 업은 아이를 우리 쪽으로 돌려 보이며 말했다.

「쯔쯔, 제대로 먹질 못했구먼!」

할머니가 혀를 찼다. 눈만 쀙한 그 아이가 처녀애의 희끔한 저고리 등에 얼굴을 묻었다.

「이모야, 인제 그만 가자아!」

「그래, 가자, 정임아.」

처녀애가 골짜기 아래 번쩍 눈에 잡히는 강물 줄기를 내려다보고 서 있는 열 살 먹은 계집애의 더부룩한 머리를 돌려 쓰다듬으며 말했다. 그리고 할머니와 내게 인사로 살짝 웃어 보이는 그네의 도톰한 입술은 까실까실 튼 게 오히려 예뻐 보였다.

「얘들아, 빨리 머리 비켜!」

그네가 느닷없이 소리 지르며 정임이란 계집애의 머리를 옆으로 젖혔다. 그 옆의 사내아이도 덩달아 고개를 옆으로 젖혔다. 퉤퉤, 느 집이 불났다! 그네가 저녁 하늘을 올려다보며 침을 뱉었다. 까마귀 한 마리가 우리들 머리 위를 지나 그 아이들의 산비탈의 외떨어져 있는 집 쪽으로 훠이훠이 날아가고 있었다.

「까마귀가 숫가메(숫구멍) 위를 똑바로 지나가면 그 사람은 죽는대요.」

그네가 검정 치마자락 안쪽에다 사내아이의 코를 닦아 주며 배시시 웃었다.

「처넌 몇 살인구?」 할머니가,

「열 일곱이어유.」

그네의 눈길이 내 얼굴에 닿자 온몸이 화끈했다.

나는 정임이네 이모와 함께 골짜기 개울물에서 가재를 잡았다.

돌을 젖한 다음 흙물이 맑아지기를 기다리고 있노라면 그 돌 박혔던 자리에 가무숙숙 엄지손가락만한 놈이 엎드려 있었다. 동우야, 술가재는 잡지 마. 색깔이 좀 엷고 각질이 무른 술가재를 여자가 먹으면 병신 아기를 낳는다는 거였다. 이모야, 비밀이 뭐야? 나는 가재를 잡으며 자주 되물었다. 그네가 내게 약속한 비밀이 궁금했던 것이다. 그네는 허리를 펴며 물에 젖은 손으로 내 손을 잡았다. 나는 그네의 핥듯 쏘아보는 시선이 부끄러워 얼른 고개를 돌렸다.

「동우야, 너 울 언니 애기 밴 거 모르지?」

그게 비밀이야? 나는 그네에게 속아 이 깊은 골짜기까지 들어온 걸 후회하기 시작했다. 그러나 그네에게 잡힌 손을 빼내지는 못했다.

「이제 우리 언니 애기 낳을 거다!」

「그게 뭐가 비밀이야?」

「넌 몰라, 동우야.」

「뭘?」

「지금은 말할 수 없어!」

나는 그네에게서 손을 빼내어 그네가 개울가 버들가지로 만들어 준 호드기를 개울물에 던졌다. 그리고 뛰어 내려오다가 산비탈 묵은 밭에서 냉이와 씀바귀를 캐고 있는 정임이를 보았다. 그 벙어리 계집애는 나를 보자 종다래끼를 뒤로 감췄다. 나는 냉이와 씀바귀 뿌리가 반쯤 담긴 그 종다래끼를 낚아채어 밭길로 차던졌다.

「그 집 남잔 어떻게 됐대?」

「피난 나오다가 충주에선가 헤어져 전연 소식을 모른대요.」

「뭐하던 사람인데?」

「그 애기 엄마 얘기론 난리가 나기 전엔 무슨 장사를 했다던데, 그 이모라는 앤 제 형부가 학교 선생님이었다구두 하구……」

「고향이 어디래?」

「뭐 여기저기 옮겨 살았다면서 말을 잘 안 하데요.」

「배가 꽤 부르던데……」

「서너 달 있음 되나 봐요. 피난 나오기 전에 뺐다니까.」

「이 난리에 웬 애는……」

「그걸 어디 맘대로 해요? 나도 요즘 속이 메슥거리는 게 좀 이상한 걸요.」

「뭐야?」

아버지가 눈을 뚱그렇게 치뜨며 소리쳤다.

그 폐광터 골짜기에는 해가 중천에 뜬 그 시간까지 안개가 걷히지 않는 날이 많았다. 안개는 처음 골짜기 아래 강변으로부터 낮게 피어올라 개울물을 타고 골짜기로 숨어들었다. 해가 떠오를수록 안개는 차츰차츰 산골짜기로 기어오르면서 적당히 패인 위치에 모여 술렁거렸다.

안개가 걷히자 눈앞에 우리들의 집이 한눈에 잡히면서 더 멀리 늦봄의 나른한 햇볕을 쪼이면서 빤짝거리는 강이 내려다 보이는 곳에 우리들은 이르러 있었다.

「저 꽃 보이재?」

나는 간밤 비로 해서 더욱 푸르러진 강변 풍경에서 눈을 떼어 그네가 가리켜 보이는 곳을 보기 위해 몸을 돌렸다. 그러나 그네의 손 끝이 가리키는 그곳은 안개가 서려 있는 응달진 절벽이었을 뿐 그네가 말하는 꽃 같은 건 보이지 않았다. 그네가 그 안개 서린 절벽까지 가 내 눈에 보이지 않는 꽃을 꺾어 오기까지 나는 그네가 등에서 내려놓은 눈만 휑한 아기를 안고 있어야 했다. 그 아기는 내 손을 벗어나 소나무 아래 풀밭에서 솔방울을 주웠다. 깨금나무의 열매를 잡아뜯기도 했다.

그네가 꺾어 온 꽃은 철 늦은 철쭉이었다. 그네의 가무잡잡한 얼굴에 땀에 배어 나오고 있었다. 그네는 숨을 할딱이며 철쭉꽃

잎을 세 잎 따 입술에 문 다음 내 얼굴에다 그 꽃잎을 가만히 대
었다. 꽃냄새는 없었다. 그네의 몸에서 풍기는 배릿한 땀냄새 뿐
이었다. 내 얼굴은 그네의 가슴에 있었다. 나는 숨이 답답했다.
그러나 손가락 하나 움직일 수 없었다. 하늘에 구름이 있었다. 구
름은 흐르지 않고 내가 둥둥 떠가기 시작했다. 철쭉 꽃잎을 서른
세 개 먹으면 사람이 죽는다. 그네가 꽃잎을 문 채 말했다. 동우
야, 넌 열 한 살이지! 내가 열 한 살 때 우리 아버지랑 어머니
가 돌아가셨다. 그네가 꽃을 문 채 불분명한 말소리로 그렇게 말
했다. 무서웠다. 그러나 그네는 내 몸을 놓아주지 않은 채 할딱
이는 소리로 말했다.

「동우야, 내가 비밀 또 하나 알려 줄께.」

「뭔데, 어서 말해 봐!」

「너 비밀 지켜야 한다. 비밀은 남한테 얘기하는 거 아니걸랑.」

그네의 얼굴이 내 볼을 비비고 있었다. 닭똥 냄새 같은 게 났
다. 끈적끈적 땀 밴 얼굴에서.

「그럼 이모는 왜 나한테 비밀을 얘기하는 거야?」

「니가 이쁘니까!」 그네는 내 손을 만지작거리며 말했다.

「너처럼 예쁜 애한테 비밀을 얘기하지 않으면 이모가 산신령님
한테 벌 받아 죽을는지도 몰라.」

「정말이야?」

그네는 대답하지 않고 내 눈을 잠깐 들여다본 다음 그 비밀이
란 걸 얘기하기 시작했다.

정임이 아버지, 그러니까 그네의 형부가 순경이라는 것이다. 그
게 뭐가 비밀이야? 내가 툴툴거렸다. 그렇지만 그건 절대루 비
밀이야. 그네가 도톰한 입술에 손가락을 대보이며 정색을 했다.

「뭐가 그게 비밀이야. 나 같으면 우리 아버지가 순경이라구 막
재구 다니겠다. 빨갱이두 많이 잡았다구……」

「애가!」

그네는 내 입을 손으로 막으며 속삭이듯 말했다. 그런 말 퍼뜨

리면 큰일난다니까. 그래서 비밀이라구 그랬잖아.

빨갱이가 그 소리를 들으면 자기네 언니랑 정임이들을 모두 죽일 거라는 거였다. 치. 나는 웃으면서 말했다.

「여긴 우리 나란데 빨갱이가 어딨어?」

「그래, 여긴 우리 나라야. 그러나 넌 잘 몰라. 빨갱이는 아무 데나 있는 거야. 누가 빨갱인지 알 수 없기 때문에 비밀이 필요한 거야.」

나는 가슴이 덜컹했다. 여름 난리가 생각난 때문이다. 자고 일어나 보니 모든 게 바뀌어 있었다. 옆집 곰보 아저씨가 팔에 붉은 완장을 두르고 우리 집 대문을 발로 찼다. 아버지가 와들와들 떨었다. 아버지가 내무서에서 풀려 나왔을 땐 바지저고리가 온통 피였다.

「그땐 우리 형부만 남쪽으로 내려가고 우리들만 남았었거든. 순경 가족들은 다 잡혀 죽었단 말이야. 꿈에 형부가 나한테 말했어, 빨리 피하라고. 그래서 우리들은 살아난 거야. 우리들은 계속 쫓겨 다녔지. 이렇게 살 바에야 차라리 우리 다 죽자. 하도 배고프고 하도 힘이 들자 언니가 말했어. 그러나 난리가 끝나고 집에 돌아온 형부가 말했단 말이야. 잘 했다. 그래, 또 난리가 나더라두 경찰 가족이란 얘긴 죽어두 하지 말아. 그래야 살 수 있는 거다……형부 말대로 했기 때문에 우리들이 아직 살아 있는 거야.」

「이모야, 난 빨갱이 아니다.」

그네가 눈을 똥그랗게 치뜨며 나를 쳐다봤다.

할머니는 삼촌을 만나기 위해서 피난을 가지 않겠다고 버틴 게 틀림없다. 걘 절대 죽지 않아요. 아버지가 할머니한테 말했다. 도련님은 꼭 돌아올 거예요. 엄마가 말했다. 그네들은 빨갱이가 돼 이북으로 간 삼촌을 욕하지 않았다. 빨리 죽으라고 욕을 퍼대지 않았다. 욕이 다 뭐냐, 할머니는 피난민 수용소에서도 하룻밤도 빼놓지 않고 삼촌이 살아 있기를 빌었던 것이다.

「동우야!」 그네의 발긋발긋 튼 도톰한 입술이 무엇인가 말하

려 하고 있었다. 그네에게서 고향 읍내 정미소에서 나던 쌀겨 냄
새 같은 게 훅 풍겼다. 그러나 그네는 내 손을 놓았다. 섬뜩했다.
그네의 목에 눈만 휑한 아이의 그 가느다란 손가락이 감겨 들었
던 것이다. 그 아이를 들쳐 업은 그네는 딴 사람이 돼 숲을 휘휘
뒤져 올라갔다. 사내자식이 나물을 뜯으면 고추가 떨어진다. 그
네는 결코 내게 나물을 뜯는 일을 허락하지 않았다. 좀 낮은 데
서는 쑥, 으아리, 수리취, 잔대싹이나 삽추싹을 뜯었고, 더 높고
깊은 골짜기에서는 고비, 고사리, 두릅을 꺾었으며 좀더 정갈한
땅에서는 산도라지도 캤다. 그게 우리들의 주식이었다. 그 산나
물을 삶은 데다가 안남미란 길쭉길쭉한 쌀 한 홉쯤 넣어 나물죽
을 쑤어 먹었다. 「이모야, 비밀 또 있나?」 나는 멀리 골짜기 아
래 강여울이 햇빛을 받아 뱀의 잔등처럼 번쩍이며 흘러내리는 것
이 눈에 잡히는 곳에 이르러 말했다. 쉬! 그네가 손가락을 입술
에 대며 등에 업은 아이를 눈짓했다. 나는 그 눈 휑한 세살박이
계집애가 무서워졌다.

　그 폐광터 산골짜기에 와 피난살이를 하는 네 집 중에 정임이
네만 빼 놓고 모두 염병(장질부사)을 앓기 시작했다. 몸 속에 불
이 펄펄 이는 염병이었다. 헛것이 보였다. 눈이 휑한 정임이네
그 계집아이의 가느다란 손가락이 거미다리처럼 여러 갈래로 뻗
어나면서 목을 조여 들었다. 목이 없는 사람들이 손을 허위적거
리며 나를 잡으려 했다. 동그라미가, 처음에는 별로 크지 않던 동
그라미가 무럭무럭 커지면서 수백 개로 늘어나 내게로 굴러왔다.
그 동그라미 속에 말려들어 구르다 보면 천 길 낭떠러지로 까마득
내려박히고 있었다. 엄마야——누군가 내 헛소리에 대답해 주고
있어 문득 눈을 떠보면 정임이네 이모가 이마를 짚어 주고 있었
다. 수진아. 나는 그네를 수진이라고 생각했다. 어느날 그네가
내 온몸에 이불을 덮어 씌웠다. 그리고 그 위에 깔고 앉았다. 나
는 발버둥쳤다. 이 계집애가 나를 죽이는구나. 그런 생각을 하면
서 버둥거렸다. 그러나 산에서 그네가 철쭉꽃 세 잎을 입에 물고

내 얼굴에 뺨을 대었을 때처럼 나는 공중에 둥둥 떠 흘러가는 것
같았다. 비 오듯 온몸에 땀이 흘렀다. 거적을 깐 방바닥이 젖어
서야 그네가 내게서 이불을 벗겼다. 그 순간 내 머리 속은 소나
기 쏟아 부은 뒤 나뭇잎처럼 상쾌했다. 몸이 가뿐했다. 나는 살
아났던 것이다. 정임이네 이모는 우리 집뿐이 아니라 남은 두 집
도 들락이면서 앓는 사람들을 돌보는 눈치였다. 제일 먼저 일어
난 나는 그네를 비실비실 따라다녔다. 그네의 언니가 그네 머리
채를 낚아채 머리가 한 옴큼 뽑혔다. 이놈에 기집아야, 병 옮아
올려고 거길 댕기니? 배가 뚱뚱한 그네의 언니가 그네를 때렸다.
그러나 그네는 바가지에 샘물을 길어 가지고 이집 저집을 뛰었다.
이모야! 정임네 사내아이가 자기 집 마당에 서서 이쪽에 와 있
는 그네를 불러댔다. 이모야! 그 사내아이 목소리가 폐광굴에
숨었다가 아련하게 다시 살아올랐다. 정임이와 세살박이 눈 뻥한
계집아이가 턱을 괸 채 이쪽을 건너다 보고 앉아 이모를 기다리
고 있었다. 애들아, 턱을 괴면 엄마가 죽는다! 그네는 허겁지겁
개울의 돌다리를 건너 치뛰며 손을 내젓고 있었다.

그 염병으로 할머니가 죽어 양지바른 산기슭에 묻히던 날 정임
이네 이모가 내 귀에다 속삭였다. 접때 느 할머이 숫가메 위로
까마귀가 날아가는 걸 내가 봤다. 이모 이름이 수진인가? 나는
그렇게 물어 보고 싶었지만 참았다. 그네가 풀잎을 뜯어 고갱
이를 쑥 뽑아낸 다음 그 풀잎을 입에 물고 삐삐 기묘한 소리를
냈다.

그 여름날 우리는 큰 강까지 내려와 물 속에서 골뱅이(다슬기)
를 줍고 있었다. 우리는 잠깐 허리를 펴고 강물 줄기를 따라 북
쪽으로 떼지어 날아가는 새떼를 바라보았다.

「동우야, 느네두 고향에 갈 꺼지?」

난리가 웬만큼 끝나간다면서 두 집이 서둘러 고향을 찾아 떠났
던 것이다.

「이모네두 가면 되잖아?」

「우린 여기 오래 있어야 돼.」

「정임이 엄마가 어제 애길 나서 그런 거지?」

그래도 사내아일 낳았어요. 정임이 엄마가 애기 낳는 걸 돌보아 주고 온 엄마가 가만히 한숨을 토하면서 말했다.

「애기가 누굴 닮았어?」

나는 얼굴도 아직 못 본 그 아이를 미워하고 있었다.

「아무도 안 닮았어!」 그네가 다시 골뱅이를 주워 올리며 심드렁한 목소리로 말했다. 「형부가 아니었단 말이야.」 그렇게 혼잣소리도 했다.

어머나. 외마디 소리를 내지르며 그네가 옷을 입은 채 그대로 물에 넘어졌다. 팔뚝 길이만한 모래무지 한 마리가 쏜살같이 강위쪽으로 치닫고 있었다. 그네가 그 모래무지를 밟았을 것이다. 나는 그게 우스워 하하하 배를 움켜쥐면서 일부러 넘어졌다.

「옷 벗어라. 내가 빨아서 짜 줄게!」

나는 그네가 시키는 대로 옷을 벗어 던져 주고 알몸이 부끄러워 물 속에 엎드린 채 물위를 오로로로 부는 장난을 했다. 문득 깨닫고 보니 그네가 내 등 뒤에 와 있었다. 그네가 내 몸의 때를 씻어 내리기 시작했다. 이상하게 나는 조금도 부끄럽다는 생각이 들지 않았다. 아이 예뻐라. 그네가 내 고추를 손등으로 툭 쳐 보이며 말했다. 그리고 그네는 그 이상 입을 열지 않았다. 나는 뒤돌아 보지도 않았다. 갑자기 내 등을 밀던 그네의 손이 움직이지 않았다. 느낌이 이상해 힐끗 돌아다보았다. 귀신처럼 젖은 머리를 목과 등에 늘어뜨린 그네가 울고 있었다.

「이모야, 왜 울어?」

그네는 두 손을 내 어깨에 얹은 채 이제는 큭큭 소리내어 울었다.

「동우야, 우리 언니가 불쌍해서 어떡하재?」

그네가 울음 섞어 말했다.

「우린 벌써 한 달두 넘게 나물죽만 끓여 먹었단 말이야. 쌀이 하나두 없단 말이야. 그런데두 언니는 자꾸 미역국을 끓여 오래.」

나는 그네가 골뱅이를 줍는 틈틈이 종다래끼에 말풀을 뜯어 넣은 이유를 알 것 같았다. 내 등에 업힌 그네의 손이 뜨겁게 느껴졌다.

「어디 아픈가, 이모?」

그러나 그네는 젖은 머리를 흔들어 보였을 뿐이다. 강가에 나와 내게 옷을 입히는 그네의 손이 아까보다 더 뜨거웠다. 그대로 불덩이였다. 가끔 덜덜 떨기까지 했다. 입술이 까맣게 타들면서 이를 딱딱 두드려 떨었다. 나는 와락 그네의 젖은 몸을 안았다. 보기보다 그네의 몸 부피는 작고 빈약했다. 몸 전체가 끓고 있었다.

「동우야, 내가 진짜 비밀 하나 말해 줄게.」

그네가 달달 떨면서 말했다. 자꾸자꾸 비밀을 가지고 있는 그네가 나는 무서웠다. 그러나 도망치고 싶다는 생각과는 달리 나는 그네의 가슴에 얼굴을 묻었을 뿐이다.

「우리 형부 죽었단 말이야!」

「정임이 아버지가? 그 순경이라는 사람이 죽었다구?」

「그래, 순경이었는데 죽었어!」

「누가 그래? 이모가 그 죽은 걸 봤나?」

「못 봤어. 그렇지만 형부와 함께 싸움터에 나갔던 순경이 찾아와서 알려 줬어.」

「정임이랑두 다 아나? 즈 아버지가 죽었다는 걸.」

「몰라, 아무도 몰라. 우리 언니까지도 모르고 있단 말이야.」

「왜 얘기 안 했어?」

「비밀이니까!」

「그게 왜 비밀이야?」

「그걸 들어서, 듣는 사람에게 나쁜 일이 생긴다면 그런 건 말 안 하는 거야.」

만약 그네가 자기 언니한테 형부가 죽었다는 얘길 했다면 지금 자기네 식구는 한 사람도 살아 있지 못했을 거라는 얘기였다. 남편이 죽었는데 자기만 살자고 피난을 떠날 언니가 아니란 거였다. 그랬으면 뱃속의 애기도 이 세상에 나오지 못했을 게 아니냔 그네의 생각이었다.

「그럼 여기 피난 나와서는 그 애길 했나?」

「아아니, 말하지 않았어.」

「왜?」

「형부가 그렇게 시켰어.」

「그 사람은 죽었다면서?」

「응, 죽었어. 그러나 난 형부를 매일 만났단 말이야. 형부가 말했어. 언니한테 내가 죽었다는 얘기 하지 마. 그랬어.」

「꿈에?」

「그래, 꿈이었어. 그렇지만 난 꿈하고 생시하고 똑같아.」

「그럼, 지금두 그 사람 만나나?」

나는 이미 그네에게서 두어 걸음 떨어진 곳에 서서 그네의 그 열로 몽롱해지는 눈빛을 바라보았다. 그네가 내 물음에 대답했다.

「아니. 지금은 못 만나. 언니가 애기를 뱄다는 사실을 안 다음부터 형부가 보이지 않았어. 그때부터 난 언니 뱃속의 그 아기가 형부일 거라고 믿게 됐던 거야.」

나는 그네가 가재를 잡으며 자기 언니가 애기를 뱄다는 사실을 큰 비밀처럼 일러 주던 일을 떠올렸다.

「애기가 그 사람을 안 닮았다며?」

그네는 대답하지 않았다. 나는 한 걸음 물러섰다. 그네의 열에 들뜬 얼굴이 활짝 핀 봉선화꽃 같았다. 그네가 나를 뚫어지게 내려다보고 있었다.

「느네가 고향에 가면 난 죽을는지도 모른다.」

「왜?」

「동우야, 난 너 때문에……」

열로 까맣게 튼 그네의 도톰한 입술이 조금 벌어진 채, 그 속에서 프프 호드기 소리 같은 게 흘러나왔다.

「이모두 나중에 우리 고향에 오면 되잖아. 난 이모만 기다리고 있을 거다.」

읍내 삼거리에 서서 그네를 기다리고 서 있는 내 모습이 보였다. 그네를 내 색시로 맞아야 한다는 생각이 울컥 치밀었던 것이다. 누나야. 나는 내 색시인 그네를 그렇게 부를 것이다. 나는 그네에게 다가가 손을 잡았다. 그네는 아까보다 더 떨고 있었다.

「이모야, 추워?」

나는 그네의 젖은 긴 머리가 가슴께로 넘어온 것을 뒤로 젖혀 주며 물었다. 그네는 고개를 끄덕였다.

강에서 돌아온 그 저녁 나는 날이 어둡기만 기다렸다. 구구구 비둘기 한 쌍이 저녁 어스름에 잠기는 골짜기를 가로질러 폐광 속으로 날아들고 있었다. 풀풀 어지럽게 날던 고추잠자리도 보이지 않았다. 나는 방 한 구석에 놓인 쌀봉투에서 안남미 서너 움큼을 꺼내 양은 그릇에 담아 들고 고양이처럼 살금살금 돌다리를 건넜다. 문득 뒤돌아본 우리 집 옆의 빈 두 집이 문짝 대신 쳐 있던 가마니가 떨어져 나간 채 시커멓게 아가리를 벌리고 있었다. 좀 전 비둘기 날아들던 그 폐광 속에서 찍찍 박쥐들이 소란을 피웠다.

정임이네 마당 돌화덕 위에서 다 쭈그러진 냄비 속에 무엇인가 설설 끓고 있었다. 세 아이가 컴컴한 봉당에 나란히 앉아 턱을 괸 채 그 끓는 냄비를 바라보고 있었다.

「이모 어딨니?」

「우리 이모 막 아프다.」

정임이 밑의 사내아이가 말했다. 나는 거적문을 들치고 컴컴한 방 속에 눈을 익히려 했다. 비린내가 확 풍겨 왔다.

「먹국이냐?」

정임이 엄마의 목소리였다.

「밥, 밥 좀 먹국에 말아 먹자, 이 망할 놈에 기집애들아!」

정임이 엄마가 짐승처럼 으르렁거렸다.

「동우야!」

신음소리에 섞여 꼭 호드기 소리 같은 목소리로 정임이네 이모가 내 이름을 부르고 있었다.

「이모야, 쌀 가져왔다.」

나는 거적문을 닫고 마당가 들화덕 앞으로 다가가 남비 뚜껑을 열었다. 강에서 뜯어 온 말풀과 골뱅이가 뒤섞여 설설 끓고 있었다. 그 끓는 속에다가 양은 그릇에 가져온 쌀을 부었다.

까르르——거적문 그 안에서 갓난애의 울음소리가 흘러나왔다. 나는 문득 우리집 쪽 산비탈을 건너다 보았다. 희끔한 게 움직이고 있었다. 아버지 마중나간 엄마가 돌아온 모양이었다. 동우야. 아, 아버지가 돌아왔구나. 고향에 간 아버지가 꼭 나흘 만에 돌아온 것이다. 나는 까르르 우는 그 갓난애의 울음소리를 뒤로 하고 내려뛰기 시작했다.

「다 탔더군. 깡그리 다 탔더군.」

그날 저녁만은 엄마가 나물죽을 쑤지 않았기 때문에 아버지는 안남미로 지은 그 두들두들한 밥을 아귀아귀 퍼 넣으며, 다 탔더군, 깡그리 다 타 버렸더군——그렇게 거푸 말하고 있었다.

「그래두 가야지요!」

「아암, 가야잖구! 벌써 다들 돌아왔지 뭐야. 빨리 가야 돈두 벌 수 있구.」

「언제 갈 거예요?」

「내일, 내일 당장 가자구!」

「거짓말 아니지요?」

엄마가 잔뜩 달뜬 목소리로 다그치면서 아버지 곁으로 바싹 당겨 앉았다.

「낼 가자구! 내일 새벽에 여기까지 도라꾸(트럭)가 오기로 다

돼 있다니까!」

엄마가 꿈 같은 얼굴로 휘휘 서까래 앙상하게 드러난 방안을
둘러보았다.

「참, 당신 몸은 어때?」

「안심해요, 안 걸렸으니까.」

엄마가 귀 밑을 발갛게 달구며 아버지를 흘겨 보았다.

「아니야, 이젠 괜찮다구. 어서 수진이 대신 빨리 하나 더 낳아
야지.」

「오늘 밤에유?」

그러면서 엄마가 아귀아귀 밥을 퍼먹는 아버지의 무릎을 몰래
꼬집는 눈치였다.

처음은 꿈이라고 생각했는데 막상 눈을 떠 보니 그게 꿈이 아
니었다. 정임이네 이모가 우리집 방문 거적을 젖히고 거기 서 있
었다. 그러나 그네 등 뒤에서 비쳐드는 희끔한 아침빛 때문에 그
네는 그저 시커먼 형체로밖에 나타나지 않았다. 새벽이었다. 밖
은 온통 안개로 덮여 있었고 그네는 그 안개의 기둥처럼 거기 방
문 앞에 서 있었다.

「언니가 없어졌어요. 울 언니가 옷을 홀랑 벗어 놓고 알몸으로
갓난애를 안고 가 버렸어요.」

그네는 숨을 할딱이면서 그 말을 두번 세번 거듭했다. 아직도
안개를 뒤에 거느린 그네의 얼굴은 분명한 윤곽을 보이지 않고
있었다.

「저런!」

엄마가 이불자락으로 앞가슴을 가리면서 혀를 찼다.

「이 일을 어쩌지! 애기 엄마가 몸을 풀구 먹질 못해 실성을
했구먼.」

그러나 아버지는 아직두 엄마 곁에서 코를 골고 있었다.

정임이네 이모가 몸을 돌렸다. 그네가 거느린 안개가 우우 홀

어졌다가 다시 메워졌다. 몸을 돌리는 순간 잠깐 보인 그네의 옆
얼굴은 심한 열로 복숭아 꽃빛같이 벌겋게 달아 있었다.

「언니이이!」

갑자기 그네가 안개를 헤치며 골짜기를 치뛰기 시작했다. 안개
속에 검정 치마만이 선명하게 너을거리다가 그것마저 보이지 않
게 되었다.

「언니이이!」

그네의 외침이 우와우와 건너편 폐광굴을 둘러 다시 자욱한 안
개 속으로 빠져나오면서, 언니이이……아리아리 멀어져 갔다. 그
안개 또한 처음 강심으로부터 피어올라 골짜기 구석구석에 숨어
서성이다 산으로 치뛴 정임이네 이모를 따라 더 깊은 계곡으로
우우 좇아오르고 있었다.

그리고 안개 걷힌 골짜기의 그 아래 강변 큰길에는 간밤 아버
지가 말한 고향 가는 트럭이 곡식 가마를 까마득 높이 실은 채
배기통으로 연기를 팡팡 뿜어대며 이제 마악 도착하는 참이었다.

안개의 눈

한마디로 그의 얘기는 황당무계한 것이었다. 얼굴에 으스스 귀기(鬼氣)까지 풍겨 가면서 그 난리 때 피난살이의 추억 한 토막을 벌여 놓곤 했는데 그의 얘기를 듣다 보면 이 사람이 머리가 좀 어떻게 된 게 아닌가 싶은 느낌을 어쩔 수가 없었다. 이제까지의 한형에 대한 그 어리보기에 가깝다고 생각했던 첫인상이 섬뜩하게 바꿔어졌다. 그래 사람들은 슬며시 몇 발짝 물러선 기분으로 새삼 한형의 얼굴을 뜯어 보게 된다. 그러나 그 얘기 속에 아무리 허황된 구석이 있다손 쳐도 사람들은 굳이 귀를 돌리려 하지는 않았다. 그만큼 그의 얘기 속에는 보다 신기한 것, 보다 그럴싸한 것을 찾고 있는 요즘 우리네들의 따분하고 밍밍한 기분에다 바람을 주기에 걸맞는 그런 구석이 있었는지도 모른다.

그가 벌이는 얘기의 대강은 그 나이 또래의 그 눈에 비칠 수 있는 그저 그렇고 그런, 다분히 감상적인 느낌이 큰 것이었다. 그 얘기 속에 가끔 가끔 드러나는 비현실적인 면만 빼고 나면 정말

보잘 것 없는 추억담에 불과했다. 문제는 그 허황된 얘기에 있는
데, 그 허황된 느낌은 그가 일종의 환각 현상이나 우연일 수도
있었다고 조금 양보해서 말했어야만 마땅한 성질의 것이었기 때
문이다. 그러나 한형은 그 문제에 대해서 단호했다.

「아닙니다. 그것들은 내가 겪은 엄연한 사실이었어요.」

한형의 그 망집이 사람들의 신경을 갉작거렸다.

「사실이란 어떤 과학적 근거가 없어도 성립되는 건가요?」

「되고말고요. 그것은 믿음입니다. 나는 그날 체험한 아무리 작
았던 이적(異蹟)이라도 고스란히 사실로서 믿고 있으니까요.」

「한형은 샤아만입니까?」

「농담하지 말아요.」

「그럼 한형의 신앙은……」

「나는 무신론자입니다.」

「그렇겠죠. 한형은 자기 자신만을 믿고 있으니까요. 그러고보
니 한형은 어쩌면 교조(敎祖)가 될 가능성도 많군요.」

한형이 웃었다. 어처구니 없다는 그런 웃음을 웃었기 때문에
사람들은 팽팽히 조여들던 그에 대한 적대감으로부터 풀려날 수
가 있었다.

「아뭏든 한형은 그 정임이네 이모라는 처녀를 잊지 못하고 있
군요.」

「맞아요. 나는 지금도 그 여자를 생각하고 있읍니다.」

「실례의 말입니다만, 한형이 결혼에 몇 번 실패한 원인도 결국
은……」

「그걸 부인하진 못하겠군요. 사실 나는 어떤 결정적인 순간 이
를테면 사정(射精)을 할 때 〈정임이 이모야!〉 이렇게 소릴 지를
경우가 많습니다. 첫번째 여자가 바로 그걸 트집잡더군요.」

「두 번째 부인과 헤어진 건 좀 다른 경우였다고 들었는데.」

짓궂은 사람 하나가 물고 늘어졌다.

「내 경운 그게 같은 거지만──, 어떻든 말하지요. 내가 그 여

자와 어디 급하게 갈 데가 있어 택시를 타려고 할 때였지요. 빈
차가 있어 세우는 족족 그냥 내뺍디다. 아침이었고, 합승을 강요
할 그럴 시간이긴 했지요. 더 중요한 것은 우리 둘이 모두 안경
을 끼고 있었거든요. 아뭏든 천신만고, 꼭 삼십 분쯤 갈팡거린
끝에 한 대를 세우는 데 성공했죠. 그런데 문을 열고 갈 장소를
먼저 말한 게 불찰이었지요. 그 운전수는 내 의사와는 관계 없이
문을 꽝 닫고 창 밖으로 가래침을 내뱉은 뒤 유유히 사라지더군
요. 〈뒈져버려라!〉내 말이 막 끝나기가 무섭게……정말 기가
막히더군요.」

「그를 정말 죽여 버리고 싶었겠죠.」

「물론이죠.」

「그러나 세상에는 그런 정도의 우연의 일치는 흔합니다.」

「그렇겠죠. 그러나 나는 그 우연으로 두 번째 여자와 갈라섰어
요. 그 여자가 그 사건 이후부터 나를 무서워하기 시작했거든요.」

「한형의 말뜻은 그것이 우연이 아니라는 건데, 그렇다면 한형
은 그 무서운 주력(呪力)이 자신에게 잠재해 있다고 믿는 것이 아
닙니까?」

「그렇다고 하면 당신들은 나를 무당이라고 몰아치겠죠? 그러
나 난 무당이 아닙니다.」

「어쩌됐든 한형의 그 잠재적 힘이랄까 초자아적인 위력은 결국
나쁘게도 쓰일 확률이 크군요.」

「그렇지요. 그래서 난……」

한형의 목소리는 이 대목에서 어딘가 맥이 없고 음울한 음조를
띠고 있었다. 어쨌든 그는 더 이상 말하지 않을 모양이었다.

「좌우간 그 얘기 나도 좀 들어 보고 싶은데요.」

모임을 한 번 걸러, 그 얘기를 듣지 못한 사람 하나가 껴들
었다.

「먼저 얘긴 어디까지 들었는데?」

곁에 사람이 물었다.

「거 왜, 정임이 이모라는 꼭 신들린 것 같은 처녀를 만나게 된 그 폐광촌 골짜기의 안개와 그 처녀 언니의 해산과 실종——, 그리고 그날 아침 한형네를 고향으로 싣고 갈 트럭이 마악 강변 른 길에 도착했다는 얘기까지……」

「난 그 얘기도 못 들었군요. 듣고 싶은데요.」

모임에 처음 나온 사람 하나가 한형을 힐끗 쳐다보며 말했다. 한형은 그를 향해 빙그레 웃었다. 역시 한형은 우리와 다를 게 없는 범상인이 틀림없었다.

「그 얘기는 말이야——」 한 사람이 선뜻 맡고 나섰다.

「그쪽에선 주선율만 뽑으시오. 베이스는 내가 넣으리다.」

또 다른 한 사람이 가볍게 껴들었다.

「겨울 난리 때였지. 한형이 열 두살이었고 한형보다 몇 살 위인 정임이 이모라는 처녀를 만난 건 피난살이를 하던 어느 외딴 시골 폐광촌이었어.」

「그 폐광터는 커다란 강의 흐름을 끼고 뻗어나가던 신작로가 시나브로 꺾인 골짜기 산비탈에 있었지요. 그 골짜기 안쪽에서 흘러내리는 시냇물이 강에 합류하는 지점의 그 폐광터는 금광굴이 두 개 아가리를 벌리고 있었으며 그 옆으로 낡은 집채가 넷, 네 집 모두 피난민이 살았는데 바로 한형네 건너편 집에 정임이 이모네가 있었지요.」

「한형은 그 계곡을 무척 신비스러운 것처럼 이야기했는데, 강심에서 피어올라 시냇물을 거슬러 기어오른 안개가 하루 내내 걷히지 않고 서성거린다는 얘기는 아주 인상적이었지요. 그 안개속의 계곡과 철쭉 핀 산비탈에서, 그리고 그 아래 유유히 흐르는 강물 속에서 인상 깊은 추억으로 남은, 열 두 살 그 나이로는 아무래도 좀 이른 듯 싶은 사큄을 갖게 되는데…… 그것은 머리 길게 늘어뜨린 그 처녀의 약간은 신들린 것 같은 프로필로 해서 매우 선정적이면서 얼마간 변태적이랄 수도 있는 사큄이었지요.」

「문제는 그 정임이네 이모라는 처녀데, 그네는 죽은 사람을 꿈

에서 생시처럼 만나 얘기한다든가 미신적인 터부를 자주 입에 올
리는 등 약간은 비정상이라는 느낌이 강하게 오더군요.」

「그러나 그네는 피난살이의 그 비극적 상황 속에서 특히 여동
생과 할머니를 산에 묻고 난 뒤의 허허로운 마음의 한 소년을 사
로잡기에는 충분한 그런 존재였지요.」

「게다가 그네는 한형을 염병이라는 그 죽음의 병에서 건져낸
생명의 은인이기도 했지요.」

「그 처녀가 꿈 속에서 만난다는 죽은 사람은 그네의 형부였지
요. 순경이었다가 어느 날 전사 통지를 받은──」

「그러나 그네는 형부가 죽었다는 사실을 비밀로 했는데, 언니
와 조카 셋을 살리기 위해서였다고 했지요.」

「그네의 언니는 자기 남편이 살아있다고 믿고 있었지요. 더구
나 그네의 언니는 뱃속에 이제 막 태어날 애기가 들어 있었지요.
그 처녀는 언니가 낳을 그 아기를 죽은 형부의 환생(幻生)이라고
믿고 있었는데, 어떤 대목에선 그 형부의 환생을 한형으로 생각
하는 것도 같고……」

「어쨌든 그네의 언니가 애기를 낳았어요. 그런데 먹을 게 없는
겁니다.」

「전쟁과 기아, 그리고 죽음…… 어린 한형의 눈에 투영된 전쟁
의 한 그늘 속을 볼 수 있었지요. 특히 애기를 낳고 산모가 제대
로 먹지 못해 헛것이 보이는 그 참담한 정경이란──」

「그땐 누구랄 것 없이 다 그랬지요.」

모임에 나온 사람들이 잠깐 눈을 껌벅거렸다.

「그러나 그 처녀네만 남고 다 떠나가기 시작했어요. 난리가 끝
나 가고 있었거든요.」

「눈에 선합니다. 그 서둘러 떠나던 사람들……」

「다 고향이 있었기 때문이었죠. 굶어죽어도 고향에 가 죽자……」

「그러나 정임이네 이모는 갈 수가 없었어요. 해산을 했는 데다
찾아갈 데도, 찾아갈 사람도 없었겠죠.」

「드디어 한형네마저 떠나갈 날이 다가왔지요. 어른들은 고향찾아가는 그 기쁨에 들떠 남의 사정 같은 건 아랑곳 없고……」

「소년과 그 연하의 소년을 좋아한 처녀가 드디어 헤어지는 날이 온 거지요.」

「그네는 한형과의 별리를 무척 아프게 새기고 있었지요.」

「한형은 물에 젖은 그네의 몸이 높은 열로 떨고 있음을 알게 됐지요. 헤어짐과 열병……거기는 까마아득 먼 타향이었고……」

「다음날 새벽 정임이네 이모가 짙은 안개 속에 서 있었지요. 열로 해서 빛젫게 달아오른 얼굴로 언니가 벌거벗은 채 갓난애를 안고 산 속으로 들어갔다는 거지요.」

「그네는 자기 언니를 찾아 그 짙은 안개 속으로……」

아아——, 누군가 하품을 했다. 모임에 처음 나와 한형의 처음 얘기를 듣고 싶어하던 젊은이였다. 그가 서슴없이 말했다. 심드렁한 그런 표정으로.

「생각했던 것보다 얘기가 너무 감상적이네요.」

「맞습니다. 그건 감상적인 얘기가 틀림없읍니다. 지나간 얘긴걸요. 더우기 그것은 노형의 현실이 아니었으니까요.」

신문 사회면을 뒤적이며 말이 없던 한형이 결연히 끼어든 것이다. 한형이 다시 말했다.

「기왕에 벌인 것, 이젠 내가 얘기합시다. 내가 겪은 내 얘기니까요.」

강기슭 신작로에는 간밤 아버지가 말한 우리들이 타고 갈 고향 가는 트럭이 배기통으로 연기를 팡팡 쏟아내며 이제 마악 도착하는 참이었다. 새벽 가을의 강바람을 맞으며 트럭을 몰고 온 그 사람한테서는 냉기가 훅 끼쳤다. 그들은 모두 외국 병정들이 입다 버린 것 같은 헐렁한 군복을 되는 대로 걸치고 있었다. 운전수만 차를 손 보느라고 거기 남고 나머지 세 사람은 이제 버리고 갈 다 쓰러져 가는 우리 집으로 올라왔다.

차주라고 아버지가 엄마한테 소개한 그 사람은 나이가 좀 들어 뵈는 쪽이었고 나머지 두 사람은 턱수염이 똑같이 지저분한 데다 커다란 군화까지 신고 있어 그 인상이 퍽 안 좋아 보였다.

「저 아저씨들 군인인가?」 나는 엄마의 귀에다 말했다.

「아니란다. 모두 장사꾼이야.」

나는 그 두 사람의 지저분한 턱수염과 부리부리 핏발이 선 눈이 무서웠다.

「아주머이, 고향에 잘 가려면 우리헌테 잘 뵈어야 해유.」

「밥 좀 맛있게 많이 줌 하시우.」

「저 아주머니 인상 척 보아하니 밥맛 한번 기막히겠는데유.」

그들 두 사람은 마당에 서서 건너산 기슭 폐광 쪽으로 돌팔매질을 하면서 마당가 들화덕에 불을 피우는 엄마한테 농을 걸고 있었다.

고향 간다는 그 달뜬 마음 때문인지 엄마는 경둥경둥 날다시피 시냇물 있는 데를 오르내리며, 화덕 앞에 앉아서도 그 인상 안 좋은 사내들의 농을 받아 주며 귓밥을 발갛게 물들이고 있었다.

「저쪽 저 뒷간 같은 집에두 사람이 살구 있는 모양이네유?」

정임이 이모네 집을 가리켜 보이던서였다. 아직 햇빛 찾아들지 않은 그 집 뜰 앞에 세 아이가 나란히 서서 우리집 쪽을 건너다 보고 있었다.

「이제 저 집 하나만 남구 다 가게 됐어요. 빨리 집에 가고 싶어 죽겠네유.」

「아주머니, 지금 죽으면 고향엔 못 가는 거유.」

엄마가 살짝 그 사내들을 돌아다보며 발갛게 웃었다. 그러고보니 엄마의 어깨가 좁은 게 여간 밉지 않았다. 나는 문짝 대용으로 걸린 거적을 들치고 방안으로 들어가 버렸다.

「자네두 늦진 않았네.」

턱이 뾰족한 차주 아저씨가 말하고 있었다.

「고향에 가는 즉시 악착같이 뛰어야 한다구. 남의 눈치 볼 거 없어. 이런 난리통에 돈 못 모으면 언제 모으겠나?」

「형님만 믿고……해 봐야지요.」

「믿고 자시고가 문제 아니고, 그저 악을 써 벌자고 덤벼야 하네. 내 바른 말로 자네 선대인 밑에서 일꾼 노릇을 할 때야 저런 도라꾸를 굴릴 꿈이나 꿨겠나. 제기랄 놈의 꺼, 나두 이제 떵떵거리구 살게 됐네.」

「아, 그러믄요. 형님이야 이제……」

「내가 예까지 차를 몰고 온 것도 자네와의 옛정 때문이여.」

「아이구, 형님. 이거 멘목 없읍니다.」

「좌우지간 해 보라구. 이런 관국일수록 눈만 제대로 뜨고 보면 댄 돈벌이니께.」

아버지가 고개를 크게 끄덕거리고 있었다. 얼굴이 벌겋게 달아오른 채.

「세 도라꾸두 더 되는 탄피를 감춰 두고 있는 사람이 있는데 말씀이야, 고게 잘 안 되거든!」

차주 아저씨는 짐짓 목소릴 낮춰,

「허지만서두, 고놈의 걸 몽땅 빼내 오는 방법이 있단 말씀이야.」

「어떻게요?」

「우선 군 부대에서 압수하도록 해야지.」

「그러면──?」

「그야, 다시 빼내 오면 되는 게 아닌가. 돈이 좀 들긴 하겠지만 돈 버는 데 돈 안 쓰고 되는 일 없지!」

「어떤 사람들은 아주 차를 끌고 가서 남들이 피난 갈 때 파묻고 간 세간살일 몽땅 파 싣고 온다던데요?」

「뭐, 이 전시에 그럴 수도 있잖은가. 실은 우리두 그걸 몇 탕 해서 재미 좀 봤지. 제기랄 놈의 꺼, 지금 관에 니꺼 내꺼가 어딨어. 잡은 놈이 임잔 거야. 좌우간 저 밖에 있는 친구들이 그 방면엔 도살세. 지금은 나하고 동업 비슷한 처지가 됐지만서두.」

「저치들 인상 고약하던데요.」

「어디 인상뿐인 줄 알아? 무서운 놈들이야. 난리 전엔 화장터
에서 일하던 사람들인데, 돈 벌려고 이 악물고 나니까 무서운 게
없는 모양이더군. 저 작자들 다 썩어가는 중공군 시체더미를 뒤
져대는 꼴을 보면……중국 돈, 시계, 반지, 누비바지……닥치는
대로 주어 봤지. 지금 저것들 주머니 속엔 중공군 아가리에서 빼
낸 금이빨이 수두룩할 걸세.」

「이번 난리통에 사람 많이 죽었지요?」

「죽다마다! 참말이지 숱하게 죽었네. 골짜기마다 되놈들 시체
가 산더미처럼 쌓여 썩어 가더군. 어디 그놈들만 죽었나. 우리두
많이 죽었네. 억울하게 죽은 사람두 많구……그게 난리 아닌가!
아뭏든 죽지 않고 산 것만 천행으루 알아야지. 살았으니 또 먹어
야 살구. 제엔장, 이제 옳이 사는 놈 서러운 세상 올 꺼니 두고
보라구.」

거적문을 들치고 밖에 나와 보니 두 사내가 아직도 건너 산을
향해 팔매질을 하고 있었다. 해는 제법 솟아, 아직은 제 빛으로
무성한 풀섶 이슬방울에 닿아 현란히 부서지고 있었다.

「왔다나, 저놈의 골짜기 저 안개 좀 보라구!」

안개 자욱하게 핀 골짜기였다. 그 안개는 햇빛과 바람에 쫓겨
더 깊은 데서 서물서물 숨는 것처럼 보였다. 이제 초가을 조금은
칙칙해 보이기 시작한 산빛이 안개 비켜 간 자리에 선명했다.

언니이이——안개를 거느리고 골짜기로 오르면서 부르짖던 그
네의 목소리가 귓가에 아리아리 남아 돌았다. 동우야, 비밀——,
동우야, 비밀——, 나는 그네의 비밀을 찾아 안개 속으로 둥둥
떠올랐다.

「거, 정말 묘하게 생겨먹은 골짜기구면!」

골짜기를 치어다보는 두 사내들의 콧구멍이 벌름벌름 했다.

「누깔 한번 좋았다!」

「봐라, 이눔아. 저놈의 골짜기 생겨 처먹기를 꼭 계집 사타구
니 같잖은가 말이야.」

「히이야, 그러고 보니 증말 똑같구나.」

「저 가운데 더부룩한 잣나무 숲을 보라지. 거 숲 한번 무성하다. 히히.」

그들 두 사내의 눈이 엄마의 펑퍼짐한 엉덩이에 가 있었다. 엄마가 그들 낄낄 웃는 소리에 귓밥을 발갛게 달구며 잰 걸음쳐 시냇가로 내려갔다.

「어이구, 근지러워!」

「제기랄, 이럴 땐 할망구가 아니라 할망구 에미라두 덮치겠다.」

「거 아무래도 이상해. 저놈의 골짜기를 보고 있을래니까 별놈의 생각이 다 난단 말이야.」

「알겠다, 이눔아. 너 지금 공작산 속에서 그 계집 덮치던 생각을 했재?」

「예끼, 이눔아. 넌 안 덮쳤냐?」

「좌우지간 그 계집 몸통 한번 좋더라니!」

그들은 자꾸 낄낄 웃었다. 엄마가 다시 냇물에서 올라오며 눈을 살큼 치며 두 사내를 바라보고 있었다.

워꾹, 워꾹, 워, 워꾹, 워꾹

집 뒷산 할머니 묻힌 노송 있는 데서 뻐꾸기가 울었다. 그 순간이었다. 실로 나는 묘한 환청(幻聽) 상태로 빠져들었다. 처음 그것은 바람소리 같았다. 바람소리처럼 음절이 없는 그런 울림이었다. 그 음향이 내 몸 속 구석구석으로 파고들었다. 나는 뱃가죽에 뿌듯한 힘을 느끼면서 보고 있었다. 두 마리의 개가 골짜기 그 안쪽을 향해 짖어대고 있었던 것이다. 내가 개 곁으로 다가가고 있었다. 계속 컹컹 짖고 있는 개를 향해 내 발이 들려졌다. 그렇다고 그 발로 걷어찬 것은 아니었다. 그러나 그 두 마리의 개가 비명을 냈다. 내가 본 이적은 바로 그것이었다. 두 사내가 땅바닥에 뒹굴었던 것이다.

「많이들 드시우. 찬 없는 밥이지만.」

아버지가 말했다. 뒤늦게 올라온 트럭 운전수는 뿌르퉁한 얼굴로, 헐렁한 군복을 걸친 턱수염 지저분한 사내들은 연신 낄낄거리며 안남미로 지은 그 냄새 나는 밥을 걸신들린 것처럼 퍼넣고 있었다.

「한씨, 참 조온데 살았네유!」

턱수염 지저분한 사내 중 하나가 밥을 아귀아귀 씹으며 말했다. 다른 한 사내가 밥을 입에 가득 문 채 낄낄거렸다.

「제엔장, 경치가 밥 먹여 주나요. 이놈의 피난살이 언제 면하나 했더니……」

「좌우지간 이담에 좋은 세상 되거든 아주머이하고 한번 다시 와 보시우. 경치 아주 조오쏩디다. 오모옥한 것이…… 히히.」

「참, 자네 그렇잖아두 또 오긴 와야겠구던. 자네 돌아가신 자당님 고향으로 모셔야 하지 않겠나 말이야.」

차주 아저씨가 다시 말했다.

「거, 노인네 조금 더 사실 것이지.」

얘, 아범아. 이 길이 남쪽으로 가는 게냐, 북쪽으로 가는 게냐? 피난민 수용소에서 이 폐광촌으로 옮겨 올 때 할머니가 말했다. 서쪽으로 가는 거예요. 아버지가 이처럼 엉뚱하게 대답했고 할머닌 머쓱한 얼굴을 했다. 얘들아, 난 그냥 집에 있을란다. 피난을 떠나야 할 참에 할머니가 고집을 부렸다. 여름 난리 때 북쪽으로 간 삼촌 때문이었다. 삼촌이 꼭 올 거라는 얘기였다. 걔가 왔는데 집이 터엉 비었어 봐라, 걔가 얼마나 섭섭하겠냐.

「허지만 이놈의 험한 세상 더 보잖구 잘 돌아가셨지 뭐!」

차주 아저씨의 말을 엄마가 받았다.

「아이구, 우리 어머님 더 사셨더라두 그 애상에 산 사람이 더 못 견뎌났을 거예요.」

얘, 어멈아, 걔가 덮던 이불은 땅에 묻으면 못 쓴다. 제 집 찾아와 제 때묻은 이부자리 덮어야 좋은 게여.

「얘들아, 이거 더 먹어라.」

거적문 걸어 건 문지방 밑에 정임이 이모네 아이들 셋이 줄레

줄레 앉아 엄마가 준 숭늉밥을 손으로 건져 먹고 있었다. 열 한
살이 된 벙어리 계집애와 바로 그 밑의 사내애가 서로 남비를 붙
잡고 실랑이를 벌였다. 그 가운데 앉은 세살박이 눈이 쮕한 계집
애의 손이 그 남비 속에서 숭늉밥을 움켜쥐느라 꽤나 암팡지게
움직였다.

「쟤들, 큰일났네요.」

엄마가 아버지 귀에다 살짝 말했다.

「뭐가 큰일이야. 즈 엄마와 이모가 있는데——」

아버지가 트림을 하며 시풍덩한 얼굴로 받았다. 엄마 또한 그
아이들에 대해서 더 이상 입을 열지 않은 채 이삿짐을 싸기에 바
빴다.

「야, 느 엄마 이쁘겠다.」

턱수염 더부룩한 사내가 담배를 피워물고 벙어리 계집애의 볼
을 꾹 질렀다.

덕국이냐? 거적문 그 안쪽 비릿한 냄새 나는 어둠 속에서 정
임이 이모의 언니 말소리가 났다. 덕국 좀 줘라, 이 망할놈의 계
집애야. 해산 뒤끝이 안 좋대요. 엄마가 말했다. 이 난리통에 웬
애는…… 아버지가. 그걸 맘대루 허우? 엄마가 아버지의 넓적다
리를 슬쩍 꼬집어 뜯는 눈치였다.

「이것두 걷어 가거라.」

엄마가 우리들이 방에 깔고 살던 다 떨어진 기직을 가리켰다.
이미 정임이 이모네 아이들은 우리가 버린 헌 세간살이를 마당
한구석에 수북이 모아 놓고 있는 참이었다. 마치 그것들을 지니
고 이 골짜기에서 영원히 살 것이나처럼.

해가 좀더 높이 솟아 있었다. 숲에서 철늦은 쓰르라미가 울었
다. 햇빛 속에 자오록 멀어 보이는 계곡의 그 안쪽에는 아직도
안개가 스멀거리고 있었다. 나는 찬 시냇물에 발을 담그고 선 채
골짜기에서 눈을 뗄 수가 없었다. 동우야, 느네두 고향 갈 거지?
내 발가벗은 몸을 밀고 있는 그네의 손이 불처럼 뜨거웠다. 나는

고개를 돌리지 않고도 그네를 볼 수 있었다. 물에 젖어 늘어뜨린 그 긴 머리채와 물에 젖어 몸에 붙은 치마저고리——그네는 울고 있었던 것이다. 동우야, 우리 언니가 불쌍해 죽겠다. 높은 열로 해서 그네의 몸이 사시나무처럼 떨렸다. 이를 딱딱 부딪쳐 떠는 그네의 몸을 내가 안았다. 보기보다 작은 그네의 도톰한 입술이 열로 해서 까칠하게 터 있었다.

「이 자식아, 빨리 집에 가구 싶지 않냐?」

아버지가 이불 보따리를 메고 시냇물을 철벙철벙 건너며 말했다. 산비탈 누렇게 익은 채 베지 않아 다 삭아내리는 겉보리밭에서 장끼 한 마리가 요란한 날개빛을 털며 날아올랐다.

운전수가 직각으로 두 번 꺾인 쇠막대로 차의 발동을 걸고 있었다. 아버지와 나, 그리고 군복을 헐렁하게 걸친 두 사내——이렇게 넷이 곡식 가마를 높이 실은 트럭 꼭대기에 자리잡고 앉았다. 차주 아저씨는 운전석에 앉았다. 엄마는 운전수와 차주 아저씨의 그 가운데 타기로 돼 있었지만 아직 차에 오르지 않은 채 차 꼭대기의 우리들을 올려다보며 울상을 했다.

「동우 아버지! 쟤들……」

엄마가 눈짓하는 신작로 옆 미류나무 밑에 정임이 이모네 세 아이들이 콧물을 줄줄 빼물고 서 있었던 것이다.

「아직 안 왔대? 걔들 엄마 말이야.」

아버지가 묻고 엄마가 그냥 눈을 내리깔았다.

「얘들아, 얼릉 집에 올라가 봐라. 느네 엄마 지금 왔을 거다!」

아버지가 그 세 아이들을 향해 필요 이상 큰 목소리로 말했다. 그러나 아이들은 눈만 멀뚱거릴 뿐 꼼짝도 하지 않았다. 그 세살박이 눈 꿰한 계집애의 눈이 내 눈과 마주쳤다. 철쭉꽃 세 잎을 입에 문 그네의 가슴에 내 얼굴이 묻혔다. 하늘의 구름처럼 내 몸이 둥둥 뜬 느낌이었다. 그네의 몸냄새였다. 나는 목뒤가 섬뜩하여 그네에게서 물러섰다. 세살박이 눈 꿰한 그 계집애가 가느다란 손가락으로 내 목을 꼬집고 있었던 것이다.

「얘들아, 느덜 이담에 고향에 오거든 우리 집에 놀러 오너라!
느 이모하고 함께 오면 된다.」

아버지가 다시 큰 목소리로 말했다. 개가 보통애는 아닌가 베.
아버지가 엄마한테 정임이 이모 얘기를 했다. 우리 식구는 열병
을 앓고 있었다. 동우야. 눈을 떠 보면 그네가 내 이마에 손을
얹고 있었다. 그런데 자꾸 헛것이 보였다. 내가 헛소릴 쳤다. 수
진아, 수진아. 피난민 수용소에서 마마로 얼굴이 퉁퉁 부어 죽은
수진이가 내 목을 조였다. 동우야. 갑자기 정임이 이모가 내 얼
굴에 이불을 덮어 씌웠다. 그리고 내 몸 위에 올라앉았다. 나는
끝없이 영롱한 자색의 하늘 속을 헤엄치기 시작했다. 나는 죽고
있었던 것이다. 죽으면서 몸부림쳤다. 그리고 그 영롱한 자색의
허공 속으로 까마아득 떨어져 내리기 시작했다. 그네가 내게서
이불을 걷어냈을 때 나는 온통 땀 속에 누워 있었다. 소나기 내
린 뒤 빗물에 씻긴 청신한 나뭇잎처럼 쇄락함이었다. 나는 날듯
가볍게 몸을 일으켰다. 살아났던 것이다.

「쟤들 엄마가 어딜 갔우?」

턱수염 더부룩한 사내 하나가 아버지한테 물었다.

「글쎄, 이 난리통에 앨 낳어요. 그리고 미쳐 버린가 봅디다.」

「미쳤다구요?」

「오늘 아침엔 빨가벗구 그 갓난애를 안은 채 저 골짜기로 들어
갔답디다.」

「히야아, 예뻐요?」

「예쁘면 뭘 하우? 미친 걸. 예쁜 거야 쟤들 이모지요. 즈 언
닐 찾으러 저 골짜기로 들어갔지만——」

아버지가 힐끗 내 눈치를 봤다.

「쟤들 아버진 죽었우?」

「죽었지요. 난리가 터지면서 금방 죽었답디다.」

아버지가 어렵잖게 대답했다. 정임이네 이모의 비밀을 알고 있
는 건 나뿐이 아니었구나. 가슴이 팡팡 뛰었다. 아버지가 미웠다.

텅텅텅 차의 발동이 걸렸다. 배기통으로 연기가 펑펑 쏟아져
나왔다.

「거, 한세, 진작 우리한테 그 얘길 할 것이지!」

「뭘요?」

「아, 쟤들 엄마를 찾아다 주고 가면 좋았을 껀데……」

「거참, 하난 빨가벗구, 또 하나는 미인에다 아다라시라?」

턱수염 지저분한 사내들은 주고받으며 낄낄거렸다.

「어쩐지 조놈에 골짜기가 이상해 보이더라니!」

「예끼, 이놈! 또 환장하는구나.」

차가 출렁 움직이기 시작했다. 미류나무 밑에 웅크려 앉았던
세 아이들이 모두 일어서 있었다. 아홉 살 난 사내아이가 우리를
향해 손을 흔들어 보였다. 나는 문득 골짜기를 쳐다봤다. 계곡의
그 안쪽에 아직 자오록 안개가 피어 있었다.

그 안개를 보는 순간 나는 심한 변의(便意)를 느꼈다. 나는 그
자리에서 바지를 내려 내깔기고 싶었다. 그러나 난 똥이 마렵다
는 그 말 한마디조차 입 밖에 낼 수가 없었다. 그 변의와 함께
이상한 무엇이 뱃속 깊은 데서 뻗쳐 오르고 있었던 것이다. 입을
열기만 하면 벼락 같은 고함이 터질 것 같은 그런 힘이었다. 차가
햇빛을 받아 번쩍이며 유유히 흘러내리는 강을 거슬러 움직여 나
갔다.

하나, 둘, 셋…… 나는 뱃속 깊이에서 뻗쳐 오르는 힘으로 하
여 몸을 덜덜 떨면서 무의식중 숫자를 헤아리고 있었다. 여덟이
라는 숫자가 혼란된 머릿속을 꽉 메웠다.……넷, 다섯, 여섯——
그리고 나는 숨을 훅—들이마시며 마지막「여덟」을 세었다. 무슨
소린가 들렸다. 트럭이 출렁 하면서 얼마쯤 더 나가 멈췄다. 차
가 섰던 자리에서 불과 이십여 미터가 떨어진 곳이었다.

내가 체험한 또 하나의 이적이었던 것이다.

얼굴이 벌겋게 달아오른 운전수가 차에서 내려 자동차 앞바퀴
를 발로 두어 번 찼다. 그리고 트럭 짐 꼭대기 위의 우리들을 힐

끗 쳐다보았다. 나는 얼굴이 화끈했다. 그러나 그때는 이미 변의 도 씻은 듯이 가시었고 뱃속에 그 견디기 어려운 치받히는 힘도 사라진 때였다. 운전수가 길바닥에 침을 찍 뱉으며 허리에 손을 얹고 허허로이 흐르는 강을 굽어보고 있었다.

「이봐, 김씨, 스페야 안 가져왔지?」

차주 아저씨가 차에서 내려서며 말했다. 운전수는 대답 대신 길바닥에 쭈그려 앉으며 담배를 찾아 물었다.

「한 서너 시간 걸려야 오겠죠?」

운전수가 차바퀴 튜브를 사러 시내 쪽으로 터벌터벌 사라진 뒤, 아버지는 몹시 계면쩍은 얼굴을 했다.

「그 친구 해 넘어가기 전에 오면 잘 오는 거네.」

차주 아저씨가 뚱한 얼굴로 말했다.

해가 중천에 솟아오르는 그런 시간이었다. 초가을 햇볕이 등에 따갑게 부어져 내리고 있었다.

「제기랄 놈의 꺼, 이러다간 낼 아침에야 짐 내리게 생겼군.」

턱수염 지저분한 사내 하나가 양주병을 입에 댄 채 마시면서 말했다.

「야, 우리 쟤들 엄마나 찾아 보자!」

다른 사내가 술병을 든 사내의 옆구리를 꾹 질렀다. 술병을 든 사내가 앞 사내의 얼굴을 한참 동안 멀거니 쳐다보더니 씩 웃었다.

「우라질 놈 같으니라구!」

그들은 마주 보며 낄낄거렸다. 드디어 그들이 몸을 일으켜 세우는 걸 보았다.

「저놈에 데 아직두 안개가 안 걷혔구나.」

「고놈에 데가 수상쩍단 말이야. 꼭 생겨먹길 계집 거기 같아 가지곤……」

「거 쓸데없이…… 좌우간 늦지 않도록 빨리 내려와야 해!」

골짜기를 오르는 그들을 향해 차주 아저씨가 소리쳤다. 그리고 혼잣소릴 했다.

「쥑일 놈들!」

나는 세 아이들 곁으로 다가갔다.

「느네 엄마랑 이모 찾으러 가는 거야!」

군복 헐렁하게 걸친 사내 둘이서 휘휘 산비탈을 오르는 걸 손짓해 보였다.

「울아버지두 저런 옷 입구 왔었다. 그전에!」

사내아이가 코를 훌쩍 들이마시며 말했다. 이 새끼야, 느 아버지 죽었어. 나는 말해 주고 싶었다. 그러나 나는 벙어리 계집애의 맨발을 꽉 밟아 주었을 뿐이다. 그 계집애의 눈에서 눈물이 뚝뚝 떨어졌다. 세살박이 계집애가 제 언니의 발등을 어루만지며 그 휑한 눈으로 나를 올려다보았다. 나는 그냥 돌아섰다.

엄마가 강기슭 얕은 물에서 골뱅이를 줍는 게 그림처럼 보였다. 강심의 물주름이 햇빛을 받아 은빛으로 빤짝거리며 흘러내리고 있었다. 강건너 먼 데 산이 바람꽃에 싸여 뿌우옇게 윤곽을 드러냈다.

나는 골짜기에서 흘러내린 시냇물과 강의 흐름이 합류하는 지점의 자갈밭에 누웠다. 바람소리와 물 흐르는 소리에 섞여 간간 물새의 지저귐이 들려 왔다.

아슴아슴 눈이 감겨 내렸다. 오빠야, 나두 집에 가구 싶다 모. 피난민 수용소 그 뒷산 골짜기에 묻은 수진이가 내 앞에 서 있었다. 수진이가 아니었다. 얘야, 난리가 이제 끝났다며? 하얀 옷을 차려 입은 할머니가 아기처럼 아장아장 걸어오고 있었다. 얘, 아범, 왜 이러냐? 아버지가 할머니를 가마니에 둘둘 말았다. 할머니가 아니었다. 머리가 없는 사람들의 몸뚱이가 하나씩 가마니에 말려 강물에 떠내려 오고 있는 게 보였다. 손을 내밀면 잡힐 수 있는 그런 거리였다. 머리 없는 몸뚱이들이 가마니 속에서 꿈틀대며 떠내려 오고 있었다. 나는 뒷걸음질치기 시작했다. 그러나 내가 딛고 선 강기슭 땅이 무너져 내리기 시작했다. 내가 나무토막처럼 묶여 떠내려 가고 있었다. 나는 내가 섰던 강 언덕을 보았다. 내가 강 언덕에 서서 떠내려 가고 있었다.

내가 강 언덕에 서서 떠내려 가는 나를 무심히 내려다보고 있었다. 그것은 전연 남이었다.

「동우야, 이거 먹어라!」

엄마가 흔들어 깨우고 있었다. 썰렁한 바람이 강을 훑어 오르면서 강물에 물주름을 짓는 게 보였다. 해가 서쪽으로 뉘엿뉘엿 기울어 먼 데 산등성이에 반 뼘쯤 걸려 있었다. 나는 사방을 휘휘 둘러보았다. 그 아이들이 보이지 않았다.

곡식 가마를 까마득 높이 실은 트럭 밑에서 아버지와 차주 아저씨가 무엇인가 먹고 있는 게 보였다.

「엄마, 그 아저씨들 왔나?」

대답 대신 엄마가 골짜기 쪽으로 고개를 돌렸다. 눈 돌려 본 거기──우리가 살던 그 폐광촌까지 온통 안개였다. 햇빛 걷힌 골짜기에 가끔 저녁 안개가 끼곤 했지만 이날처럼 짙은 안개는 처음이었다. 더 이상한 것은 강심에서 피어올라 시냇물을 거슬러 숨어들게 마련인 안개가 오늘은 그렇지가 않았다. 계곡의 그 안쪽에서부터 우우 밀려 내려오고 있는 안개였다. 시냇물을 따라 그렇게 서서히 번져내리고 있는 그 안개 속에 두 사내의 거뭇한 윤곽이 휘적휘적 움직이고 있었다. 그들이 몸에 안개를 묻혀 가지고 내려오면서 뿜어대는 꼴이었다.

「동우야, 어디 가니?」

골뱅이국을 든 엄마가 뒤에서 외쳐댔지만 나는 그 두 사내를 향해 골짜기로 치뛰기 시작했다.

워꾹, 워꾹, 워─워꾹

안개 자오록한 산골짜기 그 안쪽에서 뻐꾸기가 울었다.

「임마, 어디 가냐?」

정임이 이모네 집 근처에 이르러 그 두 사내를 만났다. 군복 헐렁하게 걸친 그 사내들의 눈빛은 게게 풀려 보였다.

「못 찾았나요?」

내가 헐떡이면서 물어 보았다.

「옛다, 이거나 먹어라.」

그 사내들 중 하나가 아직 덜 익은 개암 한 움큼을 내밀었다. 어이구, 우리 수진이 개금(개암) 따 먹으러 갔구나. 해 꼴각 넘어간 그 휘휘한 저녁 때마다 할머니는 방문턱에 걸터앉아 죽은 수진이를 생각했다.

그 사내들은 이미 나를 지나쳐 저만큼 휘적휘적 내려가고 있었다. 나는 손에 든 그 담록색의 각질 열매를 안개 속으로 던져 버렸다. 그 개암들이 문득 죽은 중공군 입에서 빼낸 금이빨처럼 보여진 것이다.

정임이네 이모 집에서 세 아이들이 나를 향해 다박다박 걸어오는 게 보였다.

나는 그 아이들로부터 도망쳐 내려가지 않으면 안 되었다. 몸을 돌려 내려다본 강기슭 큰길에도 이미 안개가 스먹스먹 깔리고 있는 참이었다.

튜브를 가지고 돌아온 운전수가 차바퀴를 빼고 있었다. 트럭에서 조금 떨어진 길가에 네 사람이 모여 수군거렸다. 나는 마중나온 엄마의 손을 뿌리치고 그들에게로 다가갔다.

「그 갓난애가 정말 죽었더란 말이지?」

차주 아저씨가 다그치고 있었다.

「그렇다니까 왜 자꾸 물어유?」

「좌우지간 그 죽은 애새낄 놓고 두 미친년들이 싸워대는데, 처음엔 기절하겠읍디다.」

「참말이지 내 평생 두 번 못 볼 희한한 꼬락서닐 구경했구먼!」

「하난 뻘거벗구 또 한 계집은 머릴 풀어 헤치구……」

워꾹, 워꾹, 워—워꾹

좀더 가까운 데서 뻐꾸기가 울었다. 폐광굴 그 속 제 집을 찾아드는 모양이었다.

「그래 자네들은 정말 그걸 구경만 했다구?」

차주 아저씨가 말했다.

「이거 왜 이래유? 자꾸.」

「그까짓 미친년들 좀 어떻게 했다구 누가 뭐랠 놈 있대요?」

그 사내들이 기세등등하게 나왔다.

「예끼, 이 사람들!」

이처럼 큰소리 쳐놓고 차주 아저씨는 목소릴 착 낮춰,

「그래, 죽이진 않았겠지?」

두 사내가 수염 더부룩한 턱을 치켜 들고 병째 술을 마시면서 대답 대신 낄낄 웃었다.

어둠과 그 어둠을 더욱 짙게 하는 안개가 강변까지 삼켜 버리기 시작한 그 시간 나는 그들 곁을 떠났다. 무엇이, 그 어떤 힘이 나를 그 산기슭까지 끌어올렸는지 모른다. 그것이 아니었을 것이다. 내가 그들 곁을 떠나 산기슭 적당한 위치에 몸을 감춘 것은 그냥 한 아이의 심술이었을 뿐이다. 내 심술난 뜻을 그들에게 전할 수 있는 단 하나의 방법이라고 확신하게 된 아이의 작은 지혜였을 뿐이다.

「동우야아!」

골짜기의 그 어둠과 안개 속을 향해 자꾸자꾸 외치고 있는 아버지의 목소리가 우아우아 산울림이 되어 돌아오고 있었다.

「동우야아!」

울부짖는 엄마의 목소리가 들려 왔다.

이것이었다.

그네들은 나를 그렇게 섭사리 포기하고 떠나지는 못할 것이다.

나는 살아 있는 그네들의 피였다. 심술난 아이가 터득한 지혜는 바로 이것이었다.

곧 떠날 듯이 부릉부릉 겁주던 트럭이 숨을 죽였다. 잠깐씩 어둠의 한 모퉁이를 찢었으나 다시 그 어둠 속의 안개에 밀려 흩어지던 트럭의 헤드라이트 빛마저 눈을 감았다.

나는 안개와 어둠의 그 고요 속에서 강물 흐르는 소리를 똑똑히 들었다. 그리고 그 거대한 트럭을 옴쭉달싹 못 하게 묶어버린 기꺼움으로 하여 몸을 떨었다. 어떤 이적이라도 해 보일 수 있는 자신이 뱃속 깊은 데서부터 뿌듯이 치밀어 올라 어금니에 섭혔다.

이를테면,

──일어나!

눈에 핏발서고 턱수염 지저분한 사내들이 몸을 벌벌 떨면서 일어선다.

──앞으로 가!

앞에는 강물, 안개와 어둠 속을 유유히 굽이쳐 흐르는 강물.

──이 새끼들아, 저리 들어갓!

심술난 아이의 머릿속에 우선 떠오른 생각이었다.

그 먼 길 어디쯤

　한형(韓兄)이 정신병 환자라고 생각하는 사람은 아무도 없었다. 그렇다고 그가 지극히 정상적인 생각과 행동거지를 하는 범상인이라고 자신있게 못박아 말할 사람 또한 없다고 봄이 옳을 것이다.

　한형은 그런 요령부득의 인물이었다. 한마디로 좀 별난 친구라는 표현에 걸맞는 그런 구석을 지니고 있었던 것이다. 그의 직장 동료들도 뭔가 개운치 않다는 듯 고개를 갸웃거리며 그에 대해서 분명한 단안을 내리기를 꺼려했다.

　「그 사람은 어떻게 보면 너무나 평범한 일상을 가지고 있지요. 우리와 똑같은 시간에 똑같은 일을 같은 방법으로 하고 있어요. 우리보다 더 부지런하지도 않고 그렇다고 태만한 것 같지도 않아요. 퇴근길에 어울려 술 한잔을 나누며 비위 틀리는 웃사람에 대해서 우리처럼 불평을 늘어놓을 줄도 알고, 세상 돌아가는 형편에 대해서 때로는 어린아이처럼 손뼉을 치기도 하며 또 어떤 때는 주먹을 쥐고 분개하기도 했어요.」

「그런데도 뭔가 우리와는 근본적으로 달라 보인단 말이야.」

「글쎄 그 다른 점이 뭔지를 꼭 집어서 말할 수 없다니까요.」

「굳이 말하자면 그는 처음부터 우리가 관심 밖에 던져둔 삶의 어떤 문제를 지나치리만큼 집요하게 물고 늘어진다든가 나중에는 그것으로 해서 숫제 괴로와하는 점이 다르다고나 할까요.」

「맞아, 한형과 얘기를 나누고 있으면 어느 결에 우리들 자신의 일상이 문득 부끄러워지면서 잊혀진 과거의 몇 가지 몇몇하지 못했던 일이 살아나게 되더군. 그러나 우리들에게 그 과거가 잠시 되살아났다고는 하지만 우리는 그 일로 해서 괴로와하는 일이 있다든가 현재의 삶에 어떤 변화를 일으키는 일 같은 건 없었지. 문제는 바로 그거야. 한형이 우리들과 다르다고 하면 바로 그 점일 거야. 그는 사소한 과거의 일을 잊지 못하고 그것으로 해서 괴로움을 겪으며 또한 그 일로 해서 현재의 삶에 막대한 영향을 받고 있거든……」

「아하, 한형이 결혼생활에 세 번씩이나 실패한 일을 두고 하시는 말씀이군요.」

그들 말대로 한형이 세 번씩이나 결혼에 실패한 것은 사실이었다. 한형이 그 여자들을 버렸는지 아니면 그 여자들이 한형에게서 스스로 떠나갔는지 그 문제야 별것으로 친다고 하더라도 한형에게 있어서 가정이란 결코 따뜻한 보금자리의 구실을 못해본 것만은 숨길 수 없는 사실이었던 것이다. 그는 세 여자와 갈라섰다. 세 여자 모두 한형의 아이를 남기지 않고 떠났다. 한형에게 있어서 그것은 지극히 다행한 일이라고 봐야 할 것이다. 한형이 그런 말을 했다. 내가 아이를 원하지 않았던 거지요.

한형과 제일 먼저 결혼해서 5년여를 함께 산 뒤에 갈라선 한형의 첫번째 여자가 말했다.

──그이는 결혼초부터 아이를 원하지 않는다고 말했지요. 그렇다고 해서 그이나 내가 피임에 특별히 신경을 쓴 적은 없었다

구요. 그래서 난 그이가 말만 그렇지 실제로는 아이를 낳아도 좋
다는 것이구나 생각하고 안심을 했지요. 그런데 우리에겐 결혼 2
년이 넘도록 아이가 생기지 않았어요. 나는 그이나 나한테 어면
결함이 있을 것이라고 싫다는 그이를 억지로 끌다시피 병원에 가
검사를 해 봤지요. 두 사람 다 아무런 이상이 없다는 거였어요.
그래도 믿기지 않아 다른 병원엘 찾아갔더니 거기서도 결과는 마
찬가지였어요. 그래서 내가 늘 그이한테 물어 보았지요.
「왜 우리는 아이를 낳을 수 없을까요?」
그럴 때마다 그가 단호하게 잘라 말했지요.
「내가 아이를 원하지 않기 때문이야.」
「아이를 원하지 않는다고 해서 아무런 이상이 없는 우리가 정
상적인 부부의 그런 잠자리를 하면서도 아이가 생기지 않는다는
것은 도저히 있을 수 없는 일이에요.」
그가 대답하더군요.
「아니지, 그건 가능해. 적어도 내 경우엔 그것이 충분히 가능
한 일이란 말이야.」
그이는 그런 사람이었어요. 아무리 부부관계를 가져도 자기가
아이를 원하지 않는 이상 수태가 될 수 없다고 말하는 거였어요.
과학적으로 있을 수 없는 얘기를 그처럼 철저하게 주장하는 그이
와 5년여를 함께 사는 동안 나는 차츰 그이의 말이 맞을는지도
모른다는 생각을 하게 됐지요. 그 막연했던 생각이 거의 확신에
가까와지자 나는 더이상 그이와 함께 살 수 없었지요. 그이가 무
서웠던 거예요.
한형의 첫번째 여자가 몸서리를 치면서 말했다.
한형과 3년을 함께 산 두 번째 여자가 역시 아이를 낳지 않으
려는 한형의 그 고집을 이혼 이유로 서슴없이 내세우면서 좀 다
른 면에서 한형에 대해 달했다.
——퇴근해서 집에 돌아온 뒤의 그의 생활은 한마디로 재미가
없었어요. 그는 늘 혼자 있기를 좋아했죠. 그렇다고 방안에 혼자

박혀 무슨 특별한 일을 하는 것도 아니라구요. 그는 남이 잘 알아듣지 못하는 혼잣소릴 하면서 시간을 보냈어요. 그때 마침 친정 어머니와 함께 살았는데 그이가 혼잣소릴 할 때마다 어머니는, 저 사람 저거 실성한 사람이다, 그렇게 말할 정도로 심했어요. 내가 약이 바싹 올라 무슨 소릴 그렇게 혼자 떠드느냐고 다그치면,

「혼자 떠들고 싶어 그러는 게 아냐. 당신이나 장모하고 그 얘기를 나누고 싶지만 그게 어디 당신이나 장모한테 재미있는 얘기여야지.」

「무슨 얘긴데 그래요?」

내가 이렇게 따지고 들 때마다 그는 무척 쑥스러운 표정을 보이면서 대답하곤 했지요. 그 얘기라는 것도 경우에 따라서 내용이 전연 다른 게 많았는데 대충 이런 거였어요.

「일곱 살 먹은 사내아이가 생판 처음인 타향 어느 벌판에 버려졌거든. 가을이었어. 바람이 우수수 나뭇잎을 흔들면서 지나갔지. 그 아이는 자동차가 먼지를 뿜으며 달려간 그 방향을 향해 계속 걸어 나갔지. 처음엔 뜀질을 했지만 곧 지쳤기 때문에 타박타박 걸어서 갔지. 걸어도 걸어도 사람이 사는 집은 보이지 않고 어느새 어둠이 그 아이를 집어삼켰어. 그 아이는 발이 아픈 것보다 배가 고파 울었을 거야. 아니지, 배고픈 것보다 더 무서운 건 길을 볼 수 없는 그 칠흑같은 어둠이었을 거야. 누나야아──그 아이가 어둠 속에서 울음 섞어 외치고 있었어. 이모야아──이번에는 그 아이가 이모를 찾으며 벌벌 떨리는 울음소리를 냈어. 밤바람이 그 아이의 울음소리를 떨리게 한 거야. 엄마, 엄마야──그 아이의 목소리가 다급해졌지. 아마 그 아이는 어둠 속에서 발을 헛디뎌 묵은 밭고랑을 걷고 있었을 거야. 어둠이 그 아이의 모습을 삼켜 버렸지만 아직 어둠 속에서 그 아이의 울음소리는 그치지 않고 들려 왔거든. 나는 매일 그 아이의 울음소리를 듣고 있어.」

얘기 내용은 꼭 미친 사람 것인데 그 얘길 하는 그의 표정이

너무 진지하고 실감이 나 내가 물었어요.

「도대체 그 아일 누가 버렸어요?」

그러자 그의 표정이 활짝 밝아졌어요. 내 손을 쥐면서 그가 말하더군요.

「당신, 이제 보니 나하고 얘기가 통하는군. 바로 그거야. 그 아일 누가 버렸지?」

「그건 당신이 알 거 아네요?」

「그렇군. 그 아일 버리는 걸 본 사람은 나밖에 없었으니까.」

「당신이 그 아이를 버렸단 말예요?」

「아니지, 내가 왜 그 아이를 버리나?」

「그럼 도대체 누가 그 애를 버렸단 말예요?」

「글쎄, 그게 이상하다니까. 운전수가 차를 세웠거든. 아니지, 운전수한테 누가 차를 세우라고 말했을 거야. 그게 차주였는지도 몰라. 아니야, 자동차 꼭대기에 탔던 그 턱수염 지저분한 두 사내 중의 하나였는지도 몰라. 아니지, 그 자동차 꼭대기엔 아버지도 타고 있었거든.」

그는 도저히 정상적인 사람이라고 볼 수 없을 만큼 횡설수설하고 있었어요.

「그럴 거 없이 그 사람들 전부가 자동찰 세웠다고 생각하면 되잖아요?」

내가 계속 말대꾸를 해 주니까 그가 신이 난 표정을 하고 말했지요.

「그렇군. 그 사람들 모두가 차를 세웠어. 그러나 난 아니야. 난 그때 겨우 열 한 살인가 그런 나이였거든. 그렇지만 나는 봤어. 그 아이가 자동차 위에서 내려졌어. 그런데 누군가 그 아이를 버리자고 말했거든. 그게 누구지?」

「당신 지금 또 그 옛날 지나간 얘길 하고 있구먼요?」

내가 더 참지 못하고 화를 내면 그는 더욱 쑥스러운 얼굴로 입을 다물곤 했지요. 그랬어요. 그는 주로 그 피난시절, 피난지에서 겨었던 애길 많이 했어요. 그는 툭하면 그 애길 끄집어 냈지요.

「그 새끼들이 정임이 이모와 걔들 엄마를 죽인 거야. 피난민 수용소를 떠나 그 강기슭 신작로 옆 폐광촌에 살러 가 정임이 이모를 거기서 만났지. 예뻤어. 입술이 도톰하고 머리숱이 많았지. 나를 무척 예뻐해 주었거든. 자기 형부가 순경이었다가 죽었다는 비밀을 자기만 알고 있다고 내게 말해 주었지. 자기 언니도, 벙어리 계집애도, 일곱살 난 그 사내아이도, 세 살난 계집애도 모두 자기 아버지가 빨갱이하고 싸우다가 죽었다는 걸 모르고 있었단 말이야. 정임이 이모는 나한테 비밀을 다 털어 놓았어. 자기 언니가 낳은 애기가 형부를 꼭 닮았다고 말이야. 자기 형부가 애기로 다시 태어났다는 거야. 그런데 그 애길 낳은 정임이 이모네 언니가 배가 고파 미쳐 버렸지. 정임이 이모가 강에서 다슬기와 말풀을 뜯어다가 식구들을 먹여 살리고 있었거든. 그 폐광촌에는 정임이 이모네와 우리만 남고 다 고향을 찾아 떠났지. 우리도 아버지가 죽은 할머니 손가락에서 빼낸 금가락지를 팔아 고향 가는 자동차를 불러왔다구. 그러나 정임이네 이모는 언니가 애기를 낳아 자기들은 고향에 갈 수 없다고 나를 끌어안고 울었지. 내 목에 닿은 그네의 손길이 불처럼 뜨거웠어. 그네도 열병에 걸린 거야. 내가 열병으로 앓고 있을 때 나를 살펴 준 그네의 몸이 불처럼 뜨거웠어. 우리가 그 골짜기를 떠나려는 새벽, 정임이네 이모가 빨가벗은 채 애기를 안고 산속으로 들어간 자기 언니를 찾아 그 짙은 안개 속으로 사라졌지. 벙어리 계집애와 사내아이, 그리고 세 살난 그 눈 퀭한 계집애만 골짜기에 댕그라니 남겨졌지. 그런데 우리를 태우러 온 그 새끼들이 안개 자욱한 산골짜기로 그네들을 찾으러 올라간 거야. 그리고 히죽히죽 웃으면서 그냥 내려왔지. 차가 그 세 아이들을 골짜기에 버려둔 채 떠나려 했거든. 그러나 내가 그 자동차를 세웠어. 나 때문에 자동차가 갈 수 없게 된 거지. 내가 산속에 몸을 숨겨 나타나지 않았던 거야. 나는 그때 몹시 심술이 나 있었던 거야. 그 심술이 아버지와 엄마가

타고 있는 그 고향 가는 자동차를 세웠던 거야. 내가 그 일을 해
냈다고……」

　얘기를 하면서 그이는 몹시 신이 난 얼굴을 했어요. 아뭏든 그
이는 온통 과거 얘기로 밤을 새고 싶어했을 정도예요. 미쳐두 더
럽게 미친 거지요 뭐.

　한형의 세 번째 여자는 매우 이지적인 얼굴을 하고 있었다. 그
네는 한형에게서 엿볼 수 있는 다분히 신비적인 그 허황된 일에
대해서 말했다.

　──내 경우는 아이를 낳지 말자고 제의한 그 사람의 말이 오
히려 고마왔어요. 나는 아이를 밸 수 없는 그런 여자였거든요. 그
러니 내가 그 사람과 헤어진 건 아이 문제가 아니었다구요. 나는
무서웠어요. 1년 동안 그 사람과 살면서 나는 완전히 노이로제에
걸렸던 거예요. 그 사람은 무서운 사람이에요. 그 사람은 늘 자
신에게 어떤 초인적인 힘이 작용하고 있다는 걸 믿고 있었어요.
예를 들자면 자기가 미워하고 저주하는 어떤 일이나 사람에 대해
서 자기가 마음만 먹는다던 응징의 복수를 아무도 모르게 할 수
있는 능력을 가지고 있다고 믿는 거예요. 그는 그러한 능력을 가
지고 있는 자신을 몹시 무서워하고 그것 때문에 괴로와도 하더군
요. 그는 언젠가 정말 얄밉게도 승차 거부를 한 채 달려가는 택
시를 향해 저주를 내린 일이 있었어요. 「뒈겨 버려라!」 그 사람
이 그렇게 말했고 바로 그 순간 그 택시는 박살이 났거든요. 물
론 나는 그것이 우연의 일치라고 믿어 버렸지만 그는 그 일로 해
서 무척 괴로와하더군요. 그와 비슷한 일은 많아요. 어느날 밤
이웃집 대문 슬라브가 무너지던서 그 집 노파가 깔려 죽은 일이
생겼어요. 자동차가 그 집 담벼락을 받고 도망쳐 버린 거지요. 밤
이어서 골목길에 사람이 없었던 탓도 있었겠지만 그 차를 목격한
구멍가게 주인이나 몇몇 이웃사람들이 딱 시치미를 떼는 거였어
요. 처음에는 이러이러한 차형이라고 말했다가 나중에는 그것마

저 부인하고 나섰어요. 물론 그 차 번호 같은 걸 정확히 보지 못
했기 때문이기도 했었지만 남의 일에 잘못 끼어들었다가 경찰에
불려 다니는 곤경을 치루는가 하면 거기서 빚어질 후환 같은 걸
두려워했기 때문일 거예요. 내가 보아도 정말 무서운 이웃 인심
이었어요. 그 피해를 당한 집은 남편도 없이 애들 넷과 시어머니
만 모시고 살았는데, 글쎄 그 일을 당하고 나니 정말 그 딱한 정
황이야 이루 말할 수가 없었지요. 경찰에서도 애는 쓰는 모양이
었지만 차 종류나 번호를 전혀 모르고서야 어쩔 수 없다는 거였
지요. 그 이웃집에는 밤을 새워 울음소리가 그치지 않았어요. 아
이들이 악머구리 끓듯 울어댔지요. 그 아이들 울음소리를 들으면
서 그 사람이 괴로와하더군요. 그 사람은 사고가 나기 바로 일분
전쯤 집에 들어와 막 옷을 벗던 중이었거든요. 자기가 조금만 늦
게 들어왔어도 그런 사고가 나지 않았거나 사고가 났더라도 그
차를 잡을 수 있었을 거라면서 괴로와했어요. 그렇게 어처구니없
는 일로 괴로와하고 있던 사람이 갑자기 경찰서로 달려가는 거예
요. 글쎄 자기가 그 뺑소니 차 번호를 생각해 냈다는 거였어요.
그래요. 그냥 생각해 냈다고 했어요. 결국 경찰서에 가서 웃음거
리가 되었어요. 그 차를 목격도 못 했으면서 어떻게 차 번호를
아느냐——경찰이 그렇게 웃어 넘겼지만 그 사람은 틀림없이 그
번호를 가진 차가 틀림없다고 우겨댔다구요. 이 사람 머리가 어
떻게 된 거 아니오? 경찰이 나를 향해 묻데요. 그 순간 나는 남
편 말이 맞을지도 모른다는 생각을 했어요. 그래서 남편 편이 돼
줬지요. 그의 말이 맞을 거라구요. 경찰들이 또 허허 웃었어요.
결국 나중에 그들이 장난삼아 알아 본 결과 그 사람이 말한 차번
호가 바로 그 뺑소니 차였다는 걸 알고 경찰들도 놀라데요. 그때
부터 나는 그 사람이 무서워졌어요. 너무너무 무서워 도저히 같
이 살 수가 없었던 거예요.

　한형과 한 모임을 가지고 있는 사람들은 요즘 부쩍 심해진 한

형의 그 자책관념의 지나침에 대해서 납득이 안 간다는 그런 얼굴로 얘기들을 나누었다.

「아무래도 그 사람 좀 지나치단 말이야. 그쯤 되면 병적이랄 수밖에!」

「맞아, 마치 자기가 무슨 예수나 되는 것처럼 세상사에 대해서 괴로운 표정을 짓고 있다니.」

「아니지, 세상사가 아니라 주로 자신의 유년시절 그 일에 대해서지.」

「그래 그 어렸을 적 일만 해도 그렇지, 누구는 그 시절 그만한 아픔, 그만한 상처를 안 가졌다던가?」

「그렇다니까. 그 사람 이제는 잊어도 좋을 그런 과거지사를 너무 물고 늘어진단 그 말씀이야, 역겹게스리.」

「거기다가 요즘은 자기와 헤어진 세 여자들에 대한 죄책감까지 겹쳐 사뭇 보기에 딱하더군.」

「그거야 오히려 그 여자들한테는 다행한 일일 텐데도 그는 자기가 큰 죄를 짓고 있다고 생각하고 있기 때문이지.」

「그건 말일세.」

비교적 한형과 가까이 지내면서 그를 두둔해 말하길 좋아하는 사람 하나가 껴들었다.

「그건 말이지, 한형은 어찌 보면 자기 자신을 과소평가하는 미소망상증(微小妄想症)에 걸려 있다고 봄이 좋을 게야. 즉 그것은 피해망상이라는 것과 정반대의 심적 현상이라고 생각하면 되네. 이 미소망상의 구체적 형태로는 자기가 생각하고 행한 모든 일의 이면에는 반드시 커다란 죄악이 깃들여 있다고 생각하는 유죄망상이나 죄업망상 같은 게 있지.」

「그러고 보니, 한형은 자신이 생각하고 행한 모든 일에 대해서 죄책감을 가지고 있으며 그것으로 해서 숫제 괴로와하고 있다는 얘기군.」

「전부 그렇다고는 할 수 없지만, 그는 그의 양심상 자기가 행

220

한 일이 옳지 않다고 생각하면 그것에 대해서만은 누구보다도 오래오래 잊지 못하고 괴로와하는 편이라고 할 수 있겠지.」

「양심?」

「그럴세, 한형에게는 남보다 몇 배 강한 양심자책이란 게 항상 작용하고 있는 거야. 심한 경우 그는 자기 아닌 타인이 저지른 나쁜 일에 대해서도 마찬가지 생각을 하게 마련이지. 이를테면 타인이 그런 나쁜 일을 하도록 방관했다는 양심의 가책상태라고나 할까.」

「그렇다면 그 사람은 신부나 혹은 목사, 아니지, 그는 스스로 고행의 길을 택한 고행승과 같구먼 그래.」

「그렇게 봐도 좋겠지. 어쩌면 지금 그는 무서운 고행의 길을 걷고 있는 중일 테니까.」

「아닌게아니라 한 사람이 결혼에 세 번씩이나 실패했다는 것은 인생사에 있어서 크나큰 괴로움이요 고행일 테니까.」

「어쨌거나 한형이 지금 저처럼 괴로운 표정을 보이고 있는 건 유년시절 그가 직접 목격한 몇 개의 죽음이 준 충격 때문인 거야.」

「맞다구. 한형은 6·25와 1·4후퇴시의 그 참담한 역사의 한 귀퉁이에서 몇 개의 죽음을 보았지. 그가 본 죽음은 전쟁의 포화 속에서 죽어간 수십만의 그런 커다란 죽음의 극히 일부에 속하는 것이지만 그것은 아주 강하게 그의 머릿속에 어떤 의미를 던져주게 되었던 거야. 우리가 본 죽음들은 이제 우리의 기억을 떠나 기록으로 남았을 뿐이지만 그가 본 죽음들은 이제 와서 환생하는 그런 의미의 것들이었지.」

「그래, 한형은 많은 죽음을 우리한테 얘기했지. 자기 아버지가 빨갱이로 죽었기 때문에 결국은 자기도 남산 소나무에 목 매달아 죽을 수밖에 없었던 그 열 세 살 난 계집애, 자유를 찾아 남쪽으로 흘러가면서 눈 덮인 길에서 목격한 여러 형태의 죽음, 아버지 발에 밟혀 죽은 7대 독자라는 그 어린아이, 피난민 수용소에서의 여동생의 죽음, 강기슭 그 폐광촌에서 열병으로 죽은 할머니의

손가락에 끼었던 그 금반지, 드디어는 폐광촌을 버리고 고향으로
떠나게 된 그날 아침 정임이 이모라는 처녀와 그 언니의 안개 속
에서의 죽음……」

「아니 그러면 한형이 지난번 얘기하던 그 얘기 뒤끝이 났단 말
인가요? 여자들이 그 안개 속에서 죽었다니 말예요? 도대체 누
가 그 여자들을 죽였다는 거예요?」

「이 사람아, 그거야 뻔하잖은가. 그 여자들을 찾으러 올라갔던
그 두 놈이 어떻게 한 거지. 문제는 그 뒷얘기일세. 즉 열 한살
된 한형이 세 아이들을 골짜기에 버려둔 채 떠나려 하는 어른들
을 못가게 붙잡아 놓은 뒤의 그 뒷얘기 말이야……」

내가 그 일을 해냈다. 나는 안개와 어둠의 고요 속에서 강물 도
도히 흘러내리는 소리를 들으면서 그 털털이 화물 자동차를 옴쭉
못하게 묶어 놓은 기꺼움으로 몸을 떨었다. 나는 내가 숨어 있는
이 자리에서 결코 몸을 일으키지는 않으리라.

「동우야아.」

골짜기의 어둠과 안개를 헤치고 울음 섞어 질러대는 아버지와
엄마의 외침이 우와우와 산울림이 되어 출렁거렸다. 나는 결코
대답하지 않을 것이다. 내가 대답하지 않고 그리하여 그네들에게
끌려가지 않는 한 그 화물 자동차는 쉽사리 떠날 수 없을 것이다.
나는 그것을 알고 있었다.

어둠 속 바위에 기대 앉은 채 나는 가물가물 몰려드는 졸음을
쫓느라 애를 먹고 있었다. 내가 잠이 들면 그네들이 나를 버리고
떠날 것만 같은 두려움 때문이었다.

동우야, 이 핼미 혼자 놔두고 가면 벌 받는다. 열병을 앓다가
피를 엄청 쏟고 죽은 할머니가 건너편 산 묻힌 데서 말하고 있었
다. 못된 것들. 할머니가 쯧쯧 혀를 차고 있었다. 나는 할머니가
골짜기의 어둠과 안개 속을 가로질러 너울너울 날아오는 것을 보
기 위해 눈을 크게 떴다. 어이구, 내 새끼, 기특두 해라. 할머니

가 날아오면서 말했다.

할머이! 나는 모든 걸 할머니한테 일러바칠 생각이었다. 아버지가 할머니의 손가락에서 뺀 그 금반지, 발가벗고 산속으로 들어간 정임이네 엄마와 정임이 이모——저 새끼들이 죽였단 말이야. 저 턱수염 지저분한 새끼들이 죽이고 내려왔단 말이야. 할머이. 텅 빈 골짜기에 혼자 버려진 정임이 이모네 아이들에 대해서도 말하고 싶었다. 벙어리 계집애가 등에 업고 있는 그 눈 퀭한 세살박이 계집애와 일곱 살 난 사내아이.

그런데 다음 순간 너울너울 이쪽으로 날아오던 할머니가 간 곳이 없었다. 불빛 때문이었다. 그것은 강기슭 신작로 한가운데 늘어붙은 채 떠나지 못하고 있는 화물 트럭의 뒤쪽에 벌겋게 타오르는 불빛이었다. 마른 풀과 삭정이를 주워 불을 지폈을 것이다. 그러나 짙은 안개 때문에 불빛에 보이는 모든 것은 불투명했다. 불빛을 둘러선 사람들의 윤곽이 뚜렷이 잡히지 않았다. 다만 간간 그 불빛 주위에서 떠드는 사람들의 목소리가 들려 왔을 뿐이다. 산에서 부엉이가 울고 있었다. 우우, 우우우. 동우야, 잠들면 안 돼! 나는 분명 정임이 이모 목소리를 들었다. 그때 우리는 강에서 다슬기를 줍고 있었다. 동우야, 우리 형부가 순경이라는 거 아무한테도 얘기하면 큰일 나! 그리고 우리 형부가 죽었다는 것도 얘기하지 말란 말이야. 언니가 그걸 알면 언니는 죽고 말 거야. 나는 아슴아슴 감겨드는 눈꺼풀을 더 이상 지탱할 수가 없었다.

내가 눈을 떴을 때는 이미 해가 골짜기 한가운데 와 있었다. 산뜻한 빛깔을 가진 강물이 햇빛을 받으며 유유히 흘러내리는 게 눈에 잡혔다. 이상한 일이었다. 이날따라 안개가 보이지 않았다. 아침마다 강심쯤에서 시작되어 골짜기를 향해 서슴서슴 기어오르던 안개가 거짓말처럼 보이지 않았다. 강물은 더없이 푸르고 맑았다. 골짜기의 그 깊숙한 곳에도 안개가 없었다. 모처럼 보게 된 깨끗한 산이었다. 하늘에 구름 한 점 없었다.

　바위에 기댄 채 몸을 웅크려 잠들었던 내 몸은 온통 밤이슬에
젖고 말았다. 오금이 제대로 펴이질 않았다.
　나는 후우 안도의 숨을 내쉬었다. 강기슭 신작로 바닥에 아직
도 그 털털이 화물차가 곡식 가마를 잔뜩 실은 채 늘어붙어 있었
던 것이다.
　「엄마야!」
　나는 느닷없이 소리를 내지르며 몸을 일으켰다. 그 자동차 주
위에 단 한 사람도 보이지 않았던 것이다. 나는 밤새껏 그들과
떨어져 이 산기슭에서 잠을 잤던 것이다. 내가 그네들 모두를 버
렸던 것이다. 걷잡을 수 없는 무서움이 온몸을 휘감았다. 나는
드디어 울음을 터뜨리며 허둥허둥 산기슭을 내려뛰기 시작했다.
폐광굴이 커다랗게 아가리를 벌려 햇빛을 삼키고 있었다. 굴 속
에서 밤을 지낸 비둘기가 햇빛을 향해 날아올랐다. 우리가 살던
그 집 마당에 이르러 엄마를 불러 보았다. 쥐 한 마리가 거적문
틈새로 빠져 나와 뒤꼍으로 돌아갔다. 거적이며 헌옷 나부랑이들
이 마당에 수북이 쌓인 채 이슬에 젖어 있었다. 엄마가 짐을 꾸
리며 세 아이들에게 남겨 준 물건이었다. 그 아이들이 그것을 마
당에 쌓아 놓은 것이었다. 그 아이들의 집에 이르러 방문 대용으
로 친 거적을 젖뜨렸다. 비린내가 훅 풍기는 방안에는 아무것도
보이지 않았다. 이 즈지배야, 배고파 죽겠다. 그 아이들의 엄마
가 그 속에서 말했었다. 마당 한구석 화덕 위에는 말풀과 다슬기
를 넣어 죽을 끓이던 냄비가 덩그라니 얹혀 있었다. 벙어리 계집
애도 그 계집애의 등에 매달린 세살먹이 그 눈 휑한 계집애도 그
리고 일곱 살 난 사내아이도 그 집에는 없었다.
　나는 다시 허둥지둥 신작로 위의 그 화물 자동차를 향해 내려
뛰었다. 골짜기 냇물에 발을 철벙철벙 담그며 뛰었다.
　자동차 운전석에 그 운전수가 길게 드러누워 있었다. 잠이 든
모양이었다.
　「아저씨, 우리 아버지랑 모두 어디 갔어요?」

내가 두 번씩이나 소리쳐서야 겨우 그가 몸을 일으켰다. 눈알이 빨갛게 충혈돼 있었다.

「이 망할 새끼 같으니라구!」

운전수가 나를 향해 욕을 퍼댔다. 나는 재빨리 서너 걸음 뒤로 물러섰다.

「이 망할 새끼야, 너 때문에 이 고생인 걸 몰라? 이 쥐새끼같은게!」

도망쳐야만 했다. 그가 꾸물럭꾸물럭 운전석에서 내려서고 있었기 때문이다. 나는 죽어라 힘을 다해 골짜기로 올려뛰기 시작했다. 고무신에 물이 들어 질퍽거렸다. 고무신을 벗어 들고 뛰었다.

이제는 내가 그네들을 찾아야 할 차례였다. 물론 그네들은 나를 찾아 나섰을 것이다. 그러나 이제는 내가 먼저 그네들을 찾아야 했다. 나는 무서웠던 것이다. 산비탈 묵은 밭에서 들꿩이 날아올라 요란한 날갯짓을 하며 사라졌다. 얼마쯤 골짜기를 올랐을까, 나는 헉헉 숨을 몰아쉬었다.

「동우야!」

엄마 목소리였다. 뒤돌아보니 정임이 이모가 버들을 꺾어 피리를 만들어 붙던 웅덩이 그 구석진 곳에 엄마가 서 있었다. 엄마 혼자가 아니었다. 정임이 이모네 그 세 아이들이 엄마 곁에 주렁주렁 서 있었다. 벙어리 계집애가 히쭉 웃어 보였다.

「성, 어제밤에 어데 가쩌쩌?」

일곱 살 난 사내아이가 코를 훌쩍이면서 다시 말했다.

「아저씨들이 울엄마하구 울이모 찾으러 갔다아.」

「동우야, 이놈에 자식아!」

숫제 엄마는 내 몸을 끌어안으며 엉엉 울기 시작했다. 오히려 나는 엄마 가슴에서 피식 웃음이 나왔다. 내가 자동차를 못떠나게 했어. 나는 그렇게 말하고 싶었던 것이다.

「예 좀 앉아 기다리자. 아버지랑 아저씨들이 애들 엄마를 찾으러 갔으니까.」

그렇게 큰 소리로 말해 놓고 나서 엄마는 다시 내 귀에다 겨우 알아들을 만큼 작은 목소리로 말했다.

「얘들 엄마랑 이모는 죽었어. 그걸 묻어 주러 간 거야.」

나는 세차게 엄마의 팔을 뿌리쳐 버렸다. 그리고 곧장 산쪽을 향해 경중경중 치뛰기 시작했다.

「동우야아!」

엄마가 뒤에서 아우성치고 있었지만 나는 들은 체도 않고 골짜기로 치뛰었다. 꽤 깊은 골짜기 이르렀을 때였다.

「야, 요놈에 새끼, 여기 있었구나!」

문득 쳐다보니 턱수염 지저분한 두 사내가 내 앞을 가로막고 서 있었다. 나는 잽싸게 뾰족한 돌 두 개를 집어들었다.

「야, 요놈에 새끼 봐라. 요거 보통 것이 아니구먼!」

한 사내가 팔을 벌려 나를 잡을 태세를 했다. 나는 손에 든 돌로 그 사내를 겨냥했다. 그러자 팔을 벌려 덤비던 사내가 멈칫했다.

「둬 두라구! 즈 아비가 잡아가지고 내려오겠지. 못 데리고 오면 저까짓 놈의 새끼 놔두고 갈밖에!」

두 사내가 나를 포기한 채 흔들흔들 산을 내려가고 있었다. 나는 다시 허덕허덕 치뛰기 시작했다. 동우야아, 난 안 죽었어. 나 좀 살려 줘라. 정임이 이모의 목소리가 귀에 쟁쟁했다.

「요 배라먹을 새끼!」

느닷없이 바위 뒤에서 아버지가 뛰쳐나와 내 팔을 잡았다. 아버지 뒤에 차주 아저씨가 있었다. 아버지의 손에는 생흙이 묻은 삽이 들려 있었다.

「하, 요 녀석 땜에 고생두 많이 했구먼 그래. 참, 맹랑한 녀석이군!」

차주 아저씨가 내 턱을 치켜 올리며 말했다.

「이놈에 새끼야, 속 좀 작작 썩혀라.」

아버지가 한 손에 쥐고 있던 삽을 아예 차주 아저씨한테 넘겨준 다음 내 등덜미를 움켜쥐었다. 내 등덜미를 다잡아 쥐고 나를 주장질시키면서 아버지가 말했다.

「요놈에 자식, 또 그따위 짓 했다가는 아예 널 여기다가 내버려 두고 갈 거다!」

그러나 나는 아버지를 향해 물었다.

「정임이 이모 어딨어요?」

「어딨긴 이놈아, 다 천당에 갔지!」

차주 아저씨가 농 섞어 받았다.

「그 여자들 다 죽었더라. 그래서 느 아버지랑 이렇게 묻어 주고 오는 거 아니냐.」

「갓난애도 죽었어요?」

「이 녀석아, 에미가 죽었는데 그 갓난게 어떻게 사냐?」

그러면서 차주 아저씨는 흙묻은 삽을 돌에 탕탕 쳐 흙을 떨어내고 있었다.

「요놈에 자식, 난 꼭 그 여자들 귀신이 널 잡아간 줄 알았지 뭐냐.」

아버지가 내 등덜미를 잡은 채 조금은 누그러진 말투로 말했다.

「이러고 있을 때가 아닐세. 운전수 놈 또 지랄깨나 할 꺼야. 그놈에 쟁이들 승깔 비윌 맞추려니······」

「운전수도 그렇지만 그 인상 고약한 치들 원래부터 그래요?」

「말함 뭐하나. 그놈들 누깔에 띈 계집 성해난 걸 못 봤네. 이놈에 난리가 아니면 즈까짓것들 개밥에 도토리 신셀 쳐지구먼서두.」

「거, 꼭 죽일 것까진 없었을 텐데······」

「누가 아니래. 그놈들 그게 벌써 여러 명째네.」

「그래 그런 걸 그냥 보고만 계신 거예요?」

「보고 있지 않으면? 그래, 미친 개한테 뭐라고 하겠나? 더구나 지금은 난리통일세.」

차에 올라 앉으면서 문득 쳐다본 폐광터 골짜기는 햇빛 속에
자오록 가라앉아 죽음처럼 조용했다. 이제 그 골짜기에는 단 한
사람도 남아 있지 않았던 것이다. 죽은 사람만 산을 지키며 누워
있을 것이다. 할머니가 남았다. 정임이 이모와 세 아이들의 엄마
가 또한 골짜기에 묻혔다. 정임이 이모네 형부를 닮은 그 갓난애
가 거기 함께 남았다.

산 사람은 모두 곡식 가마를 높게 실은 화물 자동차에 올라탔
다. 두고 온 고향 찾으러 떠나는 차였다. 고아가 된 세 아이들도
우리와 함께 자동차에 태워졌다. 벙어리 계집애가 등에 세살박이
그 눈 뀅한 계집애를 업은 채 운전석 내 옆에 탔다. 그 계집애
머리에 서캐가 하얗게 슬어 있었다. 일곱 살짜리 사내아이가 보
이지 않았다.

처음엔 모두 그 아이가 차에 오르는 걸 보았다고 했다. 그러나
차가 떠날 때쯤 해서 소동이 벌어졌다. 사내아이가 눈에 띄지 않
았던 것이다. 아버지가 차에서 내려 강기슭과 산비탈을 향해,

「야아!」

그 사내아이의 이름을 모르는 아버지가 그냥 「야아!」 하고 소
리쳤다. 그러나 강기슭에서도 산비탈에서도 그 사내아이는 대답
하지 않았다. 콧물을 쫄쫄 빨아먹던 그 아이는 아무 데도 모습을
보이지 않았던 것이다.

「네 동생 어디 갔는지 모르니?」

운전석에 탄 엄마가 벙어리 계집애를 향해 물었다. 계집애는
흰자위 많은 눈만 껌벅거릴 뿐 엄마 말을 못 알아듣는 눈치였다.

「걔가 즈 엄말 찾아 또 산으로 올라간 거 아닐까?」

아버지가 혼잣소릴 하며 차 주위를 서성거렸다. 「어쩌지요?」
엄마가 울상을 하면서 말했다.

운전수가 자동차 발동을 걸었다.

「이 사람아, 뭘 꾸물거리고 있는 게야?」

차주 아저씨가 아버지를 향해 소리쳤다.

「거, 일일이 다 신경쓰다간 고향이구 뭐구 다 가겠네. 아무래도 끝까지 못 데리고 갈 바에야 아무 데 있음 어때!」

「정말 드러워서……」

내 옆의 운전수가 통통 부은 얼굴로 차를 덜컹 움직였다. 그리고 곧장 달리기 시작했다. 벙어리 계집애가 차창 밖을 훌금거리며 눈에 눈물을 그렁그렁 매달았다. 세살박이 눈 꿰한 계집애가 「음마!」 접먹은 얼굴로 울음을 터뜨렸다.

「야, 쌍!」

운전수가 차창 밖으로 침을 찍 내뱉은 다음 세살박이 계집애를 향해 눈을 무섭게 흡떴다. 계집애가 더 기승나게 울어댔다.

「놔두게. 이제 가다가 적당한 데서 내려 놓고 가면 될건데 뭘 그러나.」

차주 아저씨가 말했다.

자동차는 울퉁불퉁 패여 들어간 한길을 털털거리며 달렸다. 운전석 뒷쪽으로 솟은 배기통에서는 연기가 팡팡 뿜어 나갔다.

「고향엘 가다니 정말 꿈만 같네요.」

귀 밑을 발갛게 달구면서 엄마가 달뜬 목소리로 말했다.

「그런데 고향 집이 다 불타 버렸다니 당장 어쩌지요?」

「어이구, 아주머이두. 아 그까짓 집이 문젠가유? 살아서 고향 땅 밟는 것만 해두 기막힌 거지유.」

차주 아저씨가 슬쩍 엄마 얼굴을 곁눈질하며 핀잔 주었다.

우리들이 한때 머물었던 피난민 수용소가 있는 도시 한 가운데를 질러 자동차가 달렸다. 수진이가 묻힌 피난민 수용소 뒷산이 빙그르 돌아가고 있었다. 엄마 눈에 그렁그렁 눈물이 괴었다. 오빠, 눈 꼭 감아봐. 보이지? 떡, 쇠고기, 약과, 단술, 조청…… 수진이와 나는 수용소 마룻바닥에서 이불을 뒤집어 쓰고 누워 눈을 감고 우리들이 생각할 수 있는 모든 음식들을 포식하면서 놀았다. 수진이가 얼굴이 통통 부어 죽을 때 수진이 입에서 피리소리가 났다. 수진이는 죽지 않았다. 안개가 수진일 데리고 갔다.

「자, 느덜은 여기서 내려라.」

자동차가 그 도시의 맨끝 제방 있는 데서 멈춰 서고 차주 아저씨가 벙어리 계집애와 세살박이를 끌어내리고 있었다.

「여기다 내려 놓고 가는 게 얘들한테두 좋아요. 고향이 어딘지도 모르는 데다가 난리로 인심 흉흉한 델 데리고 가봤자 피차 고생만 되고……」

차주 아저씨 말을 들으면서 엄마가 고개를 딴 데로 돌렸다. 세살박이 계집애는 얼굴에 온통 눈물과 코범벅이 된 채 자고 있었다. 벙어리 계집애가 어리둥절한 얼굴로 차주 아저씨를 쳐다봤다.

「잘들 살아라!」

차주 아저씨가 차에 올라타자 자동차는 다시 떠났다. 나는 밖을 내다 보지 않았다.

엄마가 내 몸을 당겨 안으면서 내 귀에다 말했다.

「저거 봐라, 너두 엄마가 없으면 쟤들처럼 되는 거야!」

이제 자동차는 뽀얗게 메마른 가을 들관 한가운데로 구불 구불 뻗어나간 신작로 위를 달리고 있었다.

해가 뉘엿뉘엿 서쪽 하늘에 한 뼘쯤 남아 있었다.

「아직두 멀었지요?」

엄마가 하품을 하며 차주 아저씨한테 물었다.

「멀구 말구요. 오늘밤 밤새도록 달려가야 내일 한낮쯤 도착할까요.」

저녁 들관에 우수수 바람이 일어 마른 풀잎을 흔들었다.

「어이, 차 세우라고!」

자동차 짐 실은 꼭대기에서 떠들썩했다.

운전수가 차를 세웠다. 먼지가 무섭게 앞으로 덮쳐들었다.

「이 쥐새끼가 여기 있었다구요.」

턱수염 지저분한 사내가 일곱 살짜리 사내아이를 트럭 꼭대기에서 끌어내리며 말했다.

「우리 이삿짐 속에 숨어서 잠이 들었다가 기어나오잖아요.」

230

트럭 꼭대기에서 아버지 목소리가 들렸다.

턱수염 지저분한 사내가 콧물 질질 흘리고 있는 사내아이를 땅에 끌어내었다. 놈은 나를 향해 혀를 낼름 내밀어 보이면서 콧물을 쭉 빨아먹었다. 엄마가 고개를 돌렸다.

「어떡할 텐가? 얘 말일세.」

차주 아저씨가 트럭 꼭대기에 있는 아버지를 향해 큰 소리로 묻고 있었다.

「뭘 어떻게 해요?」

「뭐긴, 얘 말일세. 자네가 이 애를 데리고 갈 텐가 그 말이야?」

「우리가 왜 걜 데리고 가요? 아까 그 읍에다 모두 내려놓고 가기로 했잖아요?」

차주 아저씨가 이번에는 엄마 쪽을 돌아보았다.

「아주머니, 어떡할까요?」

「글쎄, 전 모르겠어요. 쟤 고향이 어딘 줄도 잘 모르고……」

엄마가 우물우물 얼버무리며 고개를 돌렸다.

「빨리 타!」

운전수가 땅에 내려선 턱수염 지저분한 사내한테 눈짓을 하며 소리쳤다. 그리고 덜컹 차체가 출렁인 다음 자동차가 움직여 나갔다. 턱수염 사내가 재빨리 차에 올라탔다.

먼지를 뿜어대며 달리는 자동차 뒤를 그 사내아이가 쫓아오고 있었다. 먼지가 그 아이를 삼켜 버렸다.

엄마가 다시 내 허리를 당겨 안으며 귀에다가 속삭였다.

「저거 봐라, 너두 엄마 아빠가 없으면 저렇게 되는 거야.」

뿌옇게 뿜어대는 먼지 속에 아직도 버려진 아이가 허둥거리고 있는 게 보였다.

일곱 살짜리 사내아이가 생판 모르는 타향의 어느 벌판에 버려졌거든. 가을이었어. 저녁 바람이 우수수 들판을 쓸며 지나갔어. 그 아이는 자동차가 달려간 방향을 향해 계속 뛰었지. 그래, 처음엔 뛰었지만 나중에는 제풀에 지쳐 타박 타박 걸어서 간 거야. 걸어도 걸어도 사람 사는 집은 보이지 않고 어느새 어둠이 그 아이를 집어 삼켰어. 그 아이는 발이 아팠겠지. 아니야, 배가 더 고팠을 거야. 아니지, 배고픈 것보다 더 무서운 건 앞을 분간할 수 없는 그 칠흑 같은 어둠이었을 거야. 어둠 속에서는 사람을 만날 수 없으니까 말이야. 일곱 살짜리 그 사내아이는 울부짖기 시작했지. 가을 밤바람이 그 아이의 울음소리를 들판에 흩뿌려 놓았지. 아이는 엄마가 보고 싶었을 거야. 이모 얼굴이라도 좋았어. 아니지, 벙어리 계집애, 그 누나 얼굴이라도 좋았지. 아니야. 아무 사람 얼굴이라도 좋아. 그것이 자기를 버리고 간 사람들이라도 마찬가지였어. 아이는 그저 사람을 만나고 싶어 어둠 속에서 울부짖으며 뛰고 있었을 거야. 누가 그 아이를 길에 버렸지? 누가 버려지는 그 아이를 보고만 있었지?

한형은 이렇게 혼잣소릴 잘 하는 사람이었다.

실 반 지

누군가 내게서 아내를 빼앗아 갔다. 그가 우정 내 아내를 빼앗기 위해서 왔었다고는 단정할 수는 없는 일이지만 결과는 매한가지이다. 나는 아내를 잃었다. 잃어 버렸다는 그 표현 이상의 적절한 말을 생각해 낼 수가 없다. 아내가 이미 이 세상 사람이 아니라는 것을 알았을 때 내 머릿속에 가장 먼저 떠오른 것은 그네를 되찾지 않으면 안 된다는 당혹감이었다. 나는 그네의 주검을 타넘어 방문을 열어젖뜨린 다음 밖으로 뛰쳐나갔다. 하늘이 희붐하게 벗겨지고 있는 새벽이었다. 혹시 마당 한구석에 서성거리고 있을는지도 모르는 아내를 찾기 위해 나는 두 손을 휘저으며 마당을 헤맸다. 문득 희붐한 하늘 한가운데 뿌린 듯 박혀, 오들오들 떨고 있는 새벽별 한 무더기가 눈에 띄었다. 그때서야 나는 비로소 내가 아내를 잃어버리고 말았다는 그 형언하기 어려운 낭패감에 휩싸였다. 천 길 낭떠러지로 까마아득 떨어져 내리는 느낌이었다. 집과 불과 50여 미터 저쪽에 위치한 큰길 위로 무섭게 질

주하는 새벽 차량들의 소음이 들려 왔다. 나는 속내의 바람에 맨
발로 마당 한가운데 우두커니 서 있었다. 웅웅거리는 큰길의 소
음과 오싹 몸을 조이는 한기, 이것이 바로 현실임을 일깨워 주었
다. 꿈이다. 하던 한가닥 기대가 허물어져 내리면서 나는 또한번
의 절망과 만났다. 그러나 나는 아직도 포기할 수가 없었다. 대
문은 빗장쇠가 걸린 채였다. 나는 그 빗장쇠를 뽑고 대문을 열어
젖뜨렸다. 밤새도록 막다른 골목에 웅크려 앉았던 차가운 바람이
기다렸다는 듯 열린 대문 안으로 밀어닥쳤다. 나는 대문을 더욱
활짝 열어 놓았다. 어쩌면 그 열린 대문으로 아내가 돌아와 줄 것
같은 희망이었다. 그러나 나는 결국 대문을 열어 놓은 채 돌아서
고 말았다. 그 순간 내 몸은 걷잡을 수 없이 와들와들 떨려 왔다.
이까지 따악따악 마주치며 떨었다. 그것은 아내가 버리고 간 우
리 방안에 남겨진 그네의 주검과 다시 만나야 한다는 그 공포 때
문이었다. 그네의 주검 한가운데 깊숙이 꽂힌 그 날카로운 칼끝
이 내 심장을 향해 날아오는 그 공포 또한 내 몸을 무너지듯 마
루에 주저앉히고 만 것이다.

    그 새벽 추위로 해서 나는 감기가 들었다. 어쩌면 바이러스균
은 그보다 일주일쯤 전부터 내 몸 속에 잠입하여 서서히 증식해
왔었을 것이다. 바이러스균의 잠입 징후는 맨처음 재채기로 나타
났다. 나는 내 방 앉은뱅이책상에 붙어앉아 요란한 재채기를 했
다. 당신 감기 들었나 봐요. 연탄구멍 다 열어놨어요. 아내가 털
스웨터를 들고 나와 내 곁에 앉으며 말했다. 벌써 며칠째 너무 무
리하는 것 같아요. 나는 서류에서 눈을 떼지 않으며 아내가 하라
는 대로 손을 뻗쳐 스웨터를 입었다. 됐어, 들어가 자. 내가 퉁
명스럽게 말했다. 오늘도 여기서 그냥 주무실 거예요? 아내는
책상 옆에 펴놓은 이부자리 밑에 손을 넣으며 말했다. 그리고 조
용히 일어나 내 어깻죽지를 주무르기 시작했다. 건강도 생각해야
죠. 나는 대답하는 대신 왼손을 바른쪽 어깨로 뻗쳐 그네의 손을

잡았다. 그네가 내 손을 힘주어 쥐며 등에 얼굴을 살포시 기댔다. 나는 펜을 놓고 그 손으로 내 왼쪽 어깨에 놓인 그네의 왼손을 잡았다. 그네의 보드라운 손가락이 잡히고 거기 3부짜리 다이아 가 박힌 백금반지가 깔끄럽게 감촉됐다. 내가 그네를 소유하겠다 는 정표로 그네에게 끼워준 결혼반지였다. 일찍 주무세요. 아내 가 내 귓가에 속삭인 다음 조용히 일어나 나갔다. 열 한 시 이십 분이었다. 나는 슬며시 울화통이 치밀었다. 그것은 내게 이런 일 을 맡긴 회사 중역에 대한 것이라기 보다 이러한 일을 맡고 나선 내 자신에 대한 세찬 혐오였다. 그네들이 나를 택했다. 그러나 내가 원하지 않았다면 맡지 않을 수도 있었다. 민과장을 발탁해 온 것은 바로 이런 일 때문이었소. 중역이 말했다. 기회를 놓치 지 마시오. 서류를 매만지면서 내가 알아낸 것은 회사 중역들이 지나친 욕심으로 너무 많이 가지려 했다는 점이다. 적절한 투자 와 균등분배의 원리가 무시된 변칙운영에 따른 수지결산이 엉망 이었다. 중역들이 살고 아울러 회사가 연명할 수 있는 길은 탈세 뿐이었다. 이중 장부가 필요했다. 연말결산에, 세무감사가 눈 앞 에 다가오고 있었다. 남의 눈을 피해서 해야 할 일이었다. 아내 를 위해서 우리들이 만든 아이들을 위해서, 그리고 나 자신이 줄 기차게 꿈꾸어 온 나의 야망을 위해서 나는 그 일을 맡았다. 그 것은 내가 소유하고 싶은 것을 완전하게 소유할 수 있는 최선의 길이라고 믿었기 때문이다. 나는 소유하고 싶은 게 너무나 많았 다. 가난했던 어린 시절 가져 보지 못했던 그 부러운 남들의 장 난감에서부터 서른 두 살 그 나이까지 가정을 이루지 못한 내 불 우한 젊음이 지녀 누리고 싶은 것은 헤아릴 수 없이 많았던 것이 다. 항상 허기진 사람처럼 눈을 번들거리며 탐욕하는 나를 아내 가 가로막곤 했다. 아내는 내가 지닌 욕망의 불길을 알고 있었다. 아내는 늘 토닥이듯 나를 달래곤 했다. 당신은 왕자예요. 갖고 싶 은 걸 다 **가졌어요.** 당신은 내 전부를 가졌어요. 그리고 당신은 우리 아이들, 아람과 하나의 아버지에요. 아내는 머리맡에 숱한

장난감을 늘어놓은 채 입을 벌려 잠든 아람과 하나의 머리를 쓸
어넘기며 말했다. 당신은 세상 전부를 가진 거나 다름없어요. 욕
망은 밑빠진 항아리에요. 가지고 싶은 것을, 그런 무모한 욕망을
버릴 줄 아는 것이 참다운 것을 지키는 방법인 거예요. 진정한 소
유는 독점하지 않고 두고 보는 데 있어요. 사실 아내는 그네의 말
대로 분수에 맞는 것만을 골라 남들 모르게 조용히 지켜 보는 걸
좋아했다. 버릴 것을 쉽게 버릴 줄 알았다. 그것은 실상 버린 것
이 아니었다. 처음 그네를 만났을 때 나는 그네가 행복을 만드는
여자라는 생각을 했다. 나는 매일매일 아내의 행복한 얼굴과 만
났다. 나는 그네의 행복에 매혹되었고 그네의 모든 것을 가지기
위해서 눈물겨운 노력을 기울였다. 한 마리의 파랑새를 잡기 위
해 나의 모든 것을 버릴 수 있다고 생각했다. 그때 나는 모든 것
을 버리는 것이 모든 것을 얻는 것임을 깨닫게 되었던 것이다.
그러나 나는 범부였고 아내가 일깨워준 그 욕망을 죽이는 법을
곧 잊게 되었으며 그네를 소유한 자만으로 해서 눈이 어두웠던
것이다. 그것이 아내를 잃게 된 결정적 요인이었다고 나는 훗날
생각하게 되었다. 내 스스로가 버리지 못한 것 때문에 나는 모든
것을 잃었던 것이다.

「민과장님, 이런 경황중에 도리가 아닌 줄 압니다만 고인을 위
해서도 협조해 주셔야 합니다.」
내 의사와는 관계없이 아내의 주검은 벌거벗겨진 채 뭇사내들
의 눈앞에 공개되었다. 나는 현장을 처음 목격한 그때의 정황을
열 번이나 넘게 되풀이했다. 이불을 걷어내찬 채 제가끔 뒹굴어
자던 아이들의 모습이며 그 아이들의 장난감이며 열려진 채 어지
럽던 의장의 서랍에 대해서도 거듭거듭 되풀이해야 했다. 그리고
방문턱 바로 밑에 반듯이 누워 있던 아내에 대해서도 거듭거듭 말
해야 하는 괴로움을 겪었다. 암울한 절망의 늪에 빠져 탄식하며
깊이깊이 슬퍼해야 마땅할 시간에 나는 어처구니 없게도 아내의

죽어 넘어진 위치를 말하면서 그 말하기의 고역만을 괴로와 하고 있었을 뿐이다. 도대체 사랑하는 아내의 죽음을 조용히 애도할 그럴 겨를이 없었던 것이다.

「딴 방에서 주무신 그 이유를 말씀해 주십시오.」

「회사 일을 했읍니다. 시간이 없어 밤을 새웠읍니다.」

「그날, 사건이 일어난 날 밤에 밤을 새우셨단 말이지요?」

「아닙니다. 그 전날 얘깁니다. 그날 밤은 나도 모르게 쓰러져 잠이 들었읍니다.」

나는 허둥지둥 얘기를 바로잡았다. 몇 번씩 되풀이한 말인데 막상 그들과 얘기를 나누다 보면 전후가 헛갈렸다.

「수사상 저희들이 보관하고 있는 그 서류 때문에 딴 방을 쓰셨다 그 말씀이신데, 그게 그렇게 중요한 것입니까?」

이것은 또 다른 고통이었다. 회사 중역의 얼굴이 떠올랐다. 아내의 죽음 같은 건 문제도 되지 않을 것 같은 공포가 엄습했다. 아내를 위하여, 우리의 사랑하는 아이들을 위해서 출세하고 싶었던 내 욕망을 어떻게 설명할 수 있단 말인가.

「좋습니다. 그렇게 묵비권을 행사하시면 우리 나름대로 해석할 수도 있읍니다. 이를테면 민과장님께서 돌아가신 부인과 같은 방을 쓰지 않을 정도로 사이가 나빴었다는 것을 생각할 수 있다는 거지요.」

남들이 알면 우리가 마치 사이가 나빠 별거하는 걸로 알 거예요. 아내가 말했다. 부부가 각 방을 쓰는 것은 이유야 어쨌든 안 좋은 거 같아요. 난 우리들 사이에 그런 안 좋은 게 끼이는 걸 용서할 수 없어요. 아내는 이삼일 동안 아이들과 함께 안방에서 자고 난 뒤 슷제 눈물을 보일 정도였다. 일주일이야, 일주일만 참아 줘. 나는 그 일주일 동안에 비밀장부의 숫자에 조화를 부려낼 자신이 있었던 것이다. 우리 회사를 잡아먹고 싶어하는 회사가 많다는 걸 명심하시오. 기밀이 새거나 서류 중 일부라도 누출될 경우 우리 회사는 끝장이오. 내게 일을 맡긴 사람이 다시 말했다.

실례의 얘기지만 부인한테도 극비로 하시오. 그만한 보상은 다 생
각하고 있을 거요. 회사를 위해서가 아니라, 나 자신을 위해서도
그것은 중요한 일이었다. 나는 서류와 함께 잠잤다. 출입문과 창
문을 잠근 다음 커튼까지 쳐 외부와 모든 걸 차단했다. 나를 믿
는 사람들을 배신한다는 것은 죄악이라고 나는 생각한 것이다.
낮에는 더 바빴다. 장부상의 하자를 때우기 위해 간부들을 수없
이 만나야 했고 출고와 재고, 그리고 거래 상사들과의 비밀한 입
맞춤과 동료들에게 눈치채지 않기 위한 연막으로 커피를 마시며
농담도 해야 했다. 여보, 문 좀 열어 주세요. 어느날 새벽녘 아내
가 밖에서 애원하고 있었다. 무서운 꿈을 꾸었어요. 아내의 가슴
이 파닥파닥 뛰고 있었다. 당신이 절벽에 매달려 살려 달라고 애
원하고 있었고, 망치를 든 사람이 당신이 몸을 지탱한 그 손가락
을 망치로 내리치고 있었단 말예요. 그네는 내 손을 더듬어 쥐며
말했다. 나쁜 꿈은 현실에선 좋은 거야. 나는 아내의 말을 흉내
냈다. 무서워요. 아내가 품에 파고들면서 몸서리쳤다. 아내의 몸
은 뜨거웠다. 그러나 나는 그 뜨거움을 통해서도 관능의 불을 당
기지 못했다. 내 몸은 딴 방을 쓰는 그날부터 차갑게 불꺼져 있
었던 것이다. 건강한 수만 개의 정자 대신 수억의 화폐단위가 내
몸속을 악몽처럼 휘젓고 있었을 뿐이다. 당신 이제 내가 싫어진
거지요. 품에서 아내가 할딱거리며 다그쳤다. 그렇지 않아. 나는
마음 속에서 부르짖었다. 당신을 위해서 그리고 우리 아이들을
위해서, 모든 것을 완전하게 갖기 위해서 나는 지금 충전되고 있
는 거야.

「그날 새벽 민과장이 발견한 현장을 다시 한번 설명해 보시오.」
　그들 사무실에 옮겨져서 나는 그들이 내미는 종이에 다시 한번
그 현장을 그려야 했다. 그림을 좀 배워 두는 건데……나는 그런
엉뚱한 생각을 하고 있었다.
「큰애는 여섯 살, 사내앱니다. 그 밑의 계집앤 네 살입니다.

아내와 나는 우리 아람과 하나를 똑같이 사랑했읍니다. 우리 두 사람 중 한 사람의 사랑이 없어도 그 아이들은 살아갈 수가 없읍니다. 그런데 내 아내를……」

「민과장, 진정하시오. 나도 왕년에 상처를 한 경험이 있소. 모든 사람은 다 자기 배우자를 잃게 돼 있소. 그것이 인생이오…… 문제는 현실이요. 다시 시작합시다. 민과장 말대로 한다면 돌아가신 부인께선 그때 화장대 바로 곁에……」

「아닙니다. 화장대 곁이 아니라 여기 방문턱이었다고 말했읍니다.」

「아, 그랬던가. 그때 부인께선 여기 방문턱에 잠옷을 입은 채 모로 쓰러져 있었다고 하셨는데……」

「그게 아닙니다.」

나는 다시 헐떡거리며 그들의 말을 잘랐다. 내 입으로 몇 번씩 되풀이한 그때의 상황을 그들은 짐짓 틀리게 말하고 있었던 것이다.

「아닙니다. 아내는 모로 쓰러져 있지 않았읍니다. 아내는 가슴에 그 칼만 없었더라면 잠자고 있는 것처럼 평화로운 얼굴로 반듯하게 누워 있었읍니다.」

나는 심한 변의를 느끼고 잠을 깼던 것이다. 잠들기 전 아내가 가져온 주스를 마셨다. 새벽이라도 좋으니 들어와 주무세요. 아침마다 아이들이 잠을 깨선 아빠를 찾아요. 화장실을 다녀오면서 나는 아내의 말을 생각했던 것이다. 안방 문을 열었을 때 나는 우선 방에 불이 켜져 있는 것을 발견하고 놀랐다. 당했구나, 하는 생각이 난 것은 의장의 서랍들이 들쑥날쑥 열려 있는 것을 발견했을 때였다. 방문턱 바로 밑에 아내가 가슴에 칼을 꽂은 채 반듯하게 누워 있었고 나는 엉겁결에 그 칼자루를 잡았다. 그러나 그것은 생각과는 달리 완강한 힘으로 박혀 있었다.

「이상한 일이 아닙니까. 의장 서랍이 모두 열려 있었는데 어떻게 없어진 물건이 없다는 겁니까. 다시 한번 살펴보세요.」

그날 나는 아내의 주검을 옆에 두고 그네가 그처럼 아끼던 의
장 속을 뒤지기 시작했다. 아내의 처녀 때 옷가지들이 곱게 개어
져 의장 맨 밑바닥 서랍에 채곡채곡 들어 있었다. 여학교 시절의
곤색으로 된 말쑥한 동정복 갈피에 눈처럼 흰 칼라가 빳빳하게
다려져 끼어 있었다. 대학시절의 추억으로는 졸업 사은회 때 입
었다는 연분홍 계통의 한복 한 벌이 남아 있었다. 아내는 이처럼
지난 날 그네가 가졌던 모든 것을 소중하게 간직하려 했다. 과거
추억만으로도 그네는 충분히 행복할 수 있을 것 같았다. 열한 살
때 아버지가 돌아가셨어요. 그날은 하루종일 비가 내렸어요. 아
버지가 돌아가시는 방에 나를 들어오지 못하게 하던 간호원의 흰
가운에 그네의 머리카락이 하나 떨어져 있었어요. 왠지 그 흰 바
탕 위의 머리카락이 살아 있는 것처럼 보였어요. 내가 손을 뻗쳐
간호원 언니의 어깨에서 그 머리카락을 집어내자 그네는 얼굴을
살짝 붉혔어요. 그때 아버지가 돌아가셨어요. 아버지는 피를 토
하고 돌아가셨대요. 이처럼 아내는 잊어도 좋을 추억마저 채곡채
곡 간직했다가 펴 보이곤 했다. 나 역시 아버지의 죽음을 알고
있었다. 내가 열 살 때였다. 아버지는 쫓기고 있었다. 많은 사람
들이 아버지를 둘러쌌다. 나는 그러한 아버지의 죽음을 생각하고
싶지 않았다. 실상 내 머릿속에서 몰아낸 지 오래였다. 문득 생각
이 나곤 했지만 나는 이미 기억 속에 떠오른 그 주검 위에 침을
뱉을 수 있었다. 나는 아버지를 버린 지 오래였다. 아내는 서랍
속에 우리들이 결혼하던 날 그네의 가슴에 안았던 꽃다발 한묶음
을 간직하고 있었다. 칠 년 세월 동안 습기가 증발해 버린 그 꽃
묶음을 들어올리자 아스파라거스 잎들이 먼지처럼 부서져 내렸다.
「민과장님, 부인께서 이 꽃다발을 누구한테 받았는지 알고 계
십니까?」
바싹 마른 꽃묶음을 우악스럽게 움켜쥐는 내 격정을 엿보던 그
들이 잽싸게 껴들었다. 모릅니다. 나는 말하고 싶지 않았던 것이
다. 방 안의 은밀한 장소는 다 살펴 보았다. 아내의 시계, 그리

고 목걸이도 아이들이 돐 때 받은 금패물들과 함께 패물함 속에
고스란히 들어 있었다. 물론 그 전날밤 내 손에 깔끄럽게 감촉되
었던 결혼반지는 아내의 주검 한 부분에 그대로 걸려 있었다.

「저금통장이 보이지 않습니다. 그리고……」

「그리고 뭡니까?」

「더 찾아 봐야 알겠지만 아내가 매우 소중하게 여기는 반지 하
나가 보이지 않습니다.」

말해 놓고 나는 곧 후회했다. 내 마음 속에서나 생각하고 있어
야 할 것을 밖으로 내뿜은 것이다.

「그게 어떤 반집니까? 어째서 그 반지를 부인께서 그렇게 소
중히 여겼읍니까?」

「나도 모릅니다. 그냥 아내한테 소중한 것처럼 보였읍니다.」

「민과장한테 그렇게 보였다면 그것은 부인께 대단히 중요한 반
지였을 거요. 생각해 보시오, 그 반지를 누가 부인한테 준 것이
며 왜 그처럼 소중하게 생각했던가를. 중요한 단서가 될 수도 있
을 것 같소.」

그들의 나를 대하는 말투가 좀 딱딱해졌다. 나는 허리를 곧추
세웠다.

「그 반지는 아내가 처녀 때부터 가지고 있었던 것입니다.」

「그렇겠지요. 그랬기 때문에 민과장한테는 그 반지가 달리 보
였을 게고, 민과장은 그 반지로 해서 부인과 여러번 말다툼을 했
을 겁니다. 어때요, 내 말이 틀립니까?」

그들의 추리는 옳았다. 실상 나는 그 반지로 해서 아내와 다툰
적이 있었다. 7년 전 내가 아내를 처음 소개받았을 때 그네는 그
반지를 끼고 있었던 것이다. 실핀보다 약간 넓은, 잘해야 반 돈이
될까말까한 그런 빈약한 실반지였다. 그러나 그 실반지는 아내의
통통한 손가락에 너무 잘 어울렸다. 십팔금예요. 그네가 몹시 수
줍음을 타며 그 반지를 가려 버렸다. 약혼하신 줄 알고 깜짝 놀
랐읍니다. 내가 솔직히 말했지만 아내는 그냥 얼굴을 살짝 붉혔

을 뿐이다. 아내는 결혼 후에도 그 실반지를 즐겨 끼었다. 밖에
외출할 때도 그 반지를 끼고 싶어했다. 거 창피하게 노는군. 내
가 그 일로 늘 투덜거렸다. 부담이 없어 좋아요. 이걸 끼면 마음
이 그렇게 편할 수가 없어요. 아내는 몹시 겸언쩍어하면서 말했
다. 그렇다면 내가 해 준 결혼반지는 부담스럽다는 얘기군. 결국
우리는 처음부터 어렵게 시작한 쌍이야. 내 빈정거림에 아내가
여느 때와 달리 매섭게 나왔다. 어떻게 생각하든 그것은 당신 자
유예요. 그러나 누구에게든 한 가지쯤 혼자만 간직하고 싶은 추
억이 있는 법이에요. 이 반지는 내가 누구에게 구속받기 이전 내
스스로가 지킨 순결에 대한 추억이에요. 문제는——내가 아내의
말을 나꿔챘다. 문제는 순결의 징표인 그 반지를 누가 당신에게
끼워 주었느냐 그거라구. 말해 봐, 그 추억의 사람이 누구지?
말할 수 없어요. 아내가 예상외로 냉랭하게 맞섰다. 말해 봐, 그
잊지 못하는 추억을 말이야. 말할 수 없다니까요. 말해. 나는 당
신 남편이기 때문에 그걸 들을 권리가 있어. 나는 몹시 격앙된 목
소리로 외쳤던 것이다. 권리를 남용하지 말아요. 난 당신에게 모
든 것을 주었어요. 그러나 내 아름다운 추억까지 당신에게 빼앗
기고 싶진 않아요. 남의 추억까지 빼앗으려는 당신의 욕심은 너
무 비열해요. 아내가 눈물을 이슬처럼 맺으면서 말했다. 당신은
가끔 옛날 어렸을 적 시골집 생각이 난다며 휘휘 교외로 나가곤
했잖아요. 그런 휴일 오후를 생각해 보세요. 가을날 바람이 불어
우수수 낙엽이라도 구르는 날이면 당신은 우리 식구가 모두 함께
있는데도 뭔가 허전하고 쓸쓸해 하는 얼굴을 보이곤 했어요. 가
끔 이렇게 물었지요. 산딸기를 따먹어 봤나. 찔레순을 꺾어 먹어
보지 못했지? 싸리나무 울타리 밑을 헤집고 거기 병아리를 품고
앉은 이른 봄날의 암탉을 못 보았지? 이처럼 당신은 당신의 추
억 속에 나를 끌어넣고 싶어했고 그것이 불가능하다는 것을 알았
을 때 더욱 낙담하며 쓸쓸해 했어요. 그럴 때 나는 당신이 전연
남처럼 보였어요. 그렇게 고집스럽게 혼자만 간직하고 있는 당신

의 어린시절 때문에 나는 가끔 당신이 무서웠어요. 그러나 나는
차츰 깨닫게 되었어요. 한 개인이 가진 추억은 누구에게 줄 수도
또 빼앗을 수도 없으며 또한 남의 추억 속에 껴들을 수는 더욱 없
다는 걸 말이에요. 나는 아내가 말하는 뜻을 알 수 있었다. 실상
나는 그녀에게 내가 가졌던 어린 시절에 대해서, 내 부모에 대해
서, 내 뿌리에 대해서 말해 준 적이 없었던 것이다. 아내 또한
그것을 굳이 물으려 하지 않았지만 설사 집요하게 물어왔다 해도
나는 결코 내 치욕스러운 지난날을 발설하지 않았을 것이다. 그
것은 오늘을 지혜롭게 이끌어 가야 할 내 욕망 앞에 한낱 거추장
스러운 발뒤꿈치의 때에 불과했기 때문이다. 그런 오욕에 찬 내
과거를 나는 서슴없이 버린 지 오래였다.

「민과장, 그렇게 괴로와할 것 없소. 여자란 다 그런 거요. 더
이상 그 반지 일로 해서 민과장을 괴롭힐 생각이 없소. 그것은
이제 부인의 과거 사생활을 추적해 보면 다 밝혀질 거니까 말이
요.」

「내 아내의 과거를 추적한다고요? 왜, 무엇 때문에, 누구 마
음대로 그런 짓을 합니까?」

나는 헐떡거리며 대어들었다.

「물론 그런 일을 우리도 하기 싫습니다. 그러나 당신 부인을
살해한 범인이 아직 잡히지 않았단 말이요. 내가 이러이러한 일
로 살해했다──그렇게 나서 주는 사람이 있다면 새삼스레 부인
의 과거를 찾아 나설 필요가 없겠지요.」

그들은 서로 의미심장한 눈짓을 하며 짐짓 여러 가지를 물어왔
다. 한 달에 수입이 얼마나 됩니까. 꽤 이름이 있는 회산데 부수
입도 괜찮을 거 아닙니까. 회사에 들어간 지 1년도 채 안 됐는데
어떻게 벌써 과장이 됐소. 회사중역들의 신임이 대단하다면서요.
술 많이 합니까. 물론 회사일로 술을 많이 먹어야 했을 거요. 청
진동 소라옥이 단골이라시던데, 거기 꽃들이 일급이라더군. 어
때, 재미 많이 보셨겠구먼. 그 때문에 돌아가신 부인하고도 많이

다투셨을 게고.

나는 눈을 감았다. 아무것도 듣고 싶지도, 아무것도 생각하기도 싫었다. 이젠 아내가 죽었다는 그 사실마저 실감이 나지 않는다. 슬퍼야 할 텐데 슬프지가 않다. 아내의 장례식에 얼굴을 내민 회사 높은 사람들의 얼굴이 사색이 돼 있었다.

「이보게, 민과장, 물론 자네 경황이 없을 줄 아네. 하지만 이건 회사의 사활이 달린 걸쎄. 잘 생각해 보게. 어떻게 했나, 그 서류?」

그들은 하소연했다.

「잃어 버렸읍니다. 아내가 죽던 날, 그날 밤 그 서류가 없어졌읍니다.」

나는 그렇게 거짓말을 했다. 그렇게 말하고 싶었다.

「이 사람아, 그게 무슨 소린가? 자네 부인이 죽은 거하고 회사 서류하고 무슨 상관이 있단 말인가?」

「상관이 있읍니다.」

그렇게 잘라 말해놓고 나니까 나는 어느 정도 마음이 풀렸던 것이다. 나는 그 서류 때문에 아내를 잃어 버렸읍니다. 우리 두 사람의 사랑이 있어야만 키울 수 있는 우리 아이들의 엄마가 그 서류로 해서 죽었읍니다. 나는 이제 내 아이들을 사랑할 자격이 없읍니다. 나는 내 자신도 사랑할 수가 없읍니다. 아내가 없는 이상 나나 아이들의 삶은 무의미하고 가치가 없읍니다. 그제서야 나는 비로소 가슴에 물결쳐 오는 슬픔의 덩어리를 만질 수 있었던 것이다. 나는 울고 싶어졌다. 그때 그들이 내 어깨를 쳤다.

「민과장, 그 없어진 저금통장 얘긴데 거기 얼마나 들어 있었소?」

그들은 거듭거듭 다그쳐 물었다. 이 시간 내게 가장 중요한 일은 아내의 죽음이 아니라 아내가 간직하고 있던 그 저금통장의 액수였다.

「모릅니다. 물론 아내는 그 저금통장을 내 이름으로 했다고 했

244

웁니다. 3년 전 결혼 4주년 기념으로 시작한 저금이라고 했읍니다. 아내는 그 통장에 얼마가 모였는지를 말하지 않았읍니다. 우리들의 집을 살 수 있을 때까지 모으겠다고 말했지요.」

「여보시오, 그럼 이 집이 당신 것이 아니란 말이오?」

「전셉니다.」

호, 그들은 의외란 얼굴을 했다. 우린 모든 걸 우리 손으로 처음부터 시작하는 거예요. 아내의 말대로 결혼 당시 우리들은 아무것도 가진 게 없었다. 나는 천애고아요. 그네와 결혼하게 되었을 때 나는 사고무친한 내 처지를 알려줄 필요가 있었다. 부모도 형제도 없어. 집도 재산도 없단 말이야. 됐어요, 그럼 지금부터 시작하는 거예요. 아내는 씀씀이가 헤프지 않았다. 자신의 나들이옷 한 가지를 제대로 해 입지 않았다. 내가 이제까지 혼자 살아온 그 자유분방한 무절제의 생활방식이 그네를 당혹하게 만드는 것 같았다. 주머니에 돈이 생기면 쓰지 않고는 못견디는 없는 자의 낭비벽을 뜯어 고치기 위해 그네는 내가 일찌기 경험해 볼 수 없는 내핍과 절약을 주도했다. 우선 저축부터 하고 그 남는 돈에 맞게 생활계획을 세웠다. 우리의 집을 마련하는 게 그네의 꿈이었다. 남의 집에 전세를 살면서 좋은 옷 좋은 음식을 먹는 것은 우리 아이들한테 죄악이라고 말하던 아내였다.

「민과장, 감기가 심하군. 그 콧물부터 닦지. 당신이 그렇게 괴로와 한다고 죽은 사람이 살아나겠소. 당신이 할 일은 범인을 찾아 당신 부인의 원수를 갚는 일이야.」

「범인이라고요? 그런 게 무슨 상관입니까. 내 아내는 죽었을 뿐입니다. 원수를 갚아야 한다고요? 죽은 사람한테 그것이 무슨 소용이 있단 말입니까. 설사 범인이 잡혔다 해도 그 범인은 내 아내를 살려내지 못합니다. 죽은 사람을 위해서는 죽은 대로 조용히 그네의 죽음을 추도해 주는 것이 좋습니다. 내게 그렇게 아내의 죽음을 조용히 생각할 수 있도록 내버려 두십시오.」

아버지를 에워쌌던 사람들이 물러갔을 때 남은 건 아버지의 주

겸이었다. 머리가 터지고 손이 으깨어진 채 그는 밭고랑에 널브
러져 있었다. 아무도 가까이 오지 않은 채 날이 저물고 있었고
어머니는 남편의 주검을 끌어안고 오래오래 울 수 있었다. 어린
두 동생과 함께 나는 땅을 파헤쳐 미처 캐내지 못한 고구마를 찾
아 으적으적 씹었다. 처음 우리들도 어머니 뒤에 서서 슬프게 울
었다. 그것은 아버지의 죽음을 생각해서라기보다 어머니의 울음
이 우리들의 가슴에 절박한 느낌으로 와 닿았기 때문이었다. 동생
들과 함께 고구마를 캐먹으면서 나는 이제 아이들 눈총에서 벗어
날 수 있다는 생각으로 가슴이 뛰었다. 열 살 나이로 아버지를
이 세상에서 마지막 보내는 추도는 그런 것이었다.

「이보시오, 당신 지금 팔짜 좋은 소릴하고 있군. 범인을 왜 잡
느냐고? 그건 당신 개인의 문제가 아니야. 법은 한 개인을 위해
서 만들어진 것이 아니라 사회 전체의 공익과 질서를 위해서 만
들어지고 행사되는 거야.」

「한 개인도 사회의 훌륭한 구성원입니다. 사회를 위해서 한 개
인의 인격과 생활이 헝클어지고 침해받는 건 옳지 않습니다.」

「이 사람 이거 꽤 웃기는군. 당신 말대로라면 지금 우리가 당
신 개인의 생활을 침해하고 있다는 뜻인데……당신 정말 이렇게
비딱하게 나갈 거야?」

나는 정말 내가 비딱하게 나가고 있다는 것을 깨달았기 때문에
더이상 할 말을 잊고 고개를 꺾었을 뿐이다. 천근만근 무게의 잠
이 무섭게 쏟아졌다.

「여보, 당신 정말 무정한 사람이군. 당신 부인이 칼에 찔려 죽
었는데 어떻게 이처럼 태연하게 잠을 잘 수가 있단 말이오.」

그들은 내게 담배 한 개비를 내밀었고 나는 그것을 받아 불을
붙이기가 무섭게 내 심장의 피를 빨듯 그렇게 열심히 빨아댔다.

「민과장, 이제 우리 탁 터놓고 얘기합시다. 누구 원한을 살 만
한 사람이 있거든 대 보시오. 여자관계도 좋고 친구나 직장 동료
나……」

아버지에게 있어서 세상사람은 모두 원수였다. 당신이 가져야 할 몫까지 가지지 못했다고 항상 으르렁거리던 아버지에게 있어 가진 사람들은 모두 적이었던 것이다. 아버지 세상이 되었을 때 아버지는 자기 몫만큼 가졌으면 되었을 것이다. 그러나 아버지는 자기 몫의 수백 배의 것을 가지려 눈이 뻘겋게 날뛰었던 것이다. 난리가 나기 전까지만 해도 아버지는 항상 수많은 적을 마음대로 공격해도 용서받을 수 있는 그런 유리한 위치에 있었지만 막상 아버지가 총을 잡자 문제는 사뭇 달라졌다. 그것은 시대착오를 불러일으킨 아버지의 무식 때문이었다. 아버지는 무자비하게 총 을 휘둘렀다. 이제 아버지는 발 뻗고 잘 수 없는 그런 불안한 위 치에서 모든 사람의 공적(公敵)으로 외롭게 던져졌던 것이다. 결 과는 이 세상에 아버지가 살아남지 못했다는 것이다. 그리고 어 머니와 우리 삼남매도 아버지를 버렸다. 아버지 최중배씨는 이 세 상에 자식을 남기지 못했다. 개가한 어머니는 우리들의 성을 함 께 사는 남편의 성을 따라 민씨로 가호적에 올려 버렸던 것이다.

「대 보시오. 마음에 짚이는 그런 사람이 있을 거 아니요.」

「없읍니다. 나는 아직 남한테 원한을 살 만한 일을 해본 적이 없읍니다. 또한 남을 원망한 일도 없읍니다.」

「그러시겠지. 그렇다면 몇 가지 묻겠소. 다 조사해서 알고 묻 는 거니까 거짓이 없도록 하시오.」

그들은 제가끔 수첩을 꺼내들고 묻기 시작했다. 나는 기침을 했다. 기침이 끝나면 추저분하게 콧물이 흘렀다. 콧물을 닦느라 고 수건을 잠시 얼굴에 대면 눈꺼풀이 둘먹은 솜처럼 무섭게 내 리감겼다. 아아, 잠.

「양혜옥이와는 어떤 사이였오?」

양혜옥. 그네의 자그마한 그 요부형 몸뚱이가 떠올랐다. 술집 에서 만났다. 석 달을 함께 살기까지 그네를 미혼녀로 알았다. 결 혼까지 하려고 했었다. 그러나 나는 어느날 그네의 남편이 죽은 지 불과 1년밖에 안 된 사실을 알아냈다. 나는 내가 가졌던 모든 것을 주고 그네로부터 도망쳤다. 망할년. 나는 이를 갈았다. 아버지 주검에 달라붙어 그렇게 서럽게 울던 어머니가 난리가 끝나고 채 2년도 못되어 개가를 했다. 어느날 아침 눈을 떠보니 막내 동생과 함께 어머니가 보이지 않았다. 바로 밑의 동생과 함께 우리는 거지가 되어 떠돌았다. 우리가 천신만고 다시 어머니를 찾았을 때 그네는 이미 또 한 아이의 엄마가 되어 있었다.

「당신, 신윤희하곤 언제부터 알았어?」

나는 입을 따악 벌려 그들을 쳐다보았다. 놀랐지, 하는 표정으로 그들이 내 대답을 기다렸다. 아내와 결혼하고 3년쯤 됐을 때 광화문통에서 신윤희를 만났다. 그네가 먼저 걸음을 멈추었고 나 또한 대번에 알아보았다. 국민학교 때 한반이었다. 난리가 터지기 전이었다. 가난한 집 사내놈은 부잣집 계집애의 입성이 늘 깨끗한 게 불만이었다. 그 옷을 더럽히고 계집애의 볼에 손톱자국을 내야 속이 풀렸다. 그 일로 해서 사내놈은 늘 아버지한테 발길질을 당했다. 난리가 터지면서 윤희네는 마을을 떠났다. 그리고 사내놈은 아버지가 죽었고 거지가 되어 떠돌다가 그 도청소재지에서 어머니를 만나 살게 되었을 때 그네를 다시 보았다. 너, 닥바위 살던 최형태 아니니? 그네가 내 교복의 명찰을 들여다보면서 놀랐다. 나는 그때 겨우 고등공민학교 3학년이었고 그네는 정규 고등학교 학생이었다. 그네가 알고 싶어한 것은 내 명찰에 최형태 대신 민형태로 적혀 있는 일이었다. 나는 난생 처음 부끄러움을 느꼈다. 내가 수음을 한 최초의 기억도 바로 윤희를 본 그날 저녁이었다. 삼십이 넘어 만난 신윤희는 여전히 예뻤다. 나는 그네를 세 번 만났다. 두 번은 다방에서, 마지막은 여관방이었다. 그네는 스스럼 없이 옷을 벗었다. 나는 그네가 나를 통해 유년시절의 고향과 그 고향의 추억들을 되찾고 싶어 안달하는 것을 알아냈다. 나는 그날 불행한 그네를 위해 내 남자를 끝내 행세하지 못한 채 헤어졌다.

「당신, 알고 보니 꽤 복잡한 사람이군. 당신, 10월 12일부터

13일까지 이틀간 어디서 뭘 했지? 잘 생각해서 대답해.」

잘 생각할 필요도 없었다. 나는 그날을 잊지 않고 있었다. 10월 12일은 아버지가 밭고랑에서 마을 사람들한테 몰매를 맞아 죽은 날이었다. 법에 앞서 마을 사람들 스스로가 아버지의 죄에 합당한 벌을 내린 것이다. 국군이 읍내에 이르기 전에 아버지는 공동묘지에 묻혔다. 아버지에게 벌을 내린 그 사람들이 그렇게 해주었다. 마을 아낙네들이 어머니의 손을 잡고 함께 울어주었다. 큰애 아람이 가슴에 안길 때마다 나는 내가 버린 아버지를 생각했다. 의식주가 족하고 나서야 예절을 안다는 옛말대로 나는 근래 옳지 못한 생활방식에 의해 조금씩 배가 불러지면서 막연한 불안에 휩싸이곤 했다. 내가 버린 최중배가 양심처럼 내 가슴에 살아나기 시작한 것이다. 한꺼번에 많은 것을 가지려 날뛰었기 때문에 그 자신과 당신이 이 세상에 남겼다고 생각했던 것마저 깡그리 잃어버린 아버지, 나는 아버지를 생각하기 시작했다. 최중배와 민형태는 어찌 이질적일 수가 있는가——나는 그것을 확인하고 싶어 견딜 수가 없었다. 10월 12일부터 13일까지 이틀간의 결근계를 회사에 냈다. 아내한테는 회사일로 출장을 간다고 속였다. 나는 아내한테마저 최중배와 민형태의 관계를 얘기할 용기가 없었다. 그리고 아직도 그 도청 소재지에서 추하게 늙고 있는 어머니와 동생들을 얘기할 수가 없었던 것이다. 나는 집을 버린 지 이미 오래였고 그네들 역시 나를 잊고 있을 것이란 생각이었다.

「그 이틀 동안 나는 몸이 아파 집에서 쉬었읍니다.」

12일 저녁 어렸을 적 거지가 되어 떠난 고향 읍에 도착했다. 아는 얼굴을 만나는 게 무서워 여인숙에 박힌 채 잠을 잤다. 그리고 13일 강 건너의 공동묘지를 뒤지기 시작했다. 실로 29년 만에 아버지가 거적대기에 말린 채 들려 올라간 그 산비탈을 걸었다. 잡초 무성한 공동묘지를 헤매면서 나는 내가 얼마나 무모한 짓을 하고 있는가를 깨달았다. 죽은 사람과 그리고 하나의 흙무덤이 내게 어떤 의미를 던져 줄는지도 모른다는 그 허망한 기대가 무너진 것은 아버지의 무덤을 찾지 못했기 때문이라고 나는 미련을 버리지 못했다. 날이 다 저물 때까지 나는 그럴싸해 뵈는 수십 년 버려진 채로 있는 몇 개의 무덤 앞에 망연히 서 보았을 뿐이다.

「이보라구. 당신 지금 거짓말을 하고 있어. 그 이틀간 집에서 쉬었다는 건 거짓말이야. 증거를 댈까? 여기 당신 부인이 쓴 일기에 다 나타나 있어. 당신이 출장을 갔다고. 회사에 알아 보니까 당신 그날 결근계가 나와 있더라구, 뭐했어, 그 이틀간?」

「그건 아내의 착각일 수도 있읍니다. 나는 분명 그날 집에 있었읍니다. 지금 생각납니다. 아내가 그날 나를 위해 육계장을 끓였읍니다.」

최중배를 공동묘지에서 찾으려 했던 그 이틀간의 행적을 그들에게 설명해야 할 그 곤욕보다 집에 있었다는 거짓말이 백 번 낫다고 나는 생각했다.

「이봐, 착각은 임자가 한 거야. 그 육계장을 끓인 게 누구였지? 어떤 여자야? 숨겨 둔 사모님이 누구냐 그거야.」

「그런 일 없읍니다.」

「이거 왜 이래? 당신 이 일기장 읽어 본 적 있나?」

그들은 대학노트 서너 권을 한데 묶은 아내의 일기장을 들어보이며 물었다. 나는 고개를 저으며 아내가 남긴 그 일기장을 멀거니 바라보았다. 아내의 일기장, 아내의 생활, 생각, 추억……내 얘기는 얼마나 들어 있을까. 가식의 삶을 산 내 얘기를 어떻게 썼을까. 우리 아이들의 얘기는 뭐라고 썼을까. 어쩌면 나하고 맺어지기까지의 그 어려웠던 일들도 적었을 거야. 이놈아, 내눈 감기 전에는 어림도 없다. 그네의 어머니는 젊어서 남편 잃고 혼자서 고생하며 자식을 키운 공을 내세워 주장이 세었다. 사고무친한 사람에게 어렵게 키운 딸을 줄 수 없다는 것이었다. 뿌리도 줄기도 없는 데다 십년 위인 사람한테 어린 딸을 내놓을 수 없다며 나중에는 하소연까지 했다. 이보시우, 세상에 흔해빠진 게 여잔

데 왜 하필 내 딸을……제발 이 늙은이 살려주는 셈치고……그러
나 아내가 그네의 어머니를 설득했다. 어쩔 수 없이 딸을 내주긴
했어도 그네의 어머니는 결코 딸이 사는 집에 발길을 끊었다. 이
쪽에서 찾아가야 겨우 얼굴을 맞댈 정도였다. 나는 그네 어머니
의 꼿꼿함이 무서웠다. 내 거짓의 삶을 속속들이 들여다 보는 것
같아 가슴이 떨리곤 했다.

「맞아, 당신이 이 일기장을 보았을 리가 없지. 이것은 당신 아
내의 과거거든. 여자의 과거, 죽어서 무덤까지 가지고 간다는 비
밀이라 그거야. 이를테면 당신이 부인을 속이고 놀아난 그 이틀
간 당신 부인이 누굴 만나 어떻게 지냈는가 하는 게 적혀 있다 그
말씀이야. 」

「여보시오. 내 아내는 죽었소. 죽은 사람을 화제에 올려 그렇
게 말하는 것은 옳지 못한 일이오. 」

나는 으르렁거렸다. 당장 뛰쳐 일어나 그들의 목을 조이고 싶
었다. 그러나 나는 금방 온순해졌다. 한 가닥 음흉한 생각이 안
에서 나를 유혹하고 있었기 때문이다. 아내가 전부는 아니지. 여
자는 얼마든지 있다. 회사는 결코 나를 버리지 못할 거야. 이들
이 압수해 간 회사의 그 서류들은 이미 회사에 돌려졌는지도 몰
라. 이들이 그렇게 쉽게 구멍을 찾아냈을 리가 없지. 잘하면 전
화위복이 되어 더 크고 완전한 것을 얻을 수 있을는지도 몰라. 수
고했어. 어려운 고비를 잘 넘겨 줬네. 회사 높은 사람이 내 등을
토닥여 주겠지. 나는 이제 밖에 나가면 하늘을 볼 거야. 그래, 겨
울의 그 음산한 하늘도 좋다구. 언제나 겨울만 계속되는 건 아니
니까. 봄, 그렇지. 시간은 흘러가는 거야. 흘러가는 시간은 아픔
을 잊게 해주고 그것을 잊었을 때 보다 크고 완전한 것을 가져다
주는 거야. 내가 최중배의 자식이 아니라 민씨 집안의 자식인 것
처럼 말이다. 나는 어디까지나 민형태다.

「우리가 당신 부인을 일부러 헐뜯어 욕되게 한단 말인가? 이
봐, 작작 웃겨. 우리는 다만 당신 부인이 누구한테 왜 죽었는가

그걸 밝히고 있는 중이야.」

「그렇지만 내 아내의 순결을……」

「알았다구. 괴롭다 그 말씀이지. 그러나 밝혀야 해. 당신 부인이 죽은 것은 단순 강도살해라곤 보기 어렵기 때문이야. 없어진 게 없단 말이야.」

「저금통장이 없어졌읍니다.」

「그건 없어지지 않았어. 어제 우리들이 당신 집 어디에선가 찾아냈거든. 자, 이게 그거야. 혹시 당신이 거기에 감춰 뒀는지도 모르고……」

그들은 아내가 가끔 내게 내보이며 자랑스럽게 웃던 그 저금통장을 흔들어 보였다.

「이제 당신 집에서 없어진 것은 그 실반지 하나야. 당신 부인이 그렇게 소중하게 생각했던 거 말이야. 다시 시작해야 하겠어. 그 반지의 내력을 당신은 알고 있었지? 이봐, 순순히 말해 봐.」

나는 고개를 저었을 뿐이다. 사실 아내가 요즘 한동안 그 반지를 낀 것을 본 적이 없는 것 같았다.

「이봐, 당신은 알고 있었어. 당신 부인이 딴 남자와 만나고 있는 것을 말이야.」

맞아요. 내 아내는 두 사람의 남자와 살았읍니다. 최형태와 민형태, 두 사람 다 아내를 사랑했읍니다. 아내를 독점했다고 생각하고 있었읍니다. 나는 그렇게 외치고 싶었다. 그러나 민형태가 신음처럼 중얼거렸을 뿐이다.

「제발 내 아내를 모욕하지 마십시오. 내 아내는 당신들이 생각하는 그런 여자가 아닙니다. 내 아내는 이 세상 그 어떤 여자보다 깨끗합니다.」

그것은 진심이었다. 나는 아내의 순결을 믿었다. 아내에게 과거가, 그리고 내 곁에서 다른 남자를 생각했던 것은 있을 수 없는 일이다. 아내는 깨끗하고 아름다운 것만을 가지고 있었다. 그리고 완전한 것이어야 했다. 그러나 그들은 내 눈 앞에서 아내의 일기장을 장난하듯 돌리면서 읽었다.

「이봐, 당신 내 배꼽 보증설래? 왜 이렇게 웃겨. 당신 여자란 요물을 몰라서 그런 소릴 하는 거야? 그렇다면 좋아. 당신……」

그들은 제가끔 수첩을 꺼내 들여다보며 말했다.

「당신, 당신 아내의 과거 속에 등장했던 사람 이름 좀 들어 보겠어? 이달구란 사람 이름 들어 본 적 있어?」

「없읍니다.」

「그렇겠지. 그럼 장윤석이란 사람은?」

「모릅니다.」

「김성직, 최주호, 사광연, 유필주……이 중에 한 사람은 당신 부인과 동갑이야. 화평물산의 나이 어린 부사장——당신 회사와 거래가 있는 데지. 어때, 짚이는 게 없나?」

「없읍니다.」

「없다고 하겠지. 지금 우리가 이 사람들을 뒤쫓고 있는 중이야. 물론 범인은 더 가까운 데 있는지도 모르지.」

그들은 서로 마주 보며 고개를 끄덕였다. 나는 고개를 숙였다. 그리고 그들이 말한 그 이름들을 떠올려 보았다. 아내의 입을 통해 단 한 번도 들은 일이 없었던 이름들이다. 물론 아내는 가끔 외출을 했다. 여학교 동창들을 만나고 온 날은 꼭 여학생처럼 들떠 있었다. 아내는 여학교 때 짓궂게 따라다니던 남학생이 있었다는 얘기도 했다. 교회 성가대석에 앉았으면 처음부터 끝까지 자기한테만 눈길을 쏟고 있는 남학생이 있어 교회를 몇 주일씩 나가지 않은 때도 있었다고 했다. 돌아가신 아버지 친구의 아들 중에 공군장교가 하나 있었어요. 그 사람은 자기가 조종하는 전투기로 나를 공격해 오겠다고 선전포고를 한 적이 있어요. 그러나 나는 당신이 친 그물에 먼저 걸렸어요. 아기의 요람처럼 부드러운 당신의 그물에. 그네가 그렇게 말한 날 나는 소리쳤다. 집어쳐. 당신 질투하는 거예요? 아내가 웃으면서 내 손을 잡곤 했다.

「당신, 그 반지를 어디다가 치웠지?」

「난 그걸 치우지 않았읍니다.」

「그럼, 그 실반지에 얽힌 당신 부인의 애정행각쯤은 알고 있을
거 아냐?」

「모릅니다. 내 아내에겐 그런 일이 결코 없읍니다.」

그들은 한심하다는 듯 고개를 홰홰 내저었다. 그때 그네들 중
한 사람이 다른 방에서 여러 개의 서류뭉치를 들고 들어왔다. 그
들은 사무실 한쪽 구석에 몰려 서서 그 서류를 넘겨 보며 이야기
를 나누고 있었다. 아아, 눈이 부시군. 나는 방 한가운데 켜진
백열전등을 올려다보며 하품을 했다. 몸이 으스스 떨려 왔다. 콧
물이 계속 흘렀다. 아람이가 잘 그랬지. 아빠, 감기 뚝이 뭔지 알
아? 그게 무슨 약이더라. 아빠, 2+2=5라고 한 아이가 있어 왜
그렇게 풀었게? 그래, 아람이 유치원 선생이 그랬지. 아람인 아
빠를 닮아서 산수를 잘 하더라고. 아빠를 닮아서. 그래, 나는 숫
자 맞추기에 자신이 있었어. 회사에 발탁되기 1년 전까지 나는
세무서에서 일했지. 물론 말단이었어. 웬만큼 복잡한 것은 높은
사람들이 내 지혜를 빌러 오곤 했지. 나는 내게 돌아오는 부당이
익을 거절했어. 내 존재는 풍선처럼 커졌지. 여러 회사에서 나한
테 손을 뻗쳤지. 최씨 아들이 말했어. 물리쳐. 그리고 너를 지켜.
그러나 민형태는 말했지. 임마, 기회를 놓치지 마라. 기회는 여
러 번 있는 게 아냐. 최씨 아들이 또 말했어. 아니야, 너무 큰 것
을 가지려다 모든 것을 잃어 버린 네 아버지를 봐라. 그러나 민
형태가……

「여보시오, 민선생, 또 주무시나?」

그들이 내 어깨를 흔들었다. 그들의 얼굴은 아까와는 달리 의
기양양해 보였다. 나는 더럭 무서움을 느꼈다.

「이제 얘기는 간단해졌소. 남은 건 민선생의 결심 하나요. 탁
털어 놓으면 괴로움이 가셔 버립니다. 우리 피차 시간을 아낍시
다. 당신도 우리도 잠은 자야 하니까 말이야.」

「나는 내 아내를 죽이지 않았읍니다.」

나는 턱을 덜덜 떨면서 부르짖었다.

「지금 막 지문 조회 결과가 도착했소. 그런데 이상하단 말이야. 당신은 당신 부인을 절대 죽이지 않았다고 하는데 현장에 남긴 지문은 온통 당신 것뿐이더라 그거야. 무엇보다 그 칼자루에 당신 지문이……」

「맞습니다. 거기 내 지문이 있을 겁니다. 그날 새벽 나는 그 칼을 잡은 적이 있읍니다.」

「그리고 찔렀군!」

「아닙니다. 난 아내의 가슴에서 그 칼을 빼려 했을 뿐입니다.」

「왜, 왜 그 칼을 빼려고 했을까? 설마 당신 아이들을 찌르려고 한 것은 아닐 게고……」

「아닙니다. 나는 다만……」

「알았다구. 그렇다면 말이야, 당신 지문이 대문 빗장쇠 근처에 여러 개 나타나 있었거든, 왜 대문을 열었지? 다른 사람이 들어와서 범행을 했다, 그렇게 보이게 하려고 그랬나?」

「아닙니다. 나는 다만 아내를 찾기 위해서 대문을 열었을 뿐입니다.」

「잠깐……당신 지금 아내를 찾기 위해서 대문을 열었다고 했지?」

그들이 모두 긴장하는 몸짓으로 모여들었다. 녹음테이프 돌아가는 소리가 아주 먼 꿈나라에서처럼 들려 왔다.

「맞아. 당신 그날 밤, 당신 부인과 대판 싸움을 벌인 거야. 그리고 부인이 당신 의처증에 견딜 수 없다며 밖으로 뛰쳐나갔을 거야. 그러자 당신은 곧 뒤쫓아나가 당신 부인을 끌고 들어왔던 거야. 그리고 일을 벌인 거지.」

나는 그때 희붐한 새벽하늘에 오들오들 떨고 있는 별무리를 보았어. 그리고 당신이 이미 이 세상 사람이 아니란 걸 깨달았던 거야. 그러나 나는 기다렸지. 당신이 돌아와 주길 바라면서 대문을 열었던 거야. 아람 엄마, 그때 당신은 그 열린 대문으로 돌아

왔어야 했어. 그리고 잠에서 깨어나 내가 식탁에 앉아 하는 간밤
의 꿈 이야길 들어야 했다구. 꿈에 흉한 꼴을 보면 오히려 좋대
요. 아빠, 오늘 좋은 일 있으려나봐. 당신은 그렇게 말했어야 해.
엄마, 오늘 아빠 좋은 일 생기면 저녁 사시라고 해, 응. 집은 우
리가 볼 거야. 아람이가 말했을 거야. 그럴까, 우리? 내가 당신
을 쳐다보았을 테고 당신은 웃으면서 말했겠지. 아직은 안돼요.
우리 집을 산 다음에……당신과 우리 아이들이 영원히 살 우리
집을 산 다음에 우리 밖에서 저녁을 먹어요. 우리 집을 산 다음
에……ㅎㅎㅎ 나는 웃었다.

「민선생, 또 하나 묻겠는데, 당신, 당신 방에서 밤을 새워 하
던 그 작업이 정당한 일이었다고 생각하나? 당신이 꾸미던 그
회사 서류 말이야.」

민형태가 말했지. 임마, 기회를 놓치지 마라. 최중배가 죽은 건
그 기회를 잘못 이용한 것뿐이야. 너는 머리가 좋아. 이런 좋은
기회에 그 머리를 쓰란 말이야. 최씨 아들이 고개를 설레설레 흔
들었어. 너무 크게 많이 가지려면 가졌던 것마저 다 잃게 되는 거
야. 내 아버지가 그랬어. 그러나 민형태가……

「우린 다 안다구. 당신은 회사에서 신임을 받고 있었어. 없어
서는 안 될 인물이었지. 당신은 전직 세무서원이었거든. 당신은
회사의 부정을 도맡아 나선 거야. 당신은 그 일로 해서 괴로웠어.
거기다가 당신의 의처증——아니지, 의처증이 아니라 당신은 부
인의 과거로 해서 거의 미친 상태에 있었던 것이고 드디어 어느
날 부인의 탈선을 확인하게 됐던 거야. 약점이 잡힌 당신 부인이
그대로 당할 리가 없었지. 당신 부인이, 당신이 작업을 벌이고
있는 회사의 그 비밀장부를 물고 늘어졌던 거야. 그때 당신은 눈
이 뒤집힌 거지. 아내도 잃고 회사의 부정도 탄로날 것이고……

그때 사무실 한쪽 문이 열리며 누군가 종이쪽지를 가지고 들어
왔다. 그들은 그것을 읽었다.

「됐어. 드디어 당신의 정식 구속영장이 떨어졌어. 우리는 당신

을 임미나 살해사건의 진범으로 체포한다. 민형태, 당신은 당신
아내를 죽인 흉악범이야.」

　민형태가 아내를 죽였다. 그거 보려무나, 내 말을 들었어야 했
어. 최씨 아들이 말했다. 민형태, 범인은 너야.

　「너무 무서워하지 마시오. 당신은 여자 복이 없었던 거요. 당
신이 범인일 것이란 결정적 제보를 해준 것도 역시 여자였소. 물
론 당신과 관계가 있던 여자지.」

　나는 문득 신윤희의 얼굴을 떠올렸다. 형태씨, 도대체 어떻게
된 거예요? 지금은 최씨예요. 민씨예요? 형태씨, 혹시 간첩 아
네요? 나는 대답 대신 여관방을 나와 버렸던 것이다. 국민학교
때처럼 그네의 옷을 더럽히고 얼굴에 생채기를 내고 싶었던 것은
마음뿐 나는 이미 불알 깐 수퇘지였던 것이다.

　「민형태씨, 마지막으로 하나만 더 물어봅시다. 도대체 당신 부
인이 그처럼 소중히 여기던 실반지를 어디다 버렸소?」

　「나 역시 마지막으로 말하겠읍니다. 나는 내 아내를 죽이지 않
았읍니다. 당신들은 잘못 알고 있는 겁니다. 내 아내는 정숙한
여자였소. 당신들은 이제 그 이상 내 아내를 모욕해서는 안 됩니
다.」

　그들 중 하나가 신경질적으로 녹음기의 작동을 중지시켰다.

　「당신 정말 끝까지 이러기야? 우리 입에서 당신 부인 비행을
일일이 들춰내길 바라고 있는 거야? 그렇다면 좋다구. 얘기해
주지.」

　그들은 잠시 서로 마주 보며 눈짓으로 뭔가 통하고 있었다. 한
사람이 아내의 일기장을 책상 위에 펴놓으며 볼펜으로 밑줄을 긋
고 있었다.

　「당신 혈액형 A형이 맞지? 그렇다면 당신 아이들의 혈액형이
뭔지 알아 봤소?」

　그래서? 나는 숨을 훅 들여마셨다. 이제 이 사람들은 내게서
아이들까지 뺏으려고 하고 있구나. 민형태, 네 아이들은 네 피를

받지 않았다. 최씨 아들이 귓가에서 속삭였다. 너는 이 세상에 단 한 알의 씨도 못 남겼어.

「너무 괴로와하지 마시오. 우리가 너무 잔인한 것 같군. 이제 아이들 얘긴 그만둡시다. 그러나 당신 부인이 그처럼 소중히 간직했다는 그 실반지에 대해서 당신의 입을 통해 들어야 하겠소. 누가 그걸 당신 아내한테 해 준 거요?」

「난 모릅니다.」

「그렇다면 우리가 말해 줄 수밖에 없군. 그 실반지는 당신 큰 아이의……」

「그만 그만 당신들 지금 무슨 소릴 하려는 거요? 안 됩니다. 그렇게 함부로 얘기하는 게 아닙니다. 나는 당신들을 도저히 용서할 수가 없소.」

나는 온몸을 와들와들 떨기 시작했다.

「진정하시오. 민형태씨, 당신이 항복을 하지 않고 버티기 때문에 우리가 그러는 거 아니오. 우리는 다 알고 있오. 당신이 6·25 때 죽은 최중배란 사람의 자식이란 걸 말이요. 당신이 그렇게 이중 성을 가지고 있듯, 당신의 큰아이 아람은……」

「그만, 그만하시오!」

나는 드디어 두 주먹으로 책상을 치며 부르짖었다. 민형태, 네가 진 거야. 네가 내 아내를 죽였어. 민형태, 차라리 너를 죽여 내 아내의 순결을 지키리라. 최씨 아들이 의기양양하게 웃고 있었다. 나는 조용히 자리에 앉아 그들을 둘러보았다. 그들이 다시 녹음기를 작동하며 내 입에서 떨어질 말을 기다리고 있었다.

「다 얘기하겠읍니다. 내 아내는 민형태가 죽였읍니다.」

「왜?」

「의처증이었읍니다. 실상 내 아내는 결백했읍니다. 그러나 의처증인 나는 아내의 실반지가 마음에 걸려 견딜 수가 없었읍니다. 그날 밤 나는 아내한테 그 실반지를 내놓으라고 엄포를 놓았읍니다. 그 일 때문에 우리는 몹시 다투었읍니다. 아내는 그네의 과거 추억을 단 한 가지라도 남에게 빼앗길 수 없다며 앙탈을 부렸읍니다. 나는 더 이상 참을 수가 없었읍니다.」

나는 민형태를 죽이기로 결심했다. 최씨 아들의 이름을 빌어 민형태를 죽임으로써 내 가슴 속에 깨끗하고 아름답고 완전한 것으로의 아내를 영원히 지니고 싶었던 것이다. 민형태, 그의 거짓 삶은 죽고 내 아내는 영원히 살아 남을 수 있으리라.

「민형태씨, 그래 그 실반지를 어떻게 했읍니까?」

「버렸읍니다.」

「어디다가?」

「한강.」

「하……」

그들은 서로 얼굴을 쳐다보며 탄식했다. 나는 비로소 마음의 평온을 얻을 수 있었다. 마음의 평온은 걷잡을 수 없는 슬픔을 가져왔다. 아내를 잃은 뒤 처음으로 갖는 흐느낌이었다. 잘했다. 최씨 아들이 속삭였다. 너는 이제 민형태를 버린 대신 아주 귀한 것을 얻게 된 거야. 너의 영원한 아내와 진실과……흐, 흐흐.

「아니, 이거……」

내 흐느낌을 잠잠히 바라보고 앉았던 그들의 맨 뒤쪽 사람이 숙연한 실내 분위기를 흐트려 놓았다. 그는 아까부터 내 아내의 일기장 이곳저곳을 열심히 뒤적이던 사람이었다. 그들은 그가 가리켜 보이는 내 아내의 일기장 한 부분에 시선을 모으고 있었다.

「아니?」

그들은 내 아내의 일기장에서 눈을 떼며 허탈해진 그런 표정으로 자리에 주저앉았다.

「민형태, 아니 최형태씨, 당신 지금 우릴 놀리고 있는 거요?」

그들 중 한 사람이 신음처럼 내뱉으며 아내의 그 일기장을 내 앞에 내밀었다. 그들이 방금 그렇게 한 듯 일기장 한구석에 붉은 볼펜으로 줄이 그어져 있었다.

──한때 그이의 오해를 산 적이 있는 그 실반지를 오늘 엄마

손에 돌려드리고 왔다. 엄마는 그 반지를 보시더니 그때 생각을
하고 웃으셨다. 나는 다른 집 아이들과 달리 초경이 늦었다. 딸
하나 데리고 외롭게 사는 엄마는 내게 무슨 탈이라도 없을까 몹
시 조바심하고 계셨다. 17살 때야 비로소 엄마한테 얼굴을 붉혔
다. 대견하다는 듯 엄마는 나를 덜렁 업어 주셨다. 그리고 그날
내게 그 실반지를 기념으로 끼워 주셨던 것이다. 딸 키우는 홀엄
마의 심정은 다 그런 것일까. 이제 우리 집을 살 돈이 거의 모였
다. 집을 사 이사하는 날 엄마를 초대해야지. 그리고 그 실반지
의 아름다운 추억을 잊지 않고 지켜 내가 얻어낸 우리의 행복을
말해 줄 거야.

겨울의 出口

「얘들아, 아버지 들어오실 시간이다.」

어머니가 부엌에서 연탄불을 갈아넣으며 우리 방 쪽을 향해 말했다. 머리가 반백인 초로의 어머니는 아버지가 집에 도착할 시간을 어림하고 있다가 그것을 집안 식구들에게 알리는 게 이제 버릇이 돼 있었다. 그것은 우리나라 아낙네들의 지아비에 대한 한결같은 경외심의 한 표현이라고 봄이 좋을 것이다.

흥——, 책에서 눈을 떼지 않은 채 형이 가볍게 코방귀를 날렸다. 아버지를 향한 형의 감정의 미묘한 움직임은 이 코방귀 하나로 충분히 짐작이 됐다. 형은 아버지를 멸시했다. 아버지가 생각하고 행하는 여러가지 생활방식에 대해 깊은 적의를 가지고 맞섰다. 육친에 대한 미움의 감정이 복받쳐 올라 그것을 미처 주체할 수 없을 때 형은 그 사실로 해서 숫제 괴로와했다. 형이 아버지를 그처럼 미워하는 이유 중의 하나는 아버지의 무능으로 해서 빚어지는 우리 집의 참담한 가난이었다. 형은 그 누구보다 우리 집

구석구석에 밴 가난의 땟국에 대한 혐오감으로 거의 미친 상태에
이르곤 했다. 그러나 더 중요한 것은 자신이 아버지의 근본을 단
한 뼘도 가늠하지 못하는 데서 비롯되는 울화증이었다. 형은 아
무것도 만지지 못하고 있었다. 자기가 그처럼 멸시하는 아버지의
무능이 오히려 그의 달관한 듯한 과묵과 성실로써 교묘히 위장되
고 있다고 형은 생각하고 있었다. 형이 캐내고 싶은 것은 그처럼
무능하고 관무식한 아버지가 어떻게 해서 그와 같은 의연한 삶의
태도를 꿋꿋하게 지켜나갈 수 있을까 하는 그 보이지 않는 힘에
대한 것이었다. 그러나 형은 번번이 실패만 했다. 아버지와, 그
리고 아버지의 한 분신인 어머니는 어떤 경우에도 그네들의 어제
에 대해서 입을 떼지 않았던 것이다. 형은 열리지 않는 문 저쪽
의 어떤 보이지 않는 힘에 의해서 시달림을 받고 있다는, 그런
피해의식 속에 살고 있었다.

「형 들어왔냐?」

내가 언덕 아래까지 마중나갔을 때 아버지는 그 큰 짐자전차를
끌고 올라오는 중이었다. 뒤에는 우리 집보다 더 꼭대기에 사는
재구 청년이 따라오고 있었다.

「시험 본다던 거 봤대?」

「봤대 나봐요.」

「자신있다던?」

아버지는 형에 대해서 추근추근 물어 왔다. 늘 그랬다. 형이 아
무리 깊은 적의를 가슴에 품고 있어도 그런 것에 전연 아랑곳하
지 않는 게 아버지의 한결같은 태도였다. 형은 그러한 아버지의
사랑을 매우 불쾌하게 느끼고 있었다. 이번에 치른 채용시험도
집안 식구들에게 알려질까 전전긍긍한 형이었다.

「오빠가 이번에 아주 중요한 시험을 보나 봐요.」

형이 시험을 본다는 것을 알아낸 것은 누나였다. 역시 집안에
서 형과 대화가 통할 수 있는 것은 누나뿐이었다.

형은 대학 졸업반이었다. 그러나 그는 자신이 지닌 지식과 덕

망이 균형을 이루지 못한 채 갈팡거리는 정서 불안정의 상태에 있었다. 자신의 뿌리를 내릴 땅을 찾지 못해 실의와 좌절 속에 심성이 배배꼬여갈 뿐인 그런 형의 광기를 바람 재우듯 조용히 가라앉히는 마술을 가진 것이 바로 누나였던 것이다. 공장의 한낱 여공에 불과한 지혜 누나는 이제 스물 둘 한창 좋은 나이였다. 인물이 고우면 속을 못쓴다던데 저 처녀 어쩌면 저렇게…… 동네여자들이 누나를 두고 하는 얘기였다.

「누난 여태 안 들어왔냐?」

아버지 물음에 재구 청년이 받았다.

「더 있어야 올 걸요. 요즘 수출품이 늘어서 야간 작업을 한다던데요.」

재구 청년의 여동생이 누나와 함께 그 공장에 다니고 있었던 것이다. 그네들은 남매가 남의 방 한 칸을 세내어 살고 있었다. 2년 전 시내에서 그 어머니가 교통사고로 죽은 뒤 천애고아가 되어 우리 산동네에 들어와 살게 되었다. 재구 청년은 사람이 신실해 뵈고 실상 부지런했다. 아버지처럼 도깨비시장 장사꾼이었다.

「자네 그럼 지금 가서 밥을 해 먹어야겠군.」

「아니에요. 걔가 아침에 다 해놓고 간 걸요.」

「먼저 올라가게.」

그렇게 말해 놓고 아버지가 문득 뒤돌아섰다. 나 또한 아버지의 짐자전차를 멈춰 세우며 뒤돌아보았다. 산동네에서 내려다 보는 시가지의 밤풍경은 아름다웠다. 어둠이 모든 잡스러운 것을 덮어 버린 뒤 그 어둠의 한부분을 밝히기 위해 켜진 수만개의 불빛이 점점이 현란해 보였다. 멀리 공장지대의 높은 굴뚝 꼭대기 위에 설치된 야간 신호등이 마치 서로 장난하듯 이쪽저쪽 번갈아 깜박거렸다. 빨간빛과 파란빛이 거리감에 환각을 일으키면서 차가운 밤하늘에 명멸하고 있었다.

누나는 고등학교 1학년 2학기 때 학교를 스스로 포기했다. 아버지가 자신이 쓰는 칼에 손가락을 잘려 얼마 동안 장사를 못 할 때였다. 그네는 굳이 공장에 들어가 일하는 길을 택했다. 4년 동안 한 공장 같은 일을 하면서도 단 한번도 직장에 대한 불만이나 고달픔을 입에 올린 적이 없었다. 다만 그네의 표현대로, 너무너무 고마운 사람들이 너무너무 재미있게 사는 세계가 있을 뿐이었다. 누나가 보는 이 세상의 모든 것은 온통 신기하고 그렇게 신기한 만큼 감동이 있고 보람이 오는 것이었다.

「아버지, 이제 그만 들어가요.」

나는 아버지의 눈이 아랫동네를 지나 아주 더 먼 데, 아버지만 아는 어떤 세계에 머물러 있음을 알아냈다. 아버지는 장사꾼답지 않게 가끔 이처럼 멍청한 구석을 보여 주곤 했다. 형이 싫어하는, 그래서 집요하게 캐내려 하는 것이 바로 아버지의 이런 면이었다.

「아저씨, 이거 정말 잘 먹겠어요.」

어머니한테서 생선 두어 마리를 받아 든 수경 엄마가 아버지한테 인사를 했다. 수경네는 우리 집의 방 하나를 세내어 살았다. 우리가 여기 방 세 개뿐인 산동네 12평짜리 무허가 주택이나마 사고 이사오던 5년 전부터 죽 함께 살아온 사람들이었다. 어지간히 운이 나쁜 집이었다. 수경 아버지는 택시 운전수였다. 5년 동안 세 번의 큰 사고를 냈다. 운전대를 잡은 날보다 유치장이나 집에서 빈둥거리며 쉬는 날이 더 많았다. 아버지나 어머니는 수경이네가 내는 방세를 결코 받지 않았다. 이제 수경 엄마는 방세 같은 것은 내지 않아도 되는 걸로 알고 있었다. 우리가 조금 더 큰 집을 사고 갈 때 함께 갑시다. 아버지가 말하곤 했다.

「아저씨, 새 시장이 곧 문을 연다면서요?」

「예, 이제 다 지었으니 곧 문을 열겠지요.」

아버지는 쪽마루에 걸터앉아 발을 씻으며 건성으로 대답했다.

「그 새 시장이 문을 열면 그럼 도깨비시장 사람들은 어떻게 하지요?」

「우리두 거기서 그냥 장사를 할 수 있게 해 달라고 당국에다 진정서를 냈으니까 무슨 수가 생기겠지요.」

띄엄띄엄 대답하는 아버지의 목소리는 매우 무겁게 들렸다.
「새 시장 사람들이 가만 있지 않을 거 아녜요?」
「그렇지요.」
아버지는 걸레에 발을 닦은 다음 방으로 들어갔다. 요즘 새 시
장 얘기만 나오면 우정 자리를 피하는 아버지였다.
도깨비시장 사람들이 모두 난처한 입장에 처해 있었던 것이다.
도깨비시장은 천민동 10만에 가까운 사람들의 젖줄과 같은 곳이
었다. 천민동은 철거민촌 혹은 난민촌이라고도 불리는 곳이다.
거지촌 또는 우범지대라고도 했다. 그런 사람들이 엉겨 살았기
때문이다. 시내 곳곳에서 무허가 판자집을 헐렸거나 시골에서 논
밭 팔아 상경한 사람들이 돈 다 털어먹고 이리저리 떠돌다가 마
지막 정착한 데가 바로 천민동이었다. 그런 사람들이 십여 년 전
모여들어 산자락이나 사태난 하천부지에 천막을 치고 터를 잡아
앉은 뒤 그 천막 쳤던 자리를 나중에 그 점유권을 얻었다가 다시
불하를 받는 식으로 나눠받아 게딱지 같은 집을 지어 이룩된 동
네였다. 그래도 이런 집들은 버젓이 소유권이 인정된 것이다. 이
보다 더 많은 사람들이 산비탈에 무허가 집을 짓고 살았다. 중구
난방으로 무질서하게 들어선 집들은 매년 헐린다 헐린다 하면서
도 4년마다 한 번씩 있는 국회의원 선거 바람에 그 생명을 겨우
버텨오는, 말하자면 약간 특혜를 받고 있는 치외법권에 해당하는
지역이기도 했다. 10년 동안 많은 사람들이 들어와 살다가 조금
형편만 피면 미련 한 쪽 두지 않고 훌훌 빠져나갔다. 그러나 떠
나는 사람보다 들어오는 사람이 더 많았기 때문에 인구는 엄청나
게 불어갔고 세월이 흐름에 따라 학교니 극장이니 제법 번듯한
건물도 들어서면서 사는 형편도 조금씩은 피는 셈이었다.
이러한 천민동 한가운데 자연발생적으로 생긴 것이 도깨비시장
이었다. 이 시장의 생리는 우선 시중보다 물건값이 헐하고 질보
다는 양이 많아야 잘 팔렸다. 없는 게 없는 데다가 갖가지 웃지
못할 일, 믿기 어려운 일이 곤잘 벌어지는 데가 바로 도깨비시장

이었다. 처음은 노점(露店)으로 시작된 것이 조금씩 돈 모은 사
람들이 노점 곁 집들을 개조해 점포로 꾸미면서 그런대로 시장규
모를 갖추긴 했어도 몇년 전이나 지금이나 별로 달라진 구석이
없는 전근대적인 무허가 시장에 불과했다. 어떻든 시장은 새벽부
터 저녁까지 한결같이 사람이 들끓어 그런대로 흥청흥청 경기가
좋았다. 약삭빠른 사람은 제법 치부도 했고 밑천이 달리는 영세
상인들을 상대로 사채를 놓아 톡톡히 재미를 보는 사람들도 많
았다.

아버지는 도깨비시장 입구 다릿목에서 생선장사를 했다. 시장
이 형성될 무렵부터니까 이제는 도깨비시장의 터주대감이나 다름
이 없었다. 새벽 4시쯤 짐자전차를 끌고 집을 나와 먼 시중의 어
물시장에 나가 생선 몇 궤짝을 받아다가 다릿목 땅바닥에 벌여놓
고 팔았다. 아버지한테는 사람들이 많이 모였다. 줄까지 서 기다
리기도 했다.

「생선은 다릿목 그 장수한테 사야 싸고 물좋은 걸 사요.」

이 정도로 소문이 나 있어 생선은 날개 돋친 듯 팔렸고 생선이
다 떨어져 사지 못한 사람은 다음날 아버지한데 사기 위해 그날
은 아예 빈 바구니로 돌아갈 정도였다. 이유는 간단했다. 아버지
는 물좋은 생선만 팔았다. 그리고 친절했다. 단 한 마리를 흥정
해 놓고 그것을 전을 떠 달라고 해도 아버지는 군소리 없이 척척
원하는 대로 해 주었다. 밸을 따고 지느러미와 꼬리를 쳐낸 다음
손님이 원하는대로 정성껏 처리해 싸 주었다. 통나무로 된 생선도
마를 항상 깨끗한 물로 씻어냈으며 도마질을 하는 아버지의 칼솜
씨 또한 날렵하기 일품이었다. 더 중요한 것은 아버지가 정직한
장사를 했다는 것이다. 욕심이 없는 장사꾼이었다. 생선값이 항
상 시중의 어디보다 헐했다. 그것은 손님을 끌기 위해서 일시적
으로 해 보이는 얕은 수작은 아니었다. 처음에는 시샘을 해 펄쩍
뛰던 같은 장사꾼들도 차츰 아버지를 이해하게 되면서부터 별 투
정을 하지 않게 되었다.

「김씨, 그 돈 벌어 다 어따가 쌓아 놓았우?」

「김씨, 그러다간 국회의원 나가두 되겠네.」

아버지 곁에서 장사를 하는 사람들이 농담삼아 비양거렸다. 물론 그들은 아버지가 십 년 동안 그 다릿목에서 맨날 그 꼴로 돈을 모으지 못한 걸 잘 알고 있었을 것이다. 아버지를 겪어 본 사람들은 누구나 고개를 갸우뚱거렸다.

거 참, 알 수가 없는 사람이군. 아버지에 대한 사람들의 궁금증은 컸다. 누구보다 부지런하고 성실한 만큼 자기들 생각대로 하면 엄청 돈을 벌 수 있는데도 아버지가 우정 돈을 피해 가는 듯한 생활태도가 도저히 납득이 안 간다는 그런 얼굴들을 했다.

사람들이 그렇게 생각할 만도 했던 것이다. 아버지는 하루내내 생선장사만 하는 게 아니었다. 새벽에 생선을 받아다가 아침나절에 다 팔아 버린 다음 다시 저녁에 아침 장사의 반도 안 되는 생선을 메어다가 팔면 그만이었다. 아버지에겐 아침 저녁 장사를 하는 시간을 빼면 하루 대여섯 시간의 공백이 있었다. 바로 그 시간이 아버지가 남을 위해서 사는 시간이었다. 아버지는 손님이 많아 절절매는 사람들을 잠깐씩 돌봐 준 다음 시장 여기저기에 쌓이기 시작한 쓰레기를 모아 리어카에 실어 나르는 일을 했다.

「아저씨, 우리 변소가 차서 넘치는데 좀 쳐 주실래유?」

「김씨, 우리 지붕이 새는데 좀 들어가 봐.」

「아저씨, 우리 연탄 아궁이 좀 봐 주고 나오세유?」

이처럼 시장 사람들은 아버지를 찾았다. 남들이 손이 모자라 어떻게 할 수 없는 궂은 일을 도맡아 하는 게 아버지의 생활이었다. 시장 사람들 집에 초상이 나면 만사를 제쳐놓고 달려가 장의사 사람들 손을 빌지 않고 아버지가 직접 염을 하는가 하면 그 장사가 다 끝나면 뒷설거지까지 해주었다. 그렇다고 앞에 나서서 난체 떠벌이며 법석을 떠는 게 아니라 뒷전에서 남들이 잊고 있는 일을 차근차근 서두르지 않고 해냈던 것이다. 그래서 그 당장은 아무도 아버지가 그런 어려운 일을 도와 주었다는 것을 알지 못하

고 지냈다가 어느날 문득 그러한 궂은 일을 도맡아 해 준 것이
바로 아버지였다는 걸 깨닫게 마련이었다.

그런데 아버지의 생활 터전인 그 도깨비시장에 어떤 커다란 변
화가 올 조짐이 약 1년 전에 나타났다.

「김씨, 여기다가 도장 하나 찍으시오.」

시장에서 돈깨나 모았다고 알려진 홍성철물상 주인과 사채놀이
로 치부를 한 우진금고 사장이 우리가 살고 있는 산동네까지 오
토바이를 타고 올라왔던 것이다. 그들은 아버지 앞에 무슨 서류
를 내밀어 보이면서 말했다.

「우리 천민동 일대가 재개발지구로 지정이 돼 이제부터 대대적
으로 발전이 될 거란 그 말씀이야. 진작 그랬어야 될 일이지. 그
래서 이번엔 우리도 정부 지원을 받아 가지고설라므네 최현대식
시장을 하나 근사하게 만들어 보기로 했다 그 말씀이야.」

「이미 당국의 허가까지 받아 놓았다구.」

다른 사람이 거들고 나섰다.

「이제 문제는 천민동 사람들이 일심단결해서 좋은 시장을 하나
만드는 일만 남은 거지.」

「시장을 짓다니요?」

「그래요 정식으로 인가를 맡은 새 시장을 만든다 이 말씀이야.」

「지금 있는 시장은 어쩝니까요?」

「아, 그거야 언제고 어차피 헐릴 무허가 시장이 아니오. 잘은
모르지만 이번 재개발지구 일차 정비사업상 무사치는 못할 걸.」

아버지가 고개를 끄덕거렸다.

「그러면 지금 있는 시장을 헐어내고 그 자리에다가 새 시장을
짓겠구면요?」

아버지 말에 그들은 서로 마주 보며 어이없다는 듯 킥킥 웃었다.

「그거야 나중 문제고 우선 여기다가 도장이나 찍으슈.」

「이게 뭡니까요?」

「우리 〈현대시장추진위원회〉에서 김씨를 특별히 같은 추진위원

으로 모시기로 의논들을 했다 그 말씀이야.」

「도깨비시장에서 노점을 하는 사람으론 김씨가 유일한 자격을 얻은 거요.」

「어이구, 저한테 무슨 그런 자격이 있다구……」

아버지가 손을 내저었다.

「글쎄 여기다가 도장이나 꾹 눌러요. 그 감사하단 애긴 이담에 듣기로 하고 말씀이야……」

그러나 그날 아버지는 끝내 도장 찍기를 사양했다. 찾아온 사람들이 별소릴 다 늘어놓아도 아버지는 막무가내였다.

「거 참, 김씨 고집 한번 대단허군그래. 도대체 김씨 고향이 어디요?」

「강원돔네다.」

「강원도 어디? 나도 거기 사람이오.」

「뭐 여기저기 떠돌며 사느라……」

아버지가 우물우물 얼버무렸다. 항상 그랬다. 누가 아버지의 고향을 캐물을 때마다 여기저기 옮겨 사느라 고향이라고 못박아 말할 곳이 없노라 대답했다. 아버지의 정확한 고향을 모르기는 우리 남매들도 매한가지였다. 본적이 서울로 옮겨져 있긴 했지만 원적지가 서울 아닌 다른 데인 것만은 틀림이 없었다. 나 하나만 서울 출생이고 누나와 형은 시골에서 낳았다. 누나와 형의 출생지도 각기 달랐다. 아버지가 갓마흔에 낳았다는 형 자신도 자신이 나서 자란 곳에 대해서 잘 기억하지 못하고 있었다. 아버지의 고향에 대해서 입 다물기는 어머니 역시 매한가지였다. 그 사실이 형의 분통을 터뜨리는 것 중의 하나였다. 형은 뿌리가 없는 아버지한테서 자신이 태어난 것을 몹시 부끄럽게 생각하고 있었다.

「도대체 우린 친척도 하나 없단 말예요?」형은 가끔 으르렁거렸다. 「난리 때 다 죽었다.」어머니의 대답은 고작 그것이었다.

「김씨 정말 꽉 맥힌 사람이군. 다 당신 위해서 하는 일인데 왜 마다하는 거요?」

아버지가 끝까지 버티니까 홍성철물상 주인과 우진금고 사장은 나중에 엄포까지 놓았다.

「당신 나중에 딴소리 했다간 읋어！」

「정 그렇다면 협조 안 해도 좋은데 오늘 이 얘기만은 아주 안 들은 거로 해 줬음 좋겠다 이 말씀이야. 큰일을 하자면 별 우스운게 다 걸리적거려 말썽을 부리는 수가 많거든. 아뭏든 김씨 입 딱 닫고 계셔.」

아버지가 그 「현대시장추진위원회」에 껴들지 않은 것은 잘한 일이었다. 나중에 알게 된 일이지만 그들이 끼리끼리 흉계를 꾸며 일을 벌인 바람에 그것으로 해서 숱한 사람이 가슴을 치게 되었던 것이다. 시중에 돈 있는 사람을 끼고 천민동의 버려진 하천부지를 불하맡아 가지고 새 시장을 지을 꿍꿍이를 꾸몄던 것이다. 그 장소가 바로 도깨비시장이 빤히 올려다보이는 턱 밑이었다. 한 동네에 시장 두 개가 생기게 되었다. 「현대시장추진위원」들은 다 제 잇속을 따져 끼리끼리 모인 돈 있는 도깨비시장 출신들이었다. 그들은 이미 가게터를 다른 사람에게 비싼 값으로 팔아 버린 뒤 시치미 딱 떼고 그런 일들을 벌이고 있었던 것이다.

「아저씨, 이건 너무 원통해서 못 살겠어요.」

도깨비시장이 철거된다는 소문이 쫙 퍼지자 재구 청년이 아버지를 찾아왔다. 그는 3년 전 홀어머니를 교통사고로 잃고 그 위자료를 받아내어 그것으로 도깨비시장에서 채소장사를 벌였다. 차떼기를 해 돈을 좀 늘였다. 공장에 다니는 그 여동생도 월급을 타 꼬박꼬박 보탰다. 남매가 남처럼 입지 못하고 먹지 못하면서 모은 돈이었다. 그 돈도 부족하여 남의 돈까지 얻어 점포 하나를 샀다. 그리고 그 점포에 물건을 들여놓을 힘이 안 돼 우선 급한 대로 남에게 세를 놓았다. 그렇게 어렵게 장만한 점포인데 그것이 헐린다는 얘기였다. 그제야 속아 산 것을 알고 되팔려고 내놓았지만 산 값은 고사하고 대여하고 받아 쓴 전세값도 빼 주기 어렵게 돼 있었다. 숫제 그 점포를 살 사람이 나서지 않았다. 하루 아침에 빈털터리가 된 재구 청년은 눈이 뒤집혔다.

「그게 어떤 돈이라구, 이 개놈의 새끼 같으니라구.」

점포를 판 사람을 찾아가 으르렁거렸지만 그쪽에서도 전연 몰랐던 일이라고 시치미 떼는 데야 어쩔 도리가 없었다.

「아저씨, 그 새끼들 원술 어떻게 갚아야 이 속이 확 풀리죠?」

「참아야 하네. 원통하다고 분수 없이 날뛰다간 되려 일생을 망치는 게야. 뒤에 후회해 봤자 그땐 이미 늦네. 그러나 돈은 또 벌면 되는 게야.」

「이젠 돈두 다 싫고 속은 게 분해서 이가 갈릴 뿐입니다. 그 새끼도 새 시장을 짓는 데 한몫 꼈었대요.」

「어떻든 더 두고 보세. 새 시장을 짓는 사람들도 다 그만한 생각들이 있어서 시작한 게고, 그러니까 당국에서 허가도 내 준 거 아니겠나. 다 대책이 있을 걸세. 두고 봄 알겠지만서두 그렇게 무경우하게 도깨비시장을 철거하진 못할 걸세.」

그러나 바로 턱 밑에 현대시장이 세워지기 시작하면서 도깨비시장 사람들은 일이 손에 잡히지 않았다. 여기서 장사를 해 봤자 고작 몇 개월이라는 생각에 불안해서 견딜 수 없었던 것이다.

돈이 좀 있는 사람들은 짓고 있는 새 시장 사무실을 찾아가 미리 점포 임대를 계약했다. 그러나 그런 사람은 손가락으로 꼽을 수 있을 만큼 적었다. 대부분 갔다가 고개를 내저으며 되돌아오곤 했다. 이미 좋은 자리는 추진위원들이 다 나누어 맡았는가 하면 구석에 남아 있는 것도 임대조건이 무척 까다롭고 거기다가 엄청난 프레미엄까지 붙어 있었던 것이다.

도깨비시장 사람들은 점포를 가진 사람이든 노점을 벌인 사람이든 모두 술렁거리기 시작했다. 이대로 앉아서 당할 수는 없는 일이라고 하면서 무슨 대책위원회를 만들자고 쑹쑹거렸다. 저녁이면 그들이 아버지를 찾아와 아버지 의견을 묻곤 했다. 그때 홍성철물상 주인과 우진금고 사장이 아버지를 찾아와 도장을 적으라고 하던 속셈이 헤아려지는 일이었다. 그러나 아버지는 도깨비시장 사람들이 찾아와 어떻게 하는 게 좋으냐고 다그쳐 물어도 별 신통한 답을 주지 못했다. 아버지는 자신의 말 한마디가 그들을 불붙이는 빌미가 될까봐 그것을 겁내고 있는 것처럼 조심성을 보였다.

「가서 머릴 싸매고 싸우는 거야. 시장을 짓지 못하게 막고 농성을 치다가 보면 당국에서도 우리 사정을 알게 될 것이고……」

「맞아, 그거야. 진작 그렇게 나갔어야 하는 건데……」

젊은 사람들이 주먹을 부르쥐고 으르렁거렸다.

「그건 순서가 틀려요.」

아버지가 중간에 껴들었다.

「그렇게 해선 안 됩니다요. 그런 방법으로 해결될 문제가 아니라니까요.」

「그럼 김씨 아저씬 어떻게 했으면 좋겠다는 얘깁니까?」

「우선 당국에다가 진정서를 내서 우리 도깨비시장 사람들 입장을 알려야 해요. 새로 짓는 시장에 우리 도깨비시장 사람들이 몇이나 들어가고 그런 혜택을 받지 못하는 영세상인들, 특히 노점을 보아 그날그날 벌어 먹고 사는 사람들이 얼마나 되는가를 자세히 조사해서 알릴 필요가 있어요. 이러저러한 실정이니까 우리 도깨비시장을 단 몇 년간이라도 그대로 존속시켜 달라, 그렇지 못할 땐 다른 어떤 대책을 강구해 주십사 하는 그런 진정서 말이지요.」

사람들이 고개를 끄덕거렸다.

「그게 좋겠구먼요. 그럼 김씨 아저씨가 그런 내용으로 좀 써보세요. 도장은 우리가 받을 테니까.」

「아니지요. 난 그런 걸 못 써요. 일자무식의 까막눈이 그런 걸 어떻게 씁니까. 그건 사법대서소 같은 데 가서 써야 합니다. 격식을 갖춰야 하니까요.」

아버지 얘기가 맞았다. 아버진 학교 문턱에도 못 가 본 사람이었다. 그 사실을 늘 부끄러워하는 아버지였다. 이 세상에서 젤

무서운 게 사람 무식한 게여. 그랬기 때문에 아버지는 법을 존중했고 그 법을 따르는 격식을 지키려고 애를 썼다.

「격식 좋아하네.」

아버지와 함께 도깨비시장 사람들이 밖으로 나간 뒤 방안에서 연해 코방귀만 날리고 있던 형이 비양거렸다.

「오빠, 제발 그런 식으로 생각하지 말아요.」

누나와 형은 도깨비시장의 해결방법을 놓고 서로 티격태격했다.

「흥, 이제 와서 진정설 쓴다구? 증말 웃기구 있네.」

「그럼 오빤 어떻게 했으면 좋겠다는 거야?」

「방법은 둘이다. 한꺼번에 왕창 일어나 시장 짓는 데로 몰려가 즈덜 배때기만 생각하는 새끼들을 짓밟아 놓고 오던가……」

이처럼 형은 다혈질이었다. 자기 힘으로 대학을 다니는 그런 사람들에게 흔히 나타나는 편견과 객기에서 오는 배배꼬인 심사가 바로 그의 다혈질로 나타났다.

「또 하난?」

누나가 턱을 괸 채 형을 쳐다보았다.

「그렇게 짓밟아 줄 용기가 없으면 아예 강한 쪽에 무릎을 꿇고 살려 달라고 싹싹 비는 거야.」

형이 바로 자기 자신을 얘기하고 있었다. 형은 내면이 부글부글 뭔가에 의해 끓고 있으면서도 그것을 밖으로 터쳐 드러내기를 겁내고 있었다. 이를테면 아버지에 대한 그 적대감을 제 속에서 삭이느라 괴로와할 뿐 단 한번도 아버지에게 맞대 놓고 대든 적이 없었다. 형은 그처럼 단순하고 소심했다. 그가 대학에서 주는 장학금에 그처럼 연연해 하고 교수들에게 인정받고 싶어 안달하는 것은 자신이 현실에 적응해서 거기서 삶의 어떤 뿌리를 찾고자 하는 소박한 소망 때문이었다. 형의 꿈은 많은 사람들에게서 자신의 능력을 정정당당하게 평가받는 일이었다. 그리고 자신의 능력이 어떤 커다란 것에 보탬이 되고 있다고 확신하는 긍지였다. 우선 그는 그의 전공인 전자공학에서 두각을 나타내는 일이었다.

그래서 그는 그 분야의 인재를 구하고 있는 국영기업 채용시험에 응했던 것이다. 방위산업체인 그 기업에만 들어가면 군 복무 3년까지 면제받는 특혜가 있었다. 형은 그 3년을 중요시했다. 그 동안 자신의 능력이 인정받을 수 있다고 그렇게 믿고 있었던 것이다.

「오빠, 오빠처럼 그렇게 두 가지 방법을 생각한다는 것은 일종의 기회주의자야.」

「야, 지혜야. 그럼 넌 그 두 방법 중에서 어느걸 택할 거냐?」

누나가 웃으면서 대답했다.

「난 오빠가 말한 그 두 가지 방법이 다 좋지 않다고 봐.」

「그럼 넌 어떻게 할 거냐?」

「난 말이야, 오빠, 새 시장 사람들하고 도깨비시장 사람들하고 서로 만나야 한다고 생각해. 만나가지고 서로 얘기를 나누는 거야. 서로의 입장을 얘기하고 듣고……」

「야, 웃기지 마. 그건 이상론이야. 현실은 달라.」

「오빠, 이 세상이 발전해 가는 것은 그러한 이상의 힘이야.」

「그러나 이번 도깨비시장의 경우 달라. 기름과 물이야.」

「오빠, 기름과 물은 다 액체야. 오래 있으면 다 녹아서 섞이게 돼. 그처럼 대화를 오래 나누다 보면 이해의 범위가 넓어져.」

「한쪽은 어떻게든지 더 많이 뺏으려고 머릴 짜내고 다른 한쪽은 되도록 안 뺏기려고 버둥거리고. 그건 결국 대화가 아니라 싸움이야. 싸움에선 결국 정복과 굴복이 있을 뿐이야.」

「대화를 갖는다는 것은 오히려 그 반대예요, 오빠. 서로 얘기를 나누다 보면 뺏는 쪽은 조금 양보해서 덜 뺏게 될 것이고 또 뺏기는 쪽이 있다고 하더라도 그들은 뺏기는 게 아니라 줄 것을 주는 것이라고 양보해서 생각하게 된다 말예요. 결과는 양쪽에 다 유리한 거예요.」

누나의 얼굴이 발그레 상기돼 있었다. 그처럼 누나의 표정은 진지했던 것이다.

「오늘 신원조회 안 왔어요?」

형은 며칠째 밖에서 들어오는 길로 그 소식부터 물었다.

「아무도 안 왔었는데……」

「파출소에서도 연락이 없었구요?」

「파출소? 거긴 왜?」

어머니의 얼굴빛이 달라지며 허둥거렸다.

「신원조횔 거기서두 하거든요.」

「안 왔었어.」

그럴 때마다 형은 맥빠진 얼굴을 했다. 그만큼 초조해지고 있었던 것이다.

형은 그 국영기업체 채용시험 1차에 합격했던 것이다. 2차시험은 신체검사와 면접이었다. 신체검사와 면접까지 끝낸 형은 그것도 자신이 있다고 했다.

「문젠 신원조회야. 거기 들어가기 어렵다고 하는 건 바로 그것 때문이야. 그만큼 중요한 연구를 하는 데거든……」

신원조회 문제에 있어 형은 거의 노이로제 상태에 이르러 있었다. 고 3 때 사관학교 시험 1차에 합격하고 2차 최종합격자 명단에 빠지고부터 형의 그 증세는 악화됐다. 자기가 최종 합격자 명단에서 빠진 것은 원적지까지 내려가는 그 신원조회 결과가 좋지 않았기 때문이라고 믿고 있었다. 아버지에 대한 적의를 품게 된 근본 유인도 아마 그때부터였을 것이다. 그때도 형은 폭발 직전의 상태에 있었다. 집안 공기는 숨을 쉬기 어려울 정도로 무거웠다.

「오빠, 아——해 봐.」

그때 고 1인 누나가 이불을 뒤집어쓰고 누워 있는 형을 일으켜 앉힌 다음 웃으면서 말했다.

「오빠, 충치가 세 개나 있구나.」

「내가 뭐 충치가 있다구……」

형이 마지못해 투덜거렸다.

「아니야, 오빠, 이쪽 어금니 두 개하고 또 이쪽에 하나……」
누나가 형의 불을 토닥여 주면서 다시 말했다.
「오빠, 그거라구. 범인은 바로 충치였다니까.」
「그래, 이 충치도 아버지한테서 물려받은 거다.」
형이 다시 이불을 뒤집어썼다. 누나가 그 이불을 곱게 펴 주며
나한테 싱긋 웃어 보였다. 누나가 학교를 그만둔 것도 그때였다.
형의 사관학교 불합격 소식과 함께 그날 아버지가 그 날렵한 칼
솜씨에도 불구하고 왼손가락 두 개를 칼로 친 실수를 했던 것이
다. 그날 아버지의 생선은 온통 피로 물들었다.

도깨비시장 영세민들이 작성해 올린 진정서는 흐지부지 어떤
뚜렷한 반응을 가져오지 못한 채 새 시장의 개장을 앞두고 있었
다. 시장 진입로를 확장하는가 하면 시장 옆 개천에 제방이 튼튼
하게 쌓이는 등 그런대로 의연한 본새의 현대식 시장이 세워졌다.
시장 옥상에는 고성능 방송스피커가 설치되어 하루종일 유행가를
뽑아대는 틈틈이 새 시장을 안내하는 방송이 도깨비시장까지 쩡
쩡 울려 왔다. 물론 도깨비시장의 손님들을 겨냥하고 하는 수작
이었다.
그동안 도깨비시장의 큰 점포들은 문을 닫고 새 시장으로 옮
겨 갔다. 처음 건물을 지을 때보다 임대료가 배나 올라 있어 이
제 다른 사람들은 엄두도 못 낼 형편이었다. 어쨌든 점포 주인은
있되 그것을 임대 내어 장사를 할 사람이 적어 시장이 반쯤 채워
진 채 개장을 했다. 시장 안의 너른 노점대는 텅텅 빈 채였다. 도
깨비시장의 노점들이 그리로 흡수되어야 할 것인데 누구 하나 그
리로 들어가지 않았던 것이다.
「거기 들어갈 돈이 있으면 우리 식구가 몇 달은 놀고 먹겠다.」
정말 하루 벌어 하루를 사는 사람들이라 큰 밑천을 넣어 장래
를 내다볼 겨를이 없었던 것이다.
그런대로 현대시장에는 사람들이 몰렸다. 개장 기념으로 시장

옆 공터에서 노래자랑 대회까지 열었다. 물건을 사는 사람에겐
경품권과 기념품이 주어졌다. 조금 생활이 핀 사람들은 좋은 물
건을 사려면 현대시장으로 가야 한다며 도깨비시장을 지내놓고
그리로 갔다.

「이거 야단났구먼!」

도깨비시장 사람들은 서로 얼굴을 쳐다보며 입맛을 다셨다. 현
대시장이 개장되면서 손님이 반으로 줄어든 것이다. 매상은 종전
의 반도 안 되었다. 큰 물건을 팔아주는 단골들이 현대시장으로
몰린 때문이다. 시장이 헐린다 안 헐린다가 문제가 아니었다. 당
장 오늘 입에 풀칠할 길이 막막했다.

「이거 어떻게 한다죠?」

아버지가 시장을 배회하고 있었고 노점상들은 아버지를 붙잡고
하소연했다.

「좀 기다려 봅시다. 며칠만 그런대로 견뎌 봐요.」

아버지 말이 맞았다. 정말 단 며칠이었다. 도깨비시장에 몰리
는 사람들이 전이나 다름없게 된 것이다. 현대시장으로 몰린 것
은 호기심이었던 것이다. 천민동 사람들은 아직 정연하게 진열된
상점대에서 물건을 고르는 일에 익숙하지 못했다. 공연히 바가지
를 쓸 것 같은 두려움이 앞섰다. 역시 마음놓고 물건 뒤적이며
값 깎아 내리기 좋은 도깨비시장 생각이 난 것이다. 그 도깨비시
장의 햇빛에 그을은 노점상 아낙네들한테서 귀부인으로 떠받들여
지던 그런 우쭐한 기분을 잊을 수가 없었다. 거짓말같이 그들은
돌아왔다. 비로소 도깨비시장 사람들 얼굴에서 그늘이 걷혔다.
사람이 죽으란 법은 없구먼. 그러면서 가슴을 쓸어내렸다.

그러나 집에 돌아온 아버지의 얼굴은 밝지 못했다. 아버지의
얼굴에는 구름이 껴 있었다. 우리 식구들은 그 구름의 의미를 알
았다. 아니나다를까 구름이 비를 내렸다. 엄청난 돈을 끌어들여
신설한 현대시장 측에서 가만히 앉아 파리만 날릴 턱이 없었다.
그렇다고 그들이 직접 나서서 어떻게 한 것은 아니었다. 애초 현

명한 사람들이 계획한 일에 차질이 생길 까닭이 없었다.

「내 이럴 줄 알았다구!」

도깨비시장 사람들은 닥친 일에 차라리 체념한 얼굴로 명청해졌다. 시장 지역이 재개발지구로 지정돼 겨울 안으로 정비사업을 벌인다는 내용과 함께 해당 지역의 무허 건물은 일제히 자진 철거하라는 철거 계고장이었다. 기한 안에 자진 철거를 할 경우 소정의 철거 보상비가 지급된다는 내용이 첨가된 계고장이 시장 점포마다 배달되었다. 아무 때고 한 번은 치를 홍역이었지만 이렇게 느닷없이 닥쳐오리라곤 생각 못했던 것이다. 막상 철거 계고장을 받아든 도깨비시장 사람들은 하늘을 쳐다보고 한숨을 뿌렸다. 그 한숨이 시장 한가운데 노점상들에 전염이 돼, 이제야말로 생활 근거지를 잃게 된 노점상들은 허둥거리기 시작했다. 동작이 빠른 사람들은 미리 현대시장 진입로로 내려가 보따리를 풀었다가 그 시장 경비원들에게 쫓겨 되돌아오기도 했다.

어떻든 도깨비시장 사람들은 자진 철거하라는 기한이 다가오고 있어도 누구 하나 움직이지 않았다. 과거 자진 철거도 해 보았고 강제 철거도 당해 본 그런 사람들인지라 두둑한 배짱을 가지고 버티는 데서 얻는 잇속 같은 것도 계산에 넣고 있는 듯싶었다. 더구나 겨울에 접어든 지금 자진 철거를 해 봤자 그 보상비 가지고는 다른 데 점포를 얻는다는 것은 어림도 없다는 것을 그들은 너무나 잘 알고 있었던 것이다.

그런데 사태는 사뭇 다급해졌다. 어느날 새벽에 노점상들이 보따리를 들고 나와 보니 시장 한가운데가 파헤쳐지고 있었다. 불도저가 밤중에 작업을 시작한 것이었다. 계획대로 8미터 새 도로가 뚫리고 있었던 것이다. 파헤쳐진 양옆 점포들은 드나들기도 힘들게 돼 있었다. 흙먼지가 몰아쳐 가게 안으로 쏟아져 들어왔다. 멋모르고 시장엘 나왔던 아낙네들이 그 흙먼지에 놀라 현대시장 쪽으로 달음질쳤다. 그뿐인가, 시장으로 들어가는 골목이 하수도 공사를 한다고 모두 파헤쳐져 사람들은 아예 도깨비시장

쪽으로 근접도 할 수 없는 형편이었다. 그런 막힌 골목마다 도깨비 시장의 노점상들이 리어커나 노점대를 들고 멍청히 서서 불도저의 작업을 바라보고 있었을 뿐이다. 이제 도깨비시장은 끝장이었다. 거기다가 날씨마저 갑자기 드르르 추워져 혹한이 예상되는 겨울의 문턱이었다.

「아저씨, 현대시장 옆에 난장이 섰다면서요?」

옆방 수경이 엄마가 다른 날보다 늦게 나가는 아버지를 향해 묻고 있었다.

「그렇게 됐지요.」

「현대시장 사람들이 가만히 안 있을 텐데요?」

「거 뭐……」

아버지는 입안의 소리로 말미를 죽이며 자전거를 끌어내는 기척이었다.

그날 오후 나는 누나와 함께 도깨비시장 노점상들이 난장을 벌였다는 현대시장 옆 빈터를 나가 보았다. 지난번 시장 개장 기념으로 노래자랑을 벌이던 곳이었다. 거기 난장이 서고 있었다. 꼭 시골 장터 같았다. 여기저기 천막이 쳐 있고 한 옆으로는 리어카, 그 한쪽에는 김장시장이 이뤄져 있었다. 먼저 도깨비시장 규모보다야 훨씬 못했지만 그런대로 사람들이 버글거렸다.

「재숙이 오빠두 저기 있구나.」

재구 청년을 찾아낸 것은 누나였다. 천막을 하나 치고 그 밑에서 옷가지를 늘어놓고 팔았다. 김장철에 하던 채소장사를 집어치고 이젠 옷장사로 바뀌어 있었다. 속아 산 점포에 세들었던 사람이 장사를 못 하게 됐기 때문에 그 전세값을 빼주느라 또 빚을 졌다고, 재숙이가 누나한테 말하더란 것이다. 그 옷가게 앞에 아낙네 서넛이 앉아 옷을 뒤적이고 있었다.

「그 점방을 자진 철거했다면서?」 내가 물었다.

「그랬대. 그 철거 보상비라도 타자고 재숙이가 떼를 썼대.」

「지난번엔 이를 갈면서 금방 누굴 죽일 것처럼 으르렁거리더니 역시 심약한 사람이군.」

내가 비꼬아 주었다.

「잘한 일이지 뭐. 착하게 사는 게 이기는 거야.」

「그런데 우리 아버진 착한 일을 많이 하는데 왜 돈을 못번다냐?」

누나가 웃었다.

「얘는! 너무 착한 일만 하시니까 돈을 못 버신 거지. 그게 이기는 거라니까 그러네.」

「누구한테, 뭘 이긴다는 거야?」

「아버지 자신.」

아버지는 그 시장 아무 데도 보이지 않았다. 아버지의 그 커다란 짐자전차도 눈에 띄지 않았다. 우리는 다시 재구 청년의 옷가게로 다가갔다.

「우리 아버지 어디 계시죠?」

재구 청년이 우리를 돌아보았다.

「어, 여길 어떻게?」

그의 귓볼이 발갛게 달아오르는 게 보였다.

「재숙이 오빠, 저것 좀 사 주세요.」

누나가 재구 청년의 옷가게 옆 연탄 화덕 위에서 먹음직스럽게 끓고 있는 떡볶이 남비를 손가락질하며 겸연쩍게 웃어보였다. 재구 청년의 얼굴 전체가 발갛게 물들었다.

「그럽시다아!」

그리고 떡볶이 아줌마 쪽을 향해 소리쳤다.

「아주머이, 우리 먹을 걸로 좀 맛있게 볶아 주세유. 고추장 좀 듬뿍 넣으시구……」

「아이구, 웬일이야? 오늘은 해가 동쪽으로 지겠네. 총각이 이런 걸 다 사 먹구.」

그러다가 우리 쪽을 힐끔 쳐다본 다음 재구 청년을 향해 눈을 쩡긋해 보이며 말했다.

「으음, 그랬었군. 총각, 그 색시 누구유?」

재구 청년의 얼굴이 더 붉어지며 옷을 고르고 있는 아낙네 쪽으로 다가갔다.

「우리 아버지……」

「아 참, 아저썬 초상집에 가셨어요. 라이타 장사하는 심씨 부인이 암으로 앓다가 오늘 새벽에 죽었대요. 그 집 애들이 올망졸망 자그마치 다섯이래요.」

「어이구, 억세게두 많이 만들었군.」

떡볶이 아줌마가 껴들었다. 재구 청년이 다시 말했다.

「그 심씨도 이번에 집이 헐린대요. 재산이라곤 그 집 하난데……」

「거기두 산동넨가?」

「그렇지요. 우리가 사는 동네 반대편 골짜기니까요.」

우리가 사는 산동네도 얼마 전 두 번째의 무허가 건물 자진 철거 계고장을 받았던 것이다. 물론 철거대책위원회란 조직을 만들어 여러 모로 애써 보았지만 별 신통한 방법은 없는 모양이었다. 동회에선 구청에 가 봐라, 구청에선 시에서 시킨 일이다. 시에선 나라에서 하는 일이다……이런 식으로 책임만 돌리고 합동주택을 지어 입주권을 준다는데 왜 그것을 마다는지 이해를 못 하겠다는 듯 고개만 갸우뚱거리더란 것이다. 또 그 철거대책위원 중에는 합동주택 입주권을 노리고 벌써부터 무허가 주택을 싼 값에 수십 채씩 사 놓고 있다는 얘기도 돌았다. 천민동번영회란 천민동의 유지급들이 모인 단체의 사람들이 그 이름을 바꿔 철거대책위원회가 되었던 것이니 거기서 바랄 게 뭐 있겠느냔 체념들을 하고 있었다.

「으응, 그러고 보니 이 색시가 바로 김씨 아저씨 따님이시구먼. 어이구, 음전두 해라.」

「왜, 메누리 삼구 싶수?」

떡볶이 곁에서 빈대떡을 부쳐 파는 아줌마가 불쑥 껴들었다.

「내 말이 바로 그거여. 허지만 큰아들이 이제 국민핵교 이학년이당께.」

그네들은 킬킬거려 웃었다.

「참, 김씨 아저씬 점심을 안 잡숫고 사시는 양반이라며?」

「안 잡수셔요.」

누나가 섭게 대답했다. 사실 아버지는 술은 물론 점심이라는 걸 몰랐다. 그것은 내핍과 절약이라는 그런 의미 이상의 어떤 것을 생각하게 해주었다. 그것은 아버지의 철학이었다. 물론 아버지는 자기의 그러한 생활신조를 식구들이나 다른 사람에게 강조하지는 않았다. 우리 식구들도 또한 아버지의 그런 생활방식 때문에 마음에 부담을 갖거나 괴롭지가 않았다. 아버지는 그처럼 자연스럽게 자기의 삶을 꾸리고 있는 사람이었다. 다만 형만이 아버지의 그러한 삶의 태도를 「악을 쓰며 살아 봤자……」라고 늘 투덜거렸을 뿐이다.

「여기서 이렇게 장사를 해도 저 사람들이 뭐라고 안 그러던가요?」

누나가 현대시장을 눈짓하며 물었다.

「가만히 있긴요. 하루에도 몇 번씩 나와 엄포를 놓고 야단입니다. 그러나 이쪽 수가 워낙 많아 놓으니까 아직 막나오진 못하는가 봐요.」

「그쪽에서 강하게 나오면 큰 싸움이 나겠네요?」

「물론이죠. 이놈의 새끼들 우리 물건에 손가락 하나 대기만 하면……」

그렇게 유해 보이던 재구 청년의 얼굴이 험악해졌다. 눈에 이글이글 살기같은 게 들끓고 있었다.

「그렇게 생각함 안 돼요. 재숙이 오빠!」

누나가 단호한 어조로 말했다.

「아저씨두 그럽디다. 저쪽에서 어떻게 나오든 절대 맞서서 싸

울 생각은 말라구요. 아저씬 요새 장사두 안 하구 시장 사람들한
테 그 얘기만 하고 다녀요. 싸우게 되면 결국 없는 사람만 이래
저래 손해를 본다는 거지요.」

「우리 아버지 말이 맞아요. 싸우지 않는 게 결국 이기는 거예
요.」

「우린 이미 졌어요. 남은 건 악밖에 없어요.」

다시 재구 청년의 눈에 살기 같은 게 번뜩여 보였다.

「재숙이 오빠, 아무도 진 사람은 없어요.」

「그러나 이 세상엔 이긴 놈들이 너무 많아요. 이겨도 무자비하
게 이긴 놈들이 멀쩡한 얼굴로 히히덕대고 있어요.」

「아니예요. 아무도 이긴 사람은 없어요. 다만 이겼다고 생각할
뿐예요.」

누나가 일어서면서 웃었다.

「여기 편지 있다.」

저녁 때 형이 밖에서 돌아오자 어머니는 두 장의 편지를 내놓
았다. 형이 옷도 벗지 않은 채 편지 겉봉을 훑어 본 다음 그 중
누런 봉투를 내게 던졌다. 나는 그 편지 겉봉을 뜯었다.

무허가 건물 철거 집행영장이었다. IA지구 무허가 주택은 11월
30일까지 자진 철거하라는 두 번의 철거 계고를 이행치 않았으므
로 재개발지구 정비사업상 부득이 강제 철거를 단행하겠다는 내
용이었다. 설마가 사람을 잡는 셈이었다.

「형!」

형 말대로 「악을 쓰며 살아 봤자……」의 이 한심한 현실을 형
에게 알리기 위해 돌아섰을 때 나는 입엣말을 삼켜버리지 않으면
안 되었다. 형이 뜯어서 읽던 흰 봉투의 편지를 무섭게 구겨 쥐
면서 입술을 파르르 떨고 있었기 때문이다. 그렇게 무서운 형의
얼굴은 처음이었다.

엎친 데 덮친다고, 대개 한 집안의 재앙은 이렇게 한꺼번에 겹치기로 일어나게 마련이다.

형이 그 국영기업체 채용시험의 불합격 통지서를 받고 집을 나가 버린 뒤 꼭 사흘 만에 누나가 그 사고를 당한 것이다. 그것은 지혜 누나의 잘못이 아니었다. 누나는 차라리 그 자리에서 죽어 버렸어야 했다. 그러나 그네는 목숨이 붙어 있었다. 병원 중환자실 침대 위에 놓여진 채 신음하고 있었다. 그네는 벌써 며칠째 폐에 부종이 오는 것을 막기 위해 산소호흡을 받고 있었다. 수혈과 산소호흡은 누나가 아직 살고 있다는 것을 뜻하는 것이었다.

그날 누나는 공장에 나가지 않았다. 공장이 세워진 지 30주년 기념일이었다. 그 전날 누나는 공장에서 주는 표창장과 부상으로 화장품 한 세트를 타 왔다. 그리고 특별 상여금도 타 집안 식구들의 선물도 사 왔다. 아버지의 겨울잠바와 어머니의 스웨터였다. 그리고 우리 방에 장식이 예쁜 탁상시계가 놓여졌다. 학교의 아침자습에 늦곤 하는 내 게으름을 일깨워 주기 위한 것이었다.

그날 내가 학교에서 시험을 끝내고 집에 일찍 돌아왔을 때 누나는 언덕 아래에서 물을 길어다가 빨래를 하고 있었다. 날이 몹시 찼다. 올 겨울 들어 첫추위였다.

「너 그 내복 벗어 이리 줘라.」

누나가 마당에 앉아 빨래를 하면서 말했다.

「누나가 오늘 집안 식구들 내복을 다 한 벌씩 사왔구나 글쎄.」

어머니가 내 방에 새 내복을 던져주며 말했다. 형이 집을 나갈 때 입고 나간 양복도 누나가 마춰 준 것이었다. 오빠, 면접 시험을 볼 땐 우선 용모가 깨끗해야 한대요. 그런 말을 하면서 형을 양복점까지 끌고 간 누나였다.

벼엉신. 나는 누나가 사 준 내복으로 갈아 입으면서 형을 욕했다. 오직 자기 하나만 생각한 그의 이기적인 행동거지가 정말 못나게 생각되었다. 나는 형을 이해할 수가 없었다.

형은 집을 나가기 전 저녁을 끝낸 아버지한테 대들었다.

284

「아버지, 난 살고 싶지 않아요.」

「말 같잖은 소리!」

「물론 난 내가 못난 자식이란 걸 잘 알고 있어요. 그러나 견딜 수가 없어요. 내가 이렇게 된 건 꼭 내 잘못만도 아니라구요.」

「맞다, 그건 네 말이 옳아. 모두 이 애비 잘못 만난 탓이다.」

아버지의 어조는 언제나 이처럼 차분하다. 방바닥을 문질러대는 아버지의 왼손 손가락 두 개가 뭉툭했다.

「아버지!」

갑자기 형의 목소리에 모가 섰다.

「아버지, 도대체 아버진 6·25 때 어떤 죄를 얼마큼 진 겁니까?」

나는 더 참지 못하고 마루로 나왔다. 어머니가 쪽마루에 웅크려 앉아 울고 있었다. 누나는 공장에서 아직 돌아오지 않았다. 그네만 있더라도 형이 이 정도로 형편없이 무너져 내리지는 않았을 것이다. 나는 숨을 죽여 방안의 기척을 살폈다.

「아버지, 말해 줘요! 난 자식으로서 그것을 알 권리가 있어요. 더구나 난 그 피해잡니다. 아시겠에요, 아버지?」

형은 제 정신이 아니었다. 그러나 아버지는 형을 나무라지 않았다. 그냥 침묵하고 있었을 뿐이다. 형도 침묵한 채 기다리고 있었다. 언제까지라도 기다릴 심산인 모양이었다. 뜻밖에 아버지의 침묵은 오래 가지 않았다.

「이 애비가 나빴다, 어리석었던 게지. 무식했던 탓이다. 난 죽어서두 후휠 할 게여. 감옥에서 산 칠 년여 세월도 참휠 하며 살았다. 허지만 이 애비가 저지른 죄 하나도 지워지지 않았다.」

「바로 그겁니다. 무슨 죄 어떻게 졌는지 그걸 알고 싶단 말이에요.」

형은 무섭게 잔인했다. 그러나 다시 아버지가 침묵했다. 형이 참지 못하고 다그쳤다.

「말해 주세요. 자식이 태어나기도 전에 저지른 그 죄가 어떻게 해서 그 자식에게까지 뿌리를 뻗치고 있는지, 그 무서운 아버지의 과거를 알고 싶다 그겁니다.」

잠시 침묵이 흘렀다. 그리고 이제까지와는 달리 단호한 아버지
의 목소리가 들렸다.

「이놈아, 세상에는 자식 앞에 못 할 얘기도 있는 거다. 이 애
빈 말 못하겠다.」

「말해 줘요!」

「못한다. 이놈아!」

그리고 침묵이 계속되었다.

나는 아버지가 더 이상 입을 열지 않을 것을 알고 있었다. 형
또한 그것을 알았을 것이다. 그러나 형은 끝까지 잔인했다. 그
밤으로 가방 하나를 챙겨들고 집을 나갔던 것이다.

「엄마, 나 이 빨래 해 놓고 시장에 다녀올 거예요. 아버지한테
가서 생선도 살 거예요.」

「누나야, 이따 시장에 가거든 재숙이 오빠씨한테서 떡볶이도
얻어먹고 오라구.」

「쟤는……」

내 농담에 누나는 눈을 살큼 흘리며 발갛게 웃었다. 찬물에 빨
래를 헹구는 누나의 손이 발갛게 얼어 보였다. 누나는 얼굴이 고
운 것처럼 그 손도 통통하고 예뻤다.

바로 그때 수경이 엄마가 허겁지겁 쪽대문을 밀치며 들어온 것
이다.

「큰일났에요, 아주머니! 지금 현대시장 사람들하고 난장보는
사람들하고 대판 싸움이 벌어졌대요. 막 부시구 때리구 야단났대
요.」

누나와 나는 한걸음에 정신없이 그곳까지 달려갔다. 현대시장
옆 빈터 노점을 벌인 곳에는 정말 수경 엄마가 말한 대로 대판
싸움이 아직 끝나지 않은 상태였다. 그러나 눈여겨 봤을 때, 그

것은 결코 싸움이라고 말할 성질의 것이 아니었다. 말 그대로 난장판이 벌어졌을 뿐 그것은 싸움은 아니었다.

겨울 바람이 매섭게 몰아치고 있는 빈터 난장 바닥에 현대시장 경비원들로 보이는 청년들이 수십 명 이리저리 뛰어다니며 난동을 치고 있었다. 그들 중에는 천민동 일대에서 어깨로 알려진 싸움패들도 여럿 보였다. 그들은 기세가 등등하게 시장 바닥을 휩쓸었다.

천막은 모조리 땅에 깔린 채 바람에 펄럭였으며 리어카는 물론 아낙네들이 이고 나온 플라스틱 장사 대야가 여기저기 뒹굴었다. 고추가루가 쏟아져 바람에 풀풀 날리는가 하면 달걀 바구니가 박살이 나 땅에 질척하게 흩어졌다. 그야말로 수라장이었다. 현대시장 옥상의 고성능 스피커에선 이런 난장판에 맞추듯 리듬이 빠른 유행가가 쩡쩡 울려나오고 있었다.

그런 수라장 속에서 누나와 나는 아버지를 보았다. 아버지가 우리들 앞을 지나가고 있었다. 아버지는 그 커다란 짐자전차를 타고, 혹은 내려서 끌고가며 무언가 계속 외치고 있었다. 그 수라장 속을 이리저리 헤매면서 같은 말을 자꾸 되뇌이는 것이었다.

「절대로 참아야 합니다. 참아야 해요!」

그때서야 나는 시장 바닥에서 움직이고 있는 것은 오직 난동치는 현대시장 사람들뿐이란 걸 깨달았다. 도깨비시장 사람들은 마치 마네킹처럼 우두커니 선 채 움직일 줄 몰랐다. 어떤 강력한 최면에라도 걸린 듯싶게 촛점잃은 눈으로 망연자실 서 있었던 것이다. 그것은 참으로 기적 같은 일이었다. 자기들의 물건이, 하루 벌어 하루 먹는 그 장사 밑천이 송두리째 땅바닥에 흩어져 뒹굴어도 아랑곳없이 멍청하게 서 있는, 이 믿어지지 않는 현실 앞에 누나와 나는 질려 버렸다. 우리 역시 단 한 발작도 움직일 수가 없었다.

그때 그 일이 벌어지지 않았으면 우리는 그 자리에 더 오래 굳어 있었을 것이다. 수라장을 이룬 시장 한쪽에서 째지듯 자지러

지는 아낙네들의 괴성이 터지는 것과 함께 우리는 이미 그쪽으로
달려가고 있었다. 순식간에 사람들이 둘러선 그 한가운데 재구
청년이 서 있는 게 보였다. 쓰러진 옷가게 천막자락을 밟고 서
있는 그의 손에 커다란 플라스틱 통이 들려 있었다. 거기서 조금
떨어진 곳에는 떡볶이 아줌마의 연탄화덕이 모로 쓰러진 채 연탄
이 반쯤 빠져나와 땅에 흩어진 옷가지를 지글지글 태우고 있었다.
이미 그의 몸은 머리부터 발끝까지 홈뻑 젖어 있었던 것이다.
「저게 휘발유예유, 휘발유 !」
둘러선 사람 중에서 어떤 아낙네가 열띤 목소리로 부르짖었다.
둘러선 사람들이 서너 걸음씩 쫓기듯 뒤로 물러섰다.
더 커진 원 속에서 재구 청년은 휘발유를 뒤집어쓴 채 둘러선
사람들을 죽 둘러보았다. 내 눈에는 그가 히죽이 웃는 것처럼 보
였다. 그는 결코 격노한 사람의 살기 띤 그런 표정이나 서둘러대
는 몸짓이 아니었다. 그가 한쪽 손을 쳐들었다. 사람들이 다시
괴성을 지르며 뒤로 물러섰다. 그의 손에 라이타가 들려 있었던
것이다. 아낙네들이 발을 동동 구르며 아우성쳤다. 그러나 아무
도 그 원 속으로 뛰어드는 사람은 없었다. 난동을 부리던 현대시
장 경비원들의 얼굴이 둘러선 사람들 속에 여기저기 보였다.
「재숙 오빠, 무슨 짓이에요 ?」
누나가 외마디 소리를 지르며 그에게로 달려 나갔다.
「오지 마 !」
그가 누나를 향해 험악한 얼굴로 부르짖었다. 라이타 든 손을
다시 한번 번쩍 쳐들면서였다. 그러나 누나는 어느새 그의 몸에
달라붙은 뒤였다. 누나에게 휘발유통을 안 뺏기기 위함이었던지
그가 그 통을 머리 위로 번쩍 치켜들자 휘발유가 폭포처럼 쏟아
져 내려 두 사람 몸을 적셨다. 그러나 누나가 그 사람에게서 필사
적으로 나꿔챈 것은 라이타였던 것이다. 누나가 그 라이타를 힘
껏 사람들 있는 쪽으로 던졌다. 그러자 재구 청년이 주인이 던진
나무토막을 물어오기 위해 달려가는 개처럼 그 라이타를 향해 질

풍같이 뛰었다. 그러나 그때는 이미 둘러섰던 사람들이 그의 몸을 향해 결사적으로 맞부닥뜨릴 기세로 뛰쳐나오기 시작한 때였다.

「누나!」

그때 내가 본 것은 불빛이었다. 누나는 휘발유를 흠뻑 뒤집어 쓴 채 그 자리에 혼자 남겨져 우두커니 서 있었던 것이다. 그것은 분명 누나의 몸에서 시작된 불빛은 아니었다. 그 불빛은 처음 떡볶이 아줌마의 쓰러져 누운 연탄 화덕에서 비롯되었던 것이다. 눈 깜짝할 사이에 누나는 불길 속에 서 있었다. 하나의 커다란 불꽃처럼 그렇게 타오르고 있었던 것이다.

「다행이지 뭐예요.」

수경이 엄마가 이웃 여자와 얘기를 나누고 있었다.

「그러게 말예요. 글쎄 이 추운 겨울에 집을 철거한다니 말이나 돼요.」

「어떻든 내년 봄까지 연기를 해 준다니 그만해도 정말 다행이에요.」

「그리고 참, 현대시장 사람들이 그 시장 빈 점포랑 그 안의 노점대까지 모두 조건없이 우선 내놓기로 했다나봐요. 거기 못 들어가는 사람들은 그 옆 빈터에서 그냥 장사를 해도 좋다고도 했대요.」

「어머, 그게 정말이래요? 믿어지지 않네요.」

「어제 그쪽 사람들과 도깨비시장 사람들하고 만나서 일차 타협을 봤대나봐요. 도깨비시장 쪽에선 이 집 아저씨가 대표로 참석했다던데요.」

그런 얘기를 더 주고받으며 그네들은 연해 쯧쯧 혀를 찼다.

「이제 좀 웬만한가 모르겠네요?」

「웬만하긴요. 삼도두 넘는 화상이라는데 그게 어디 그렇게 쉽겠어요. 목숨 건진 것만 해두 기적이라고 병원에서 그러더래요.」

　나는 귀를 막았다. 그리고 머리 속에 아무것도 떠올리지 않기 위해 이불을 뒤집어 썼다. 그러나 헛일이었다. 남의 얘길 듣고 있는 쪽이 한결 나을 것 같았다.

　「참, 저 꼭대기 사는 그 재구란 청년이 그렇게 열심이라면서요?」

　「그렇대요. 환자 곁에서 한 발짝도 안 떠난다더군요. 이제 그만 가라고 해도 막무가내로 버티고 있대요.」

　「왜 안 그러겠수. 멀쩡한 처녈 그 꼴로 만들어 놓은 게 누군데……」

　「그렇더라두 그 사람 속이야 오죽하겠어요. 죽을 때까지 못 잊을 거예요. 생각함 정말 양쪽 다 기가 맥힌 일이라구요.」

　그네들은 좀더 오래 얘기를 나누었다. 나는 깜박 잠이 들었던 모양이다.

　「학생, 여기 병원에 가지고 갈 밥 다 싸 놓았어요.」

　수경 엄마가 밖에서 깨우는 바람에 잠이 깼다.

　「오늘은 큰학생 밥까지 쌌더니 꽤 무겁네요.」

　나는 수경 엄마가 내미는 찬합을 받아들고 부리나케 언덕길을 내려가기 시작했다. 며칠 전 형이 돌아오고부터 이 언덕길을 오르내리는 발걸음이 한결 거뿐했다.

　아버지나 어머니도 형이 집으로 돌아온 뒤 한결 밝은 얼굴 표정을 보였다. 그처럼 형은 우리 식구들의 절실한 현실이었던 것이다.

　그날 형은 병원에 들어와 온몸이 가제로 덮인 뒤 그 위에 홑이불까지 씌워진 누나를 내려다보며 꼭 얼빠진 사람처럼 멍청히 서 있기만 했다.

　「지혜야, 오빠가 왔구나.」

　어머니가 울먹임을 애써 죽이며 말했다. 그리고 홑이불 한 귀퉁이를 쳐들었다. 거기 누나의 손이 있었다. 그것은 기적이었다. 누나의 몸가운데 화상을 전혀 입지 않은 부분은 바로 그 통통하고 예쁜 손뿐이었던 것이다. 그 손가락이 조금 움직였다. 형이 그 손을 쥐었다. 그러나 형은 더 참지 못하고 병실을 뛰쳐나갔다. 복도 벤치에 아버지가 앉아 있었다.

형은 꼭 순정소설의 한 대목처럼 아버지의 무릎에 얼굴을 묻으며 흐느끼기 시작했다.

「어딜 갔었냐?」

아버지가 주름진 눈그늘에서 눈물을 닦아내며 울먹이는 목소리로 묻고 있었다. 형이 흐느끼기를 그치지 않은 채 울음 섞어 말했다.

「아버지, 박창진씨 아시죠? 우촌면 즘말 사는 아버지 옛날 친구 박창진씨 말예요.」

아버지가 한참 만에 대답했다.

「알다마다!」

그렇게 말해 놓고 아버지는 한참 기억을 더듬는 눈치더니,

「거긴 뭣하러 갔었누?」

형이 눈물 흐르는 얼굴을 쳐들며 말했다.

「그 사람들이 모두 아버질 보고 싶어해요. 아버지가 왜 고향엘 한 번도 안 오는지 모르겠다고 야단들이데요.」

나는 그들 곁에 서서 피식 웃음이 나왔다. 누나로 하여 연출되는 이 멜로드라마의 한 토막 감격 속에서 나 또한 멋진 대사 한 구절을 껴 넣고 싶었기 때문이다.

──겨울이 간다. 누나야, 네가 이긴 겨울이 가고 있구나.

外　燈

　한창 대낮의 그 불볕 더위도 산그늘이 마을을 서슴서슴 먹어들면서부터 서서히 열기를 죽이다가 어둠이 깔리는 저녁이면 제법 썰렁한 느낌까지 몰아왔다. 시골의 여름은 이처럼 낮과 밤의 온도가 완연하게 달랐다.

　박종대(朴鍾大) 경사는 지서 건물과 울타리 하나를 사이에 둔 사택에서 저녁을 끝내자 곧장 사무실로 나왔다. 그의 아내가 이웃에서 보내온 것이라며 찐 옥수수를 상 위에 올려놓았지만 손도 대지 않은 채 일어섰던 것이다. 위장에 이렇다할 이상이 없는 것 같은 데도 항상 배가 그득하고 거북스러워 먹는다는 일에 대해 시덥잖은 느낌이 들게 마련이었다.

　마을 사람들이 모이는 자리에 불려가서도 그네들처럼 게걸스럽게 먹어대지 못하기 때문에 민망스러움을 당한 게 한두 번이 아니었다. 그는 자신이 마을 사람들 속에 동화되지 못하고 항상 멀찍이 떨어져 배돌게 되는 것이 바로 자신의 소화불량증 때문이라고 생각하기도 했다.

실상 마을 사람들 입장에서 생각하더라도 술 한잔 제대로 마시지 못하는 것은 물론 몇 숟갈 끄적이다가 뒤로 물러앉고 마는 박경사에 대해 그닥 친더운 마음이 갈 수가 없었던 것이다.

사람이 워낙 점잖아서 그런 게여.

아니지. 그게 아니고 우리가 호락호락 기어오를까 봐 그런 게여.

좀 심한 경우에는,

한마디로 사람이 좀 내숭스럽다니까.

이처럼 현지 주민들은 박경사와 한 걸음 사이를 두고 있었던 것이다.

물론 박경사는 자신이 마을 사람들 속에 깊숙이 어울려 친절과 신뢰를 보이는 공복으로서의 의무를 철저하게 이행하고 있지 못함을 너무나 잘 알고 있었다. 그는 항상 그 사실이 괴로왔다. 그것은 한 관리로서의 자책이라기 보다 인간 세계에서 마땅히 가져야 할 유대와 신뢰를 얻어 내지 못한 데 대한 자각으로부터 얻어지는 괴로움이었다. 그러나 박경사는 자신이 주민들 속에 깊숙이 들어가 동화되지 못하고 있음이 전적으로 자신의 회의적이고 우유부단한 성격적 결함 때문이라고 못박아 생각하기엔 좀 억울하다는 생각이 들 때도 없지 않았다. 그것은 오랜 옛날부터 관리를 대하던 백성들의 만남의 두려움에서 비롯한 뿌리 깊은 적대감을 의식할 때였다. 아직도 많은 사람들이 자신과 동료들을 「순사 나으리」라고 부르고 있다는 걸 그는 알고 있었다. 또한 그들은 되도록 지서 직원들과 맞닥뜨리는 걸 피하려 하고 있었다. 어쩔 수 없이 만나졌다고 해도 자신의 두려움을 위장하기 위해 농촌 사람 특유의 그 퉁퉁 내쏘는 허세를 보이거나 그렇지 않으면 아예 허리를 필요 이상 굽히고 절절 매는 게 보통이었다. 그러한 사람들과 만나면서 박경사는 늘 외로움을 느꼈다. 뭔가 이유를 끄집어내기 어려운 허망스러움이 가슴으로 허전허전 밀려들곤 했다. 또

한 이러한 허망스러움 뒤에는 반드시 한 가닥 부끄럼이 살짝 얼굴을 내밀게 마련이었다.

「저녁 잡수셨어요?」

어둑해진 사무실 한가운데 정진도 순경이 마치 어둠의 기둥처럼 서 있다가 몸을 움직여 보였다. 하암리 지서 다섯 명 중에서 나이가 가장 어린 사람이었다. 대학 2학년 때 어떤 피치 못할 사정으로 학교를 그만둔 것을 그는 늘 안타까와하면서 지금도 법관이 되는 게 그의 꿈이라 했다. 틈틈이 책을 읽어 동료들에게서 시샘 비슷한 거부 반응을 불러일으켰다.

정순경은 사무실 시멘트 바닥에 구둣발로 뭔가를 그러모으고 있었다. 갈색의 날개를 지녔으면서도 날지 못하는 벌레, 다른 곤충처럼 징그럽게 생기지 않았으면서도 몸이 재고 눈치가 빨라 혐오감을 불러일으키는 바퀴벌레가 그의 발 밑에 대여섯 마리 모아져 있었다. 밝은 데서는 얼씬도 않고 어둠 속에서만 그 활동을 맹렬히 벌이는 그 벌레에 대해서 남다른 혐오감을 가지고 있는 정순경이었다. 정말 소름이 끼쳐요. 어느 날 밤 숙직실에서 팔뚝의 연한 쪽 살 한 점을 뜯어먹힌 정순경은 바퀴벌레만 보면 몸서리 쳤다. 마을 사람들은 이 벌레를 강구라고 불렀다. 어떻든 바퀴벌레의 번식은 그에 적당한 온도만 주어지면 무서운 속도로 불어갔다.

──소장님이 읍에서 가지고 오신 선물입니다.

정순경이 처음 그렇게 말했다. 박경사가 부임해 오기 전까진 이런 백해무익한 벌레가 지서 사무실에 없었다는 것이다. 처음은 어쩌다 숙직실 방바닥에 한두 마리 나타나긴 했지만 그닥 신경이 쓰일 정도는 아니었다. 그러나 박경사가 부임해 온 지 만 1년이 넘는 지금은 날이 어둡기가 무섭게 숙직실이고 사무실 벽이고 심지어는 사무실 책상 속까지 버글거렸다. 지서와 인접한 가정집에도 그처럼 많이 번졌다는 것이다. 읍에서 빈대약 같은 걸 사다가 써 봤지만 말짱 헛일이었다.

──어떤 근본적인 대책이 있어야 하겠구먼.

박경사가 정순경의 공격에 대답하는 말은 고작 그런 것이었다. 정말 정순경 말대로 자신이 읍에서 들어올 때 그 이삿짐 속에 묻어 왔을 확률이 크다는 생각이었다.

정순경은 다른 직원과는 달리 그 벌레만 보면 다른 일 제쳐놓고 쫓아가 손바닥이나 구둣발로 밟아 죽였다. 한 마리가 한번에 40여 개의 알을 낳아 기하 급수적으로 번식해 가는 데 몇마리 손바닥으로 쳐 죽여 봤자 헛일인 것을 알면서도 습관처럼 그렇게 바퀴벌레를 잡았다.

「또 소탕전을 벌였군.」

지금도 그는 대여섯 마리의 바퀴벌레를 잡기 위해 우정 사무실은 물론 현관의 외등까지 켜지 않은 채 서 있었던 모양이었다.

박경사는 현관 외등에 불을 켜며 다시 말했다.

「또 잊은 모양이군. 자네의 적은 한 놈이 한번에 사오십 개씩의 알을 깐다는 걸 말이야. 중과부적이지. 결국 자넨 지고 말 걸세.」

정순경이 벽에 걸린 정복 웃도리를 벗겨 입으며,

「소장님, 그렇다면 저는 지금 오륙 삼십, 무려 삼백 마리를 섬멸했군요.」

그러면서 현관으로 다가갔다.

「저 저녁 먹고 나오겠읍니다.」

박경사와 정순경은 오늘 저녁 당번이었던 것이었다. 꼭 그렇게 하지 않아도 좋았지만 박경사는 야간 순번에 자신을 꼭 포함시키도록 했다. 그렇게 하는 게 마음에 편했던 것이다.

「참, 아무 연락도 없었나? 본서에서 말이야……」

현관을 나서는 정순경을 향해 박경사가 물었다.

「없었는데요……그런데 아까……」

현관을 나서던 정순경이 다시 몸을 돌려 사무실 의자에 아무렇게나 주저앉으며 말했다.

「아까 김차석님과 함께 있는데 상암리 유관석이하고 최진혁이

왔다 갔읍니다.」

「그래 와서 뭐라던가.」

「또. 그 소리지요 뭐.」

「상부에서 아직 아무 연락이 없다고 하면 될 거 아냐.」

「그랬어요. 김차석님이 정 그렇게 의심이 나거든 읍에 나가 알아 보면 될 게 아니냐고 막 딱딱거려 줬지요.」

「그랬더니?」

「그렇지만 어디 그 사람들이 보통내기들인가요. 자기들이 정식으로 신고를 한 게 언젠데 입때까지 왜 아무런 조치도 없느냐고 되려 덤벼들더라니까요.」

박경사는 저녁 어둠이 내리깔리는 바깥쪽으로 얼굴을 돌리며 한숨을 몰래 내뱉었다.

「김차석하고 또 한바탕 했겠군.」

「괜찮았어요. 사실은 김차석님이 딴 데 신경을 쓰고 계셨거든요.」

「뭔데?」

「여기 보세요. 표경철 선생이 가석방 됐거든요.」

정순경이 책상 위에 놓인 신문을 집어다가 펴 보였다. 8월 15일자 신문이었다. 발행일자보다 2, 3일 늦게 받아 보게 돼 있는 시골이라 신문은 언제나 구문이게 마련이었다. 그것도 요즘은 산판에 드나드는 차편에 부쳐와 빠른 편인데도 그랬다.

정순경이 가리켜 보이는 사회면 맨 위에 8·15 경축 수감자 특별 석방자 명단이 있었고 거기 맨 끝부분에 표경철(表京哲)이란 이름이 보였다.

표경철 선생이 이번 8·15를 기해 석방되리라는 소문은 벌써부터 마을에 떠도는 모양이었다. 그것이 이제 사실로 신문에 난 것뿐이었다. 상암리 유판석이와 최진혁이가 그처럼 당돌하게 나오는 것도 표경철 선생이 석방될 것이라는 소식이 있었기 때문일 것이 분명하다고 박경사는 생각했다.

박경사는 정순경이 나가 버린 빈 사무실 한가운데 우두커니 앉아 현관 외등에 어지럽게 날아들기 시작하는 날벌레들을 멍청히 내다보고 있었다. 외등이 밝힌 저 어둠의 무한한 공간 중의 극히 작은 한 부분의 빛을 찾아 날아든 보잘 것 없는 날벌레들의 난무. 무엇을 위해서, 어디서부터 와서 어디로 가기 위해 저런 어지러운 춤을 추고 있는 것일까. 그러나 저 외등이 밝히지 못한 저 무한대의 어둠 속에는 또 얼마나 많은, 살아 있는 것들의 허망스러운 춤이 벌어지고 있는 것일까.

외등을 찾아 모여든 날벌레들의 똑같은 동작이 반복되는 그런 따분한 난무의 질서가 갑자기 흐트러졌다. 그것은 날갯짓이 요란한 커다란 나방 한 마리가 끼어들어 이제까지 볼 수 없었던 난폭한 난무를 시작했기 때문이다. 몸통에 비해 날개가 작기 때문에 나비의 그 유연한 비상(飛翔)에 비교될 수 없는, 서글퍼 보이는 나방은 외등에 덤벼들어 죽을등 살등 몸통을 부딪쳐대며 날았다. 날개에서 떨어지는 미세한 분말이 불빛을 받아 금빛으로 빛났다. 그러나 한 마리 나방은 자신의 아름다움 같은 건 아랑곳없다는 듯 외등에 맹렬하게 부딪쳐 드는 그 허망한 작업을 결코 멈추지 않았다. 어쩌면 그 한 마리 날벌레는 자신이 찾아낸 이 불빛 앞에 이제까지 어둠 속에서 몸에 묻힌 그 지겨운 고독을 다 떨어버리려는 것처럼 보였다.

실상 박경사는 아무것도 보고 있지 않았다. 보고 있었다 하더라도 그것은 그냥 눈에 와 닿았기 때문에 눈에 보인 것 자체가 뇌신경을 자극해서 스스로 불러일으킨 연상작용에 불과했었을 것이다. 그러나 그는 그런 멍청한 상태에서도 분명 한 가지 느낌만은 어쩔 수 없이 현실적인 것으로 잡혀 들었다. 아무래도 집에 연락을 해 소화제를 내다 먹어야 하겠다는 그런 것이었다. 그는 견디기 어려웠다. 가슴 한가운데가 답답해 들면서 숨쉬기가 거북한 증세야말로 그의 소화불량증에 나타나는 특징이었다.

그러나 그는 빈 사무실에 앉아 자신의 소화불량 상태를 조금이

라도 덜기 위해 어떤 생각에 매달리고 있었다. 사실은 이미 그가
그 생각에 빠져든 지 오래였는지도 모른다.

그는 지금 세 사람을 머리에 떠올리고 있었다. 표경철 선생과
방금 전에 다녀갔다는 유관석, 최진혁 그 사람들이었다.

박경사는 표경철 선생을 한번도 본 적이 없었다. 그러면서도
막상 남들이 표선생 얘기를 꺼내면 그와 수없이 얼굴을 맞댄 것
같은 착각에 빠져드는 것이었다. 그것은 왜갈봉 노송에 목 매달
아 죽은 표선생의 젊은 부인의 환영 때문일 것이다. 그가 이 시
골 지서에 부임해 와 부딪친 가장 크고 난처한 사건이 바로 표선
생 부인의 죽음이었던 것이다.

——저 여자가 표선생 부인이에요.

박경사가 부임해 와 얼마 지나지 않았을 때 직원들이 한 여자
를 가리켜 보였다. 지서 앞 비석 거리에 일제 말에 세운 듯싶은
모로 넘어져 있는 장방형의 커다란 비석 위에 한 여자가 해바라
기를 하고 앉아 있었다. 용모도 비교적 단정한 데다가 그 앉아있
는 앉음새가 어쩌나 단아해 보였던지 박경사는 사람들의 얘기가
믿어지지 않을 지경이었다. 누가 저 여자를 미쳤다고 하겠는가.
너무나 멀쩡한 얼굴이었다. 그네는 비석 위에 단정하게 앉아 그
앞을 지나다니는 사람들을 하나하나 훑어보고 있었다. 안노인네
들이 지나가다가 안됐다는 듯 쯧쯧 혀를 차도 별 표정 없이 그
맑은 눈으로 오히려 그 안노인네들을 동정하는 듯 바라보고 있었
다. 실성한 사람들에게서 찾을 수 있는 그런 초점 흐린 눈이 아
니었다. 한 떼의 아이들이 몰려와 그 여자한테 흙을 뿌렸다. 그
러자 이제까지 그림처럼 단아하게 앉아 있던 그네가 그 비석에서
풀썩 뛰어내렸다. 그리고 그 아이들을 향해 담청색 몸빼를 훌렁
벗어내렸다. 엉겁결에 박경사는 고개를 돌리고 말았던 것이다.
아까운 일이구나 하는 느낌이 가슴으로 세차게 몰아쳤다.

——완전히 미친 건 아니지요. 저렇게 해까닥했다가도 제 정신
이 들면 똑 소리가 날 정도로 똑똑한 여자로 돌아간다더군요. 바

느질도 하고, 학교에서 내준 밭에 야채도 가꾸고 한대요.

정순경이 여러 가지로 덧붙여 설명해 주곤 했다. 남편 표선생이 그 우발적인 살인 사건으로 잡혀가자 재판을 받아 형이 확정되기까지 읍이나 시에 나가 남편 소식을 알려고 법원 주위를 배돌던 한 지어미의 눈물겨운 미담이 펼쳐지곤 했다. 그네는 국민학교 선생의 아내답게 소박하고 정숙한 여자로 마을에 평판이 나 있었다는 것이다. 남편의 형이 확정되고 그네는 다시 마을에 돌아와 두 살짜리 딸 하나를 등에 매달고 마을의 삯일을 다닐 정도로 부지런했다고 했다. 그런데 어느 날 두 살 난 딸을 남한테 맡겨 두고 남편 일로 읍까지 나갔다가 밤 늦게 돌아온 즉시 며칠 몸져 눕더니 그처럼 실성기를 보이기 시작하더란 것이다.

——도대체 왜 목을 매달아 죽었다는 겁니까?

박경사가 물었을 때 김차석이 대답했다.

——그거야 뻔하지 않습니까. 그 여잔 미쳤어요. 미친 여자가 뭔 짓은 못합니까.

이처럼 김차석이 한마디로 자르자 정순경이 맞서곤 했다.

——그렇지 않아요. 미친 여자는 절대 목을 매어 죽진 않아요. 그 여자가 목을 맸다면 반드시 정신이 말짱할 때 그랬을 겁니다.

정순경의 논리에 의하면 목을 매어 죽는 일 같은 무서운 일은 아무나 가볍게 해낼 수 있는 일이 아니란 것이다. 자살이란 그 어떤 사람보다도 생에 대한 애착이 강했던 사람만이 해낼 수 있는 무서운 의지의 표출인데 어떻게 미친 여자가 그런 일을 할 수 있겠느냔 얘기였다. 상부에서 내려왔던 사람들도 어떻게 미친 여자가 그 높은 나무에 올라가 목을 맸는지 알 수 없는 일이라고 고개를 갸우뚱거렸다.

어떻든 그 여자는 죽었다. 미친 상태로 죽었든 말짱한 정신으로 그랬든 그 여자는 왜갈봉 노송에 매달려 혀를 빼물고 죽어 있었던 것이다. 그러나 그런 문제는 있을 수도 있었다. 즉 상암리 유관석이들 말대로 그네 스스로가 목을 맨 것이 아니라 누군가 그런 짓을 저질렀을 가능성 말이다. 그러나 박경사는 머리를 흔들었다. 상부에서 내려왔던 사람들의 판단에서 볼 때나 박경사 자신의 판단에서 보거나 그네의 죽음은 타살이 아니라 자살이 분명했던 것이다. 다만 문제는 왜 그네가 그런 죽음을 택했는가 하는 것이었다. 남편 표선생이 비록 죄를 지어 복역중이라 해도 극악무도한 살인범이나 파렴치범도 아닌 어디까지나 교육적인 면에서 옳은 일을 하는 과정에서 생긴 우발적인 사건이 아니었던가. 더구나 그런 입장이 재판에 충분히 반영되어 2년 언도란 비교적 가벼운 형량에, 잘하면 더 빨리 풀려날 수도 있다는 그런 계제에 일을 저지르다니 도저히 납득이 안 가는 일이었다.

아뭏든 표경철 선생 부인의 죽음으로 해서 박경사는 적지않은 곤혹을 맞보게 되었던 것이다. 국회의원 선거가 막 끝나 그 후유증으로 해서 어질어질한 판인데 떠억 그런 일이 벌어졌던 것이다. 그때 박경사는 왜갈봉 중턱 노송에 매달린 그 여자의 주검을 마을 사람들과 함께 끌어내렸다. 비석거리 모로 쓰러진 비석 위에 앉아 해바라기를 하던 때의 그렇게 곱게 빗어 넘긴 머리에, 역시 그때의 담청색 몸빼 위에 붉은 스웨터가 잘 어울리게 차려 입은 채 죽어 있었다. 그네는 노송 밑에 흰 고무신을 가지런히 벗어놓았다. 그네의 스웨터 주머니에서 쌀 두어 말 살 정도의 돈이 나왔다. 아이들이 쓰다 찢어 버린 듯싶은 공책장에 싸여 있었다. 혹시나 해서 그 공책장을 살펴보았지만 별것이 아니었다. 산수공책이었던 양 조잡스런 필체의 숫자가 가득 씌어 있었을 뿐이었다. 박경사는 그 공책장에 싸였던 돈을 김차석에게 넘겨주고 나서 무심코 공책장을 주머니에 넣었다. 그것이 일의 빌미가 될 줄은 꿈에도 생각 못했던 것이다.

그네의 친정에서 온 사람들과 시체 인계문제를 놓고 얘기를 나누고 있는데 상암리 유판석이와 최진혁이들이 들이닥쳤던 것이다.

——소장님, 표경철이 부인을 죽인 범인이 누굽니까?

그들은 다짜고짜 이런 식으로 나왔다. 상부에는 이미 단순한 자살 사건으로 보고를 올린 뒤였다. 뒷일을 우려해서 우촌면 공의를 데려다가 시체 검안까지 시켜 자살이라는 진단을 받아 놓기를 잘한 일이었다. 박경사는 그런 여러가지 확증을 내세워 그들을 이해시키려고 애썼다. 그러나 그들은 고집스럽게 고개를 저었다. 그 여자가 실성을 했는데 어떻게 그처럼 높은 나무에 올라가 자살을 할 수 있겠느냔 것이었다. 또 그 여자가 자살을 할 만한 이유를 대라고 억지를 쓰기도 했다. 박경사가 여러가지 방증을 내세워 타살일 수가 없다는 얘기를 해도 그들은 막무가내였다.

박경사는 직원들을 모아놓고 유관석이들의 추궁에 대해 어떻게 할 것인가를 숙의했다.

──내 참, 기가 막혀서…….

김차석은 유관석이들이 얼마 전에 끝난 국회의원 선거의 뒤끝이 안 좋다는 신문 기사를 읽고 거기다가 이 사건까지 곁다리로 덧붙일 속셈이 분명하다고 했다. 다른 직원들도 그와 비슷한 생각들을 하고 있었다. 결국 그네들의 항의를 묵살해 버리기로 했던 것이다.

그러나 유관석이들은 그렇게 쉽게 물러서지 않았다. 표선생 부인의 친정사람들까지 충동질해서 합세했다. 시체가 부패한다고 하암리 사람들이 장사를 지내겠다고 하니까 상암리 사람들 수십 명이 몰려 내려와 매장을 못하게 막아섰다. 두 마을이 송장 하나를 놓고 대판 싸움이 벌어질 기세였다. 결국 유관석이들이 원하는 대로 재수사를 하기도 했다. 본서에서 나와 상암리 사람들이 미심쩍어 하는 여러가지를 조사해 보기도 했다. 그네가 목을 매었던 밧줄도 표선생이 방을 얻어 살던 그 집 외양간에서 풀어낸 것이라는 새로운 사실이 나타나는 등 먼저 결론을 냈던 것이 틀림없다는 걸 확인하기에 이르렀던 것이다.

그러나 유관석이를 중심한 상암리 사람들은 물러설 기세가 아니었다. 이번에는 엉뚱한 일을 가지고 물고 늘어졌다.

──소장님, 그날 표경철이 부인 몸에서 나온 유서 좀 보여 주

셔야 하겠어유.

그때 그네의 스웨터 주머니에서 나온 돈을 샀던 헌 공책장을
두고 하는 얘기 같았다. 박경사는 그때 그 공책장을 무심코 주머
니에 넣었던 생각을 떠올렸고 그때서야 허둥허둥 찾아 보았지만
헛일이었다. 돈은 김차석한테 넘긴 게 분명했고 자신은 그 종이
쪽을 지서에 돌아와 다시 한번 살펴 보리라던 생각을 감박 잊어
버렸던 것이다. 아무 데서도 그 공책장은 나오지 않았다.

──그날 소장님이 주머니에 넣으시는 걸 우리가 이 눈으로 똑
똑히 봤읍니다유.

거기 공책장에는 아이들이 공부 시간에 쓴 산수 문제만 잔뜩
씌어져 있더라고 누누이 강조했지만 그들은 좀체 믿으려 하지 않
았다. 며칠간이나 그 문제를 놓고 티격태격하는 바람에 본서까지
불려가 힐난을 당했다. 어떻든 며칠 동안 그들과 벌인 실랑이로
해서 박경사는 지칠대로 지쳐 버렸다. 공연히 두 마을의 숙명적
인 싸움에 말려든 자신을 발견하고 쏩쓰레 웃을 수밖에 없었다.
그러나 막상 가슴에 남은 자국은 큰 것이었다.

──소장님이 너무 유하게 대해 주니까 그 새끼들이 기어오르
는 거예요.

김차석이 노골적으로 박경사의 우유부단하고 소심한 성격을 나
무랐다. 시골 사람들한테 덜미를 잡혀 질질 끌려다니는 꼬락서
니가 됐으니 장차 어떻게 하겠느냐고 힐난했다.

──이제 두고 보십시오. 그 새끼들 사사건건 물고늘어질 게니.

하암리 김써 집안 사람인 김차석은 하암리 사람들이 다 그렇듯
상암리 사람들에 대한 뿌리 깊은 적의를 버리지 못하고 있었다.
김차석의 말이 맞았다. 무서운 사람들이었다. 표선생 부인의 자
살 사건이 좀 잔잔해졌는가 싶은 어느 날 유판석이와 최진혁이가
또 지서에 나타났던 것이다.

──정식으로 신고를 할 게 있어 왔구면요.

지서에 들어설 때의 그 굳은 얼굴 표정이 대단한 작심을 하고

왔구나 하는 걸 짐작케 했다. 그들 눈에 오기가 뻗친 그런 사람들에게서 느낄 수 있는 야비한 빛이 번쩍거렸다.

──소장님두 수작골 산판에 가 보셨지유?

그들 얘기의 골자는 수작골 산판 사람들이 도벌을 공공연히 하고 있는데 그 사실을 알고 있느냔 거였다. 말하는 품으로 보아 그들은 이미 산판의 내막을 알 만큼은 다 알고 온 게 분명했다. 수작골 임야가 국유림이라는 것, 그 국유림의 얼마만큼은 채벌허가가 난 것이며 허가낸 면적에서 채벌해 낼 벌목의 한정량까지 떠르르 알고 있었다. 그리고 그 한정량을 넘은 도벌이 얼마에 이르렀다는 통계 숫자까지 척척이었다.

──증말 너무하데유. 아주 몽땅 깎아 낸다니까유. 그렇게 훤하게 밀어내다니 도대체 말이나 됩니까유.

박경사는 그들의 이주걱거리는 신고에 앞서 정순경한테서 전해 들은 바가 있었다.

──소장님, 수작골 산판 한번 가 보시는 게 좋으실 겁니다. 은장봉 산판도 마찬가지지요.

얘기만 들어도 다 알 만한 일이었다. 직접 두 산판을 돌아보고 났을 때는 차라리 안 보고 넘길 걸 잘못했구나 하는 후회를 했다. 울울한 적송숲에서 솎아내야 할 벌목이 솎기는커녕 아예 이발하듯 곁의 유년목까지 곁들여 밀어냈다. 산이 그처럼 흉해 보일 수가 없었다.

다 알 만한 일이었다. 난리가 끝나면서 폐허가 된 도시에 집을 짓자니 건축 자재가 불티나듯 달리게 마련이고 거기에 걸맞춰 산판 붐이 인 것은 당연한 일이었다. 적절한 수요 공급의 미봉책으로 업자가 신청만 하면 채벌허가가 나와 깊은 산 깊은 골짜기는 어느 곳이고 산판이 생겨났다. 트럭이 드나들 수 있는 길이 골짜기마다 닦여 원목을 산더미처럼 실은 트럭들이 곡예하듯 아슬아슬 산비탈을 누볐다. 산판에 드나드는 트럭을 1년간 몰면 도회지에선 눈 감고도 운전을 할 수 있다는 정도로 산판 길은 험난했다.

비라도 좀 내리면 급조된 진흙 구렁길에 차 바퀴가 빠져 실었던 나무들을 다 부린 다음에야 겨우 빠져 나가곤 했다. 그러자면 뒷 차들이 덩달아 늘어붙고 하릴없는 운전수들이 산비탈 외진 곳에 위치한 인가를 찾아 노름판을 벌이기 일쑤였다. 어떻든 난리 직 후에는 남아도는 군용 트럭이 후생 사업이란 명목으로 산판에 투 입되어 그야말로 산골짜기가 때아닌 성시를 이룬 적도 있었다. 그 렇게 몇 년 동안 산의 나무가 무계획하게 베어져 나가다 보니 그 울창하던 임야가 꼭 헌데 앓은 아이들 머리통처럼 보기에 흉해졌 다. 당국에서도 이래선 안되겠다 싶어 뒤늦은 방책을 세워 보는 모양이었지만 워낙 나쁘게 길들여진 산판 생리에 그 솜씨들이라 당국의 단속이 제대로 먹혀들어갈 리가 없었다. 채벌 허가가 그 전처럼 수월찮으니까 자연 돈줄 힘줄을 이용하려 들었고 그렇게 요령껏 허가를 맡아 낸 다음에는 힘이 든 만큼의 밑천까지 곁들 여 뽑아내려 혈안이 됐던 것이다. 쥐 잡아먹던 고양이 반찬 없 는 맨밥에 성이 찰 턱이 없어 흥청망청하던 산판 생리는 여전하 기만 했다. 허가를 내주는 당국이나 허가를 받아 채벌을 하는 목 상이나 모두 허가장에 기재된 숫자의 몇 배쯤은 해먹어도 무방한 결로 아예 처음부터 공공연히 묵인하는 게 50년대 말의 산판 생 리였던 것이다. 이를테면 백 입방에서 삼천 사이〔才〕를 벌목할 수 있다는 허가를 내서는 보통 그 몇십 배에 이르는 십만 사이 정도로 베어내야만 그런저런 매부 좋고 누이 좋다는 식의 타산이 었다. 도의적인 인간 양식이나 법 질서에 대한 경외감에 앞서, 이 제까지 굶주려 왔으니 이 좋은 세상에 치부를 하지 않으면 안된 다는 강박감이 지배하는 시대라 모두 눈이 뒤집혀 천방지축 날뛰 게 마련이었다. 국회의원은 무슨 수를 써서라도 당선돼야 했고 당선이 된 뒤에는 거기 투자된 밑천을 뽑아내기 위해 이권이 관 계되는 일이라면 무슨 일이든 손을 뻗쳤다.

　김광모(金光模) 의원이 바로 그런 사람이었다. 그는 많은 사업 에 자신의 권세를 유감 없이 이용했고 우선 상암리 소재 여러 산판들이 모두 그의 입김을 받고 있었던 것이다. 그렇지 않고서야 저럴 수가 없다고, 산을 둘러보면서 혀를 찼던 박경사였다. 하긴 그 여세로 하암리에 그 어려운 전기까지 끌어들인 공도 없지 않지만.

——우린 다 알아 본 겁니다. 알아 본 결과 그냥 내버려둘 수가 없어 이렇게 신고를 하는 거구먼유.

——다 우리 지방 발전을 위해서쥬.

——애국자가 따루 있나유.

유판석이와 최진혁이는 이런 식으로 이죽거렸다. 군대 밥을 먹고 도회지에서 한두 해 굴러먹다 들어온 사람들답게 말투가 만만찮았다. 거기다가 시골 사람 특유의 그 유들유들하고 고집스러운 면도 드러냈다.

——삶은 호박에 이도 안 들어갈 일인 줄 알지만서두 우리가 이렇게 신고를 하는 건 말이지유, 새로 오신 소장님이 으떤 분인가 하는 걸 알아 봐야 하겠다, 그런 생각에서죠. 알아 봐 가지고 설라무니 우리도 한번 대가리가 터지게…….

그때 김차석이 울컥 내질렀다.

——도대체 당신들 그 산판하고 뭔 원수를 졌길래 그래, 앙?

김차석 입장에서 보면 그들 유판석이와 최진혁이는 싸움의 상대였던 것이다. 한 공직자의 입장에서가 아니라 하암리 김씨 문중의 한 사람으로서 맞섬의 감정이 앞서는 게 당연했다. 그러나 그것은 김차석의 실수였다. 유판석들이 노린 게 바로 그런 것이었다.

——김차석님, 뭔 말씀을 그렇게 하십니까유.

——차석님, 그렇게 꼭 감정적으루다 나오셔야 되겠읍니까유?

그들은 미간에 심줄을 세우면서 덤벼들었다. 그렇다고 김차석이 순순히 물러설 위인이 아니었다.

——당신들 도대체 왜 이래? 사사건건 물구늘어지구. 이봐. 우리 경찰이 그렇게 만만해 뵈? 야, 쌍, 신고를 하려면 정식으로

해. 서류를 갖춰서 말이야.

이번에는 유판석이들 차례였다. 오히려 그들은 더 유들유들했다.

——차석님, 말씀 한번 참 자알 하셨읍네다. 우린 민주 경찰을 믿고 이렇게 찾아왔지 않습니까. 네에, 물론 정식으로 신고는 해얍지요. 우리 상암리 사람들 전부의 이름을 쓰고 도장을 받고 해서 거어창하게 한번 올리겠읍니다유. 그렇게 하자면 직접 도경이나 서울로 올라가는 게 빠르겠읍죠?

박경사가 나서지 않을 수 없었다.

——좋습니다. 더 긴 얘기 하지 맙시다. 두 분이 오늘 말씀하신 내용 정식으로 접수해서 상부에 보고하지요. 물론 산판 관계는 원래 우리가 맡아 할 소관이 아닙니다만……

이처럼 박경사가 이쪽 입장을 내세우려니까 대뜸 최진혁이가 말했다.

——산판과 영림서 사람들이 다 한통속이 돼 돌아가는 판국에 그럼 어디다가 얘길 해야 합니까유? 더구나 소장님께선 잘 아시겠지만 불법으로 베어진 나무가 바로 이 앞길로 버젓이 실려 나가는 것을 상·하암리 사람들이 죄다 알고 있다 그겁니다. 그런데 거 이상하지 않습니까. 상암리 사는 우리들은 그렇게 불법으로 베어져 나가는 걸 그냥 볼 수가 없어 이렇게 신고를 하는데 하암리 사람들은 오히려 그걸 방해하려 들다니 원!

김차석이 멍청히 당할 리가 없었다.

——이봐. 이 상암리 쌍……, 신골 했으면 주둥아리 고만 까고 썩 꺼져 버려!

두 마을의 싸움은 아주 오랜 옛날부터 시작된 일이라 하루 이틀에 끝날 그런 가벼운 것이 아니었다. 두 마을의 뿌리 깊은 적의는 아주 근원적이고 숙명적인 양상을 띤 것이었다. 박경사는 1년 전 이 마을에 부임해 와 가장 먼저 피부에 느껴지도록 선명한 대립을 보이고 있는 두 마을의 전근대적인 앙숙에 대해 들을 수

있는 기회가 많았다. 가깝게는 표경철 선생의 그 사건이며 그의
아내가 목 매달아 죽은 것 등이 모두 그런 두 마을의 싸움 속에
서 빚어진 현실이었던 것이다.

하암리와 언덕 하나를 사이에 두고 위쪽에 위치한 상암리 마을
이 형성된 데 대해서 대체로 두 가지 설이 떠돌고 있었다.

그 하나의 얘기는, 동학 난리 때 남쪽에서 파죽지세로 밀고 올
라온 동학군이 강원도 이 두메까지 발길을 한 데 기인한다. 수백
명에 달하는 장정들이 하암리까지 들이닥쳤다. 그 많은 수효에
비해 그들의 기세는 듣던 바와는 전혀 달랐다. 물론 마을의 가축
이 씨가 질 정도로 잡아먹히고 김씨 문중의 창고에 쌓아두었던
곡식이 바닥이 나긴 했지만 그들은 이미 뿔 빠진 소처럼 맥살이
없어 보였다.

——동학군이 당했대유. 여기 온 자들은 모두 갈 데가 없이 쫓
겨 들어온 사람들이래여.

마을 사람들이 숭숭거렸다. 아닌게아니라 며칠 못 가 관군이
사면 팔방에서 들이닥쳤다. 동학군들은 관군을 보자 전의를 잃고
뿔뿔이 도망치기에 바빴다. 대부분 관군들에 의해 죽임을 당했다.
그 시체가 여기저기 나무토막처럼 뒹굴어 핏물이 고랑을 이뤄 흘
렀다. 남쪽에서 봉기한 동학군의 파란만장한 거사는 이곳에 와
그 끝장을 보게 된 셈이었다. 그러나 수작골과 수리봉 쪽으로 숨
어들었던 동학군의 한 패들이 꽤 오랜 날들이 지난 뒤에 서슴서
슴 모여들어 상암리에 화전을 일구고 약초를 캐고 참숯을 구워내
며 터잡아 살기 시작했던 것이다. 원래 그런 사람들이 여기저기
서 짝을 맞추어 모인 마을이라 하암리 사람들과는 처음부터 운니
지차로 결맞지 않았던 것이다. 아마 상암리를 이룬 사람들의 전
부가 그런 사람들은 아니었겠지만 어느 정도 타당성은 있음직한
얘기였다.

또 다른 얘기 하나는,

일제 시대 일본 사람이 공작산 자락에 금광을 뚫자 그 금광 광

부로 하나 둘 모여들었던 사람들이 금광이 폐광되면서 그대로 그
자리에 눌러앉아 이룬 마을이 바로 상암리라 했다. 여러 가지 점
으로 미루어 뒷 얘기가 훨씬 그럴 듯하게 들렸다. 어쨌든 한 곳
에 발 붙이지 못하고 여기저기 떠돌며 살던 사람들이라 뜨내기
인생들에게 걸맞는 그런 성깔들은 남아 있어 송곳 모로 꽂을 땅
뙈기 하나 없는 처지에서도 그 기세들은 사뭇 대단했던 것이다.
언덕 하나를 사이에 둔 하암리 사람들이 골머리를 앓기 시작했다.
상암리 사람들의 안하무인한 꼬락서닐 차마 눈뜨고 볼 수 없었기
때문이다. 누구 산이라고 가릴 것 없이 산자락에 마구잡이로 불
을 놓아 화전을 일구는가 하면 하암리 김씨 문중의 성역이라 할
수 있는 은장봉 선산을 파헤쳐 암장을 하는 등 두 마을은 사시장
철 으르렁거렸던 것이다. 어떻든 세월이 흐르는 동안에 상암리도
제법 사람이 살 만한 그런 부락으로 모습을 바꾸어 갔다. 그러나
은장봉 상봉 골짜기에서 발원하여 상암리를 슬쩍 비켜 언덕 아래
하암리 남단을 휘감고 도는 은백내 안쪽으로 질펀하게 드러누운
옥답을 가진 하암리에 비하면 상암 부락은 아직 마을이랄 것도
못되었다. 더구나 뜨내기 인생들이 모여 이룩된 상암리와는 대조
적으로 수백 년 내려오면서 한 할아버지 한 조상에서 뿌리를 내
린 하암리 김씨 문중의 막강한 족벌주의의 그 권위는 막강했던
것이다. 이렇다 할 큰 인물은 내지 못했지만 그런 대로 끊이지
않고 벼슬을 맡아 한양에 사는 문중이 만년에는 반드시 벼슬을
내놓고 고향에 내려와 은거하는 걸 자랑처럼 여겨 온 하암리 선
조들이었다. 근래 가장 큰 인물이 났다고 하는 김광모 의원만 해
도 바로 하암리 김씨 문중으로 이곳을 기반으로 하여 정계에 발
을 붙일 수 있었던 것이다. 하암리 김씨 문중 사람들은 수백 년
대대로 지켜온 자기들의 땅과 산야에 대한 애착 그리고 그 긍지
는 실로 대단했다. 그네들은 자기네 가문과 마을의 향풍이 외지
사람들에 의해 침해당하는 걸 용서하려 들지 않았다. 물론 하암
리에는 하암리 사람들의 논밭을 소작내어 살거나 장거리에 터잡

아 앉아 사는 타성바지들이 상당수 섞여 살았다. 그러나 하암리
에 사는 타성바지들은 결코 그 김씨 문중의 그 전통 깊은 풍습과
가문의 권위를 눈꼽만큼이라도 부정하거나 어떤 도전적인 행동거
지를 하지 않았다. 오히려 자신들도 모르는 사이에 마을의 풍습
과 권위에 동화되어, 굴러온 돌이 박힌 돌을 빼려는 그런 무모한
일은 결코 일어나지 않았던 것이다. 오히려 그들은 김씨 문중의
위력을 보호색처럼 두르고 자신들의 살 길을 조심조심 디뎌왔기
때문에 김씨 문중과의 충돌은 생각도 할 수 없는 일이었다.

그러나 언덕 하나 너머의 상암리 사람들은 사뭇 심사가 그렇지
못했던 것이다. 하암리 전통 깊은 부촌에 대한 선망이 크면 클수
록 그네들은 고개를 뻣뻣이 쳐들고 도전하는 자세를 보이곤 했다.
두 마을은 아주 작은 일을 놓고도 곧잘 크게 싸웠다. 어느 쪽이
낫고 어느 쪽이 그르다고 할 수 없을 만큼 그네들은 무모한 싸움
을 수십 년 동안 계속해 왔던 것이다.

일제 시대 말기에 두 마을의 대립은 더욱 심해져 우촌면 주재
소 순사가 하암리에 상주할 정도였다. 그러나 불씨는 정작 그 일
본 순사의 하암리 주재였다. 그는 하암리 대가집 사랑채에 우촌
면 주재소 분소를 차려놓고 앉아 저희 일본 사람들 잇속을 채우
기에 급급했던 것이다. 도내에서 공출 성적이 가장 우수한 마을
이 바로 상·하암리였을 정도로 악착같이 뜯어냈다. 하암리 김씨
문중을 지켜 준다는 명목을 내세워 하암리 문중 사람들의 기를 꽁
꽁 얽어매기 시작했던 것이다. 그럴 만한 이유가 없는 것은 아니
었다. 기미년 만세 사건 때 하암리에서 당긴 불길로 인근 마을의
수천 명이 봉기했던 일이다. 결국 하암리 사람 여덟이 죽은 8열
사의 고장이란 게 그들 일본 사람들 마음에 걸렸을 것이다. 그들
은 8열사의 넋이 무색할 정도로 하암리 사람들을 친일 쪽으로 변
모시키기에 힘을 기울였던 것이다. 어쨌든 하암리는 손가락 하나
대지 않은 채 상암리에서만 십여 명의 장정을 징병해 갔다. 하암
리에 배당된 몫까지 상암리에서 차출한 것이다. 일본 순사를 앞

세운 거간꾼까지 나타나 상암리의 가난한 집 처녀들을 공장으로
빼내 갔다. 나중에 들리는 소식으론 그 처녀들이 공장에는 가 보
지도 못하고 만주땅으로 끌려가 일본군 위안부가 됐다는 것이다.
상암리 사람들이 당한 일은 그뿐이 아니었다. 산에 화전을 일구
거나 나무를 함부로 베던 상암리 사람이 산림 간수한테 걸려 옥
살이를 치른 것도 여럿이었다. 순사보다 더 무서운 게 산림 간수
라고도 했다. 상암리 사람들은 자기들이 당하는 이 모든 수난이
일본 순사를 낀 하암리 사람들의 농간이라고 이를 갈았다. 해방
이 되던 그해에 상·하암리가 대판 싸움이 붙어 사람이 여럿 상
한 것도 그런저런 쌓인 원한 때문이었다. 그 싸움으로 해서 하암
리 김씨 문중의 집들이 여럿 불타 버렸고 자연 상암리 사람들은
경찰서에 잡혀가 고초를 당하기도 했다. 그 일로 해서 두 마을은
내놓고 원수지간이 되어 서로 얼굴만 맞대면 으르렁거렸다. 결국
그 숙명적인 원한이 무섭게 터지는 날이 왔다. 6·25 사변이었다.
바뀐 세상의 칼자루를 잡은 것은 두말할 것도 없이 상암리 사람
들이었다. 물을 얻은 고기가 헤엄쳐 나가듯 상암리 사람들은 활
개짓을 요란하게 쳤다. 하암리가 쑥밭이 됐다. 옛날 동학군이 들
어왔을 때의 유가 아니었다. 미처 피하지 못한 김씨 문중의 한다
하는 사람 여럿이 죽었다.
　——그때, 표경철 선생 애비두 빨갱이였지유.
　그 여름 난리를 회상하는 자리에서는 언제나 표선생 부친 얘기
가 빠지지 않았다.
　——빨갱이긴 했어두 다른 빨갱이들하곤 좀 달랐지유.
　붉은 완장을 차긴 했어도 속은 달랐다는 얘기였다. 다른 빨갱
이들과는 달리 하암리 사람들 편을 드는 그런 입장을 취한 게 한
두 번이 아니었던 것이다. 당장 죽을 사람을 발벗고 나서서 구해
주는 등 자기깐에는 하암리 사람들을 위해서 하느라고 했다. 실
상 난리 뒤에 사람들은 표선생 부친으로부터 조금씩은 다 도움을
받은 걸 은연중 시인했다.

그러나 인심이란 묘했다. 막상 세상이 또 뒤집히고 나니까 그게 아니었다. 빨갱이에 사과고 도마도가 어디 있느냔 얘기였다. 완장을 찼으면 다 자기들에게 고통을 준 원수였다. 죄가 더 있고 없고를 따질 경황이 아니었다. 표선생 부친이 북쪽으로 끌려가지 않고 그대로 눌러 앉았다가 죽임을 당한 것도 그런 인심 속에서였다. 하룻밤 사이에 다 도망쳐 버린 상암리 빨갱이들에 대한 앙심까지 얹어 표선생 부친을 눈 딱 감고 버렸던 것이다. 그러나 막상 표선생 부친이 죽고 나니까 하암리 사람들은 마음 속에 꺼림칙한 그림자를 나누어 갖기 시작했다. 그것은 자신들이 말 한 마디만 거들어 주었어도 죽임까지 당했겠느냐 하는 표선생 부친에 대한 일종의 죄책감이었다. 그러나 정작 그 죄의식이 문제였다. 그네들은 가슴 속에 죄의식이 살아오를수록 고개를 홰홰 내저었다.

──그 망할 놈이 글쎄 봐주는 척해 가지고 제 욕심은 다 채웠다니까.

이처럼 표선생 부친에 대한 적개심을 불러일으키려 했다. 심지어는 표선생 부친이 생전에 했던 몇 가지 비행을 과장해서 떠들어대는 일이 많아졌던 것이다. 오히려 표선생 부친은 살아서보다 죽은 다음에 더 많은 죄를 짓는 꼴이 돼 버렸다. 죽어 마땅한 사람이 되었던 것이다. 난리를 직접 겪지 않은 마을 아이들에게 상암리의 표태홈이란 이름은 그대로 빨갱이의 대명사가 됐다. 하암리 어른들은 그 이름도 입에 올리지 못하게 했다. 묘한 것은 상암리 사람들도 표선생 부친에 대해서 좋은 생각을 가지고 있지 않았던 일이다.

──망할 놈 잘 죽었지.

이렇게 한마디로 잘랐다. 그것은 표선생 부친을 시쳇말로 기회주의자라고 생각했던 때문일 것이다.

표선생의 가족이 상암리를 떠난 것도 그 즈음이었다. 표선생은 그때 상암리 사람의 아들로서는 처음으로 읍내 중학교에 다니다가 난리를 만났고 그 난리에 부친을 잃었던 것이다. 표선생이 그

어머니와 함께 상암리를 떠나던 날 하암리 사람들은 얼굴 마주치기를 꺼려 아예 집 밖에 얼씬도 하지 않았다. 더 놀라운 일은 그 날 표선생 식구들이 상암리 사람들은 얼씬도 못하는 그 금단의 길인 김씨 문중 사당 앞을 당당히 지나갔던 일이다. 어린 표선생이 그렇게 우겼는지 아니면 남편 잃은 표선생의 어머니가 그렇게 한 것인지 그것은 아무도 알 수 없는 일이었다. 어떻든 그들은 그 사당 앞 향나무가 도열해 선 길을 걸어나갔다. 그러나 하암리 사람 누구 하나 그 일에 대해서 시비를 걸지 않았던 것이다.

그러나 몇 년 후 표경철 선생이 다시 하암리에 모습을 나타냈을 때 김씨 문중 사람들은 어지간히 놀라지 않을 수 없었다. 가슴이 덜컥 내려앉았다. 뭔가 심상찮은 생각이 퍼뜩 스쳐갔던 것이다. 그것은 표경철 선생이 하암국민학교의 교사로 부임해 왔다는 그 사실도 그랬지만 표선생 부인이 바로 하암리 김씨 문중의 여자였기 때문이다. 하암리에 살다가 난리 전인가 읍내로 이사를 가 소식을 모르게 된 귀밑터댁의 외딸이었다. 귀밑터댁은 청상과부로 지내다가 상암리 남자와 눈이 맞았다는 소문이 퍼져 결국 집안 사람들한테 내쫓김을 당했던 것이다. 그때 데리고 나간 외딸이 표경철 선생의 처가 되어 나타났던 것이다. 그렇게 두 마을에서 모두 내쫓김을 당한 집의 자식들끼리 부부가 되어 다시 마을에 나타났다는 사실이 하암리 사람들의 자존심을 상하게 만들었다. 즉 이 두 사람의 출현은 이때까지 그들이 지켜 온 그 누구도 범할 수 없는 의연한 김씨 문중의 권위에 대한 정식 도전이라고 보여졌기 때문이다. 더구나 표경철 선생 가족은 몇 년 전 마을을 떠날 때 상암리 사람들 누구도 지날 수 없는 사당 앞길을 당당히 걸어간 오만불손한 사람이 아니었던가.

어떻든 표경철 선생은 상·하암리 사람들이 어떻게 보든 상관치 않고 제 일에만 매달렸다. 모범 교사로 알려졌다. 그들 부부는 하암 국민학교 근처에 방 하나를 얻고 살았다. 상암리 청년들이 표선생과 어울려 하암 장터에서 술을 퍼마시는 게 가끔 눈에 띄었다. 유관석이와 최진혁이가 바로 그 사람들이었다. 표선생은 하암리 청년들과도 어울리고 싶어했다. 4H 클럽에도 자진해 나가 일을 돕고 싶어했다. 그러나 하암리 청년들은 어른들 눈치를 보며 스을슬 뒤로 피했다. 사실 하암리 사람들도 세상이 많이 변해 자기들의 고집스런 이런 태도가 썩 옳지 않음도 알고 있었다. 그러나 그럴수록 그네들은 하암리 김씨 문중이 이제까지 당당하게 이룩하여 전승해 온 하암리적인 권위가 허물어져 내릴 것 같은 위구심에 전전긍긍했다. 그네들은 더욱 몸을 도사리고 이 거북스러운 틈입자의 거동에 온통 신경을 곤두세우지 않으면 안되었다. 더구나 나이 많이 든 사람들은 자기들 가슴에 어두운 그림자를 남긴 채 죽임을 당한 표태흠이의 아들에게 자신들의 귀한 자식을 맡겨야 하는 기막힌 운명 앞에 껄끄러운 한숨을 몰래 내뱉어야 했다. 그들은 또 한번 고개를 홰홰 내저었다. 어떻든 표경철 선생이 나타남으로 해서 상·하암리는 다시 팽팽한 적대감으로 맞서기 시작했다고 봐야 마땅했다.

그 싸움이 눈에 보이게 노골적으로 나타난 것은 4년마다 한번 씩 있는 국회의원 선거 때였다. 초대부터 김씨 문중을 등에 업은 김광모 의원이 출마하면서 그의 정적들이 하암리 김씨 문중과 사이가 나쁜 상암리 사람들을 이용하기 시작했던 것이다. 김광모 의원의 정적들이 항상 배후에서 상암리 사람들을 충동질한다고 하암리 사람들은 생각했다. 이번 봄 선거의 후유증이 예상 외로 큰 파문을 몰고 왔던 것도 결국은 상암리 사람들을 앞세운 정적의 농간으로 김광모 의원의 측근들은 알고 있었다.

표경철.

박경사는 15일자 신문 사회면에서 눈을 떼며 끄윽 트림을 했다. 트림이 나오고 나면 잠시 동안은 뱃속이 거뿐한 느낌이었다. 그러나 곧 더 거북한 상태로 뱃속에 가스가 차 숨쉬기조차 거북해진다. 표경철 선생——박경사의 눈에는 아직 한번도 얼굴을 못 본 표선생의 얼굴이 선연히 잡혀 들었다. 어쩌면 오늘쯤 이 마을에

나타날 것이 분명한 그의 얼굴이 그처럼 선연한 모습으로 잡혀
드는 것은 웬일일까. 얼굴이 깡마르고 눈이 빛나는 한 사내의 꽉
다문 입이 그를 향해 다가오고 있었다.

누가 내 아내를 죽였소?

내 아내 몸에서 나왔다는 그 종이쪽지를 찾아내시오.

어쩌면 그것은 유관석이와 최진혁의 얼굴이 합쳐진 것이었는지
도 모른다. 그러나 박경사는 고개를 저었다. 그 깡마르고 입을
앙다문 얼굴은 유관석이나 최진혁의 얼굴과는 너무나 닮은 데가
없었다. 박경사는 거듭거듭 트림을 했다. 나오지 않는 트림을 억
지로 해서라도 속을 덜 거북하게 하고 싶었기 때문이다. 누굴까,
어째서 그 생전 처음 보는 얼굴이 그처럼 선연하게 머리 속에 떠
오르는 것일까.

박경사는 문득 표경철 선생이 십여 년 만에 결코 아름다운 추억
이 있을 수 없는 고향 산천을 찾아오던 날의 모습을 상상해 보았
다. 역시 마을에서 추방당한 여자의 딸과 부부가 되어 찾아든 그
끈질긴 집념의 줄은 어디에 그 뿌리를 둔 것일까. 자기 육친의
고향, 그 치욕적인 죽음의 현장에 돌아와 그가 해 보일 수 있는
일은 도대체 무엇이란 말인가. 그는 자기 아버지의 죽음을 어떻
게 받아들였으며 그 죽음을 통해 그가 잃고 얻은 것은 무엇이란
말인가.

아버지. 박경사는 작은 소리로 아버지란 세 음절을 입에 올려
보았다. 그는 어렸을 적 아버지란 낱말을 단 한번도 소리내어 본
기억이 없는 것처럼 느껴졌다. 그처럼 아버지에 대한 기억은 아
득한 것이었다.

그가 아버지를 마지막 본 것은 열 살쯤 됐을 때였다. 오줌이
마려워 문득 잠이 깼다. 그는 등잔불 불빛에 시커먼 그림자를 벽
에 얼룽거리며 앉아 있는 남자를 보았다. 더럭 무서움이 앞섰다.
실로 오랜만에 보는 아버지였지만 조금도 반갑지 않았다. 열 살
어린 소년의 가슴 속에 살아 있는 아버지는 아무 때나 이렇게 남

앞에 나타날 수 없는 그런 쫓기는 사람이었을 뿐이었다. 혼자 있을 때 그는 곧잘 아버지의 얼굴을 떠올려 보길 좋아했다. 그것은 크고 옳은 것을 위해 숨어다니며 간 곳마다 신화를 남기는 항일 투사로서의 그런 장하고 의연한 얼굴이어야 했다. 그러나 그날 밤 등잔 불빛에 드러난 아버지의 모습은 한낱 밤을 타 한 여자를 만나러 온 일개 범부의 평범한 얼굴이었던 것이다. 소년의 어머니가 불을 껐다. 아직도 아버지는 그 자리에 앉은 채 침묵을 지키고 있었다. 어머니의 가만히 몰아 쉬는 한숨 소리가 들렸다. 오줌도 누었겠다 이제는 잠이 들어야 할 텐데 점점 눈이 말똥말똥해졌다. 그는 몹시 갑갑증을 느꼈고 그럴 때마다 몸을 뒤척거렸다. 가슴이 답답하게 죄어들었다.

——불을 켜게. 이놈 얼굴을 한번 더 보고 싶네.

아버지가 나지막하게 말했다. 어머니가 부시럭거리더니 황을 찾아 등잔에 불을 당겼다. 그러나 그는 잠이 든 척 눈을 지레 감고 돌아누웠다. 문득 이마 위에 크고 따뜻한 것이 와 닿는 걸 느꼈다. 아버지의 손이었다. 그 따뜻한 아버지의 손을 더듬어 잡고 싶은 충동을 느꼈지만 그는 참았다. 그러다가 잠이 든 것이다. 그가 아침에 눈을 떴을 때 아버지는 이미 보이지 않았다. 집안 어디에고 아버지가 다녀간 흔적은 보이지 않았다. 그는 이 이후 다시는 아버지를 보지 못했던 것이다. 물론 그의 아버지는 그 뒤에도 몇번 집에 다녀가긴 했다. 그러나 어머니 외에는 아무도 그의 아버지를 보지 못했다. 그의 형들마저 아버지가 집에 나타나는 걸 몹시 겁내고 있었던 것이다. 일본 순사의 끄나불이 집에 나타날 때마다 그의 형들은 자신들의 아버지가 어디에선가 죽었다고 말했다. 그가 도시의 중학교에 나가 공부하던 열 다섯 살인가 되던 해에 또 한번 아버지가 집에 다녀갔다는 얘길 형들한테서 전해들었다. 해방되기 두 해 전이었다. 그리고 그의 아버지의 소식은 영영 끊겨 버렸다. 그러나 해방이 되었을 때 그의 아버지는 많은 사람들의 입에 오르내리는 유명인이 되어 있었다.

――시상에, 시상에 이게 무슨 일이냐?

박경사의 어머니가 땅을 쳤다. 발을 뚝 끊고 피해 다니는 이웃 사람들을 향해 그의 형들이 이를 갈았다.

사람들 입에 오르내리는 박경사의 부친은 이미 항일 투사가 아니었다. 항일 투사로서의 박우재씨가 아니라 일본 관헌의 밀정으로 전락해 버린 반역자였을 뿐이다.

박우재씨와 함께 행동했다가 해방 바로 한 해 전에 검거되어 옥살이를 하던 사람들의 입에서 나온 얘기였다. 박우재씨와 함께 행동했었다는 그 사람들의 이름이 세상에 파다하게 알려지고 있었다. 박우재씨가 배반을 했기 때문에 그들은 일본 관헌에게 체포되었고 그로 인해 해방과 함께 일약 독립 투사의 예우를 받게 된 그들이었다. 그들의 주장에 의하면 박우재씨와 함께 대동아 전쟁이 막바지에 이르렀을 때 어떤 비밀 결사의 단원으로서 그들은 만주로 수송되는 조선 징용병들을 탈출시키기 위해 국경 근처에서 열차 전복을 모의했다는 것이다. 그것이 거사 직전 박우재씨의 배반으로 성사되지 못한 채 검거되었다는 것이다.

박경사는 아버지가 배신자의 낙인이 찍힘으로써 그들 가족이 당해야 하는 수모를 차마 견딜 수가 없었다. 이제까지 남편이 나라를 위한 크고 옳은 일에 매달려 비록 가정은 버렸을망정 언제고 남편의 이름은 만세에 남으리란 기대 하나로 젊은 시절을 욕되게 보내야 했던 어머니가 허망하게 무너져 내리는 것을 그는 보았다. 이제나 그제나 묵묵히 아버지 대신 농사일만 해온 형들마저 아버지가 던져준 배신의 덫 앞에 넋을 잃고 가슴을 떠는 모습에서 그는 절망의 그 깊은 늪을 보았다. 그러나 다행인 것은 그의 어머니가 서서히 일어서기 시작한 것이다. 지어미 가슴에 박힌 지아비의 환상은 그렇게 쉽게 허물어질 수 없는 것이었다.

――느덜 아버진 절대로 그런 분이 아니여.

그네는 분연히 부르짖었다. 아버지가 배신자일 수가 없다는 어머니의 확고한 부르짖음에서 박경사는 자신의 가슴 속에도 뭔가 하나의 확신이 싹트고 있었음을 어렴풋이 깨달을 수 있었다. 이십 년 가까운 세월 가정을 버리면서까지 항일 운동을 해온 아버지가 끝판에 가서 그렇게 쉽게 동지를 배반했을 리가 없다는 확신이었다.

박경사가 경찰에 투신한 것도 자신의 가슴 속에 나누어 가진 작은 확신을 좀더 완전한 것으로 해 두고 싶은 강렬한 욕구 때문이라고 할 수 있었다. 박경사는 경찰에 들어가 두 사람을 알게 되었다. 오도민씨와 김광모 의원이었다.

——내가 자네를 거기 보낸 건 자네 부친을 생각해서였네.

박경사의 후견인으로 자처하고 있는 오도민씨가 공치사를 했다. 오도민씨는 박경사와 동향인이었다. 박우재씨와 불알 친구라고 했다. 그는 박경사의 집안 내력에 대해서도 떠르르 알고 있었다. 박경사 역시 오도민씨 집안이 그의 고향에서 잘 알려진 집안이란 걸 진작부터 알고 있었다. 사실 그의 말대로 아버지와 둘도 없는 친구였는지도 모른다고 생각했다. 그러나 두 사람은 전연 다른 길을 걸어온 사람들이었다.

오도민씨는 박우재씨가 나라를 찾겠다는 일념으로 가정과 일신의 안일을 버리고 이십여 년 숨어 산 인생인 반면 그의 집안이 일본 사람들과 손을 잡았기 때문에 떵떵거리며 호의 호식한 사람이었다. 그는 해방 후에도 계속 경찰에 남아 꽤 높은 자리까지 올라갔다가 어떤 명예롭지 못한 일로 수년 전 물러난 뒤 김광모 의원의 선거구에 눌러 앉아 그대로 선거 참모의 일을 해오는, 읍(邑)에서는 다 알아 주는 실력자였다. 산판업에다, 버스회사 중역에다, 재력도 읍내에서 굴지였다.

——글쎄 내 말대로 거기 들어가 한 일 년 열심히 뛰어 보게. 다 그만한 보람이 있을 거니 말이여.

박경사가 읍내 경찰서에 있을 때 오도민씨가 하암 지서로 갈 것을 권유했던 것이다. 자기의 힘이 아니면 그 좋다는 자리를 어떻게 꿈이나 꿀 수 있겠느냐고 공치사를 하면서였다. 물론 오도민씨를 먼저 찾아간 것은 박경사 자신이었다. 어렸을 적 자신의 아버지와 죽마고우였다는 그를 통해서 아버지에 대한 어떤 실마리를 풀 수 있을 것 같은 기대 때문이었다. 그는 아버지의 실체를 만지고 싶었고 어머니가 말하는 것처럼 「느 아버진 절대루 그런 분이 아니여」란 확신을 좀더 구체적인 것으로 해두고 싶은 욕구 때문이었다. 그것은 애초 진실되고 신뢰 있는 백성의 한 공복이 되어 보다 크고 옳은 것을 위해 보탬이 되는 삶을 가지려는 자신의 뜻에 하나의 꿋꿋한 심지를 꽂고 싶었던 것이다. 바꾸어 말하던 그것은 마음 한구석에 그을음처럼 남아 쉽게 지워지지 않는 아버지에 관한 그 께름한 과거를 씻어내는 일이었다.

——물론 나도 자네 부친께서 그런 비열한 짓을 했으리라곤 믿지 않네. 문제는 자네 부친의 생사일세.

——돌아가셨을 겁니다.

박경사는 쉽게 결론지었다. 해방이 되고도 단 한번 소식이 없는 아버지의 생사 문제 같은 건 실상 그렇게 중요한 것이 아니었는지도 모른다.

——글쎄나 자네 부친께서 살아 계신다면야 가타부타 훤해질 거구먼서두…….

오도민씨는 박경사가 혹시나 해서 집요하게 캐들자 그런 식으로 얼버무렸다. 그러나 무슨 생각을 했는지 그가 무릎을 탁 쳤다.

——마침 잘됐네. 나 역시 자네 부친 문제에 대해서 알아볼 일이 있던 참이거든. 어쩌면 자네의 힘이 필요할는지도 몰라.

——뭡니까, 오사장님? 제가 할 일이 뭡니까?

아버지의 실체를 만질 수 있다면 그는 무슨 일이든 해낼 수 있을 것 같았다.

——아닐세. 그렇게 서두를 건 없구, 여하튼 자네 부친의 명예 회복을 위한 일이라는 것만 알고 있으면 되네.

그는 의미심장하게 말미를 사렸다. 뭔가 손에 잡힐 듯한 기대로 박경사는 가슴이 설렜다.

——당신, 빽 한번 좋았어.

박경사가 하암 지서를 책임맡고 나가게 됐을 때 그의 동료들은
질시에 찬 말로 그를 빈정거렸다.

——박경사, 이번 선거만 끝나면 대번 서울로 전출이 될 거구
먼.

——그거야 뻔할 뻔자 아닌가 말이야. 하암리 김광모 의원 문
중 동네거든.

——그것뿐인가. 오도민씨와 김광모 의원이 합자로 하는 산판
이 거기 수두룩하단 말씀이야. 가만히 앉아만 있어도 돈 봉투가
서랍에 그득하게 쌓이는 데지.

그러나 박경사에게 있어 동료들의 그런 야유와 선망이 뒤섞인
말 같은 건 문제가 되지 않았다. 어디에 있든 그는 자신의 직권
이 부당한 일에 잘못 쓰여지는 일 같은 건 결코 없으리란 확고한
신념을 항상 마음에 다지고 있었기 때문이다. 그에게 중요한 것
은 아버지의 실체를 만져 확인하는 일이었다. 그것이 아무리 오
랜 방황과 깊은 실의의 강이라 하더라도 그는 가슴에 그것을 담
을 수만 있다면 자신의 영화 같은 건 쉽게 버릴 수 있을 것 같았
다.

하지만 박경사가 하암 지서에 부임해서 제일 먼저 부닥친 일은
그를 당혹하게 만드는 데 충분했다.

그것은 선거였다. 그는 선거에 관계되는 긴급 전통과 극비로
통하는 문서상의 공문을 매일 여러 건 접수했고 또 그 지시대로
시행해야만 했다. 더 힘이 든 것은 지시 사항에 대한 결과 보고
였다. 믿을 수 없는 통계와 사태 파악의 허위 보고. 그것은 그에
게 견딜 수 없는 괴로움이었다. 물론 그러한 일들은 한 개인의
의사와는 무관하게 상급 기관의 일방적 지시와 그것을 이행해야
하는 말단 관리로서의 극히 사무적인 일들이긴 했어도 그의 괴로
움은 매한가지였다. 자신의 가슴에 몰래몰래 키워 오는 아버지에
대한 그 확신의 빛이 점점 바래지는 것 같은 두려움이었다.

상급 기관에서의 긴급 전화 외에도 그는 이삼 일에 한번씩 오도민써로부터 극비의 연락을 받아야 했다. 상·하암리는 물론 우촌면 일대의 동향과 어떤 예견되는 사태에 대한 숨김없는 정보 제공이었다.

——자네의 힘으로 어떻게 할 수는 없겠는가?

이처럼 박경사 스스로가 선거에 관여해 주길 강요하기도 했다. 더 묏한 것은 오도민써의 산판 근황까지 체크해 올려야 할 경우였다. 심지어는 영림서 직원이 아무 날 아무 때 나갈 것이니 가능하면 적당한 구실로 따돌려 보내라는 지시도 했다. 그럴 때마다 박경사는, 그건 제 소관이 아닙니다——란 말로 일축해 버리곤 했지만 동료들이 자기의 뒤통수를 쏘아보고 있는 것 같아 얼굴이 홧홧 달아올랐다. 그는 동료들의 얼굴을 제대로 쳐다볼 수가 없었다. 이제까지 자기의 내부에 쌓아온 모든 것이 산산이 분해되어 한꺼번에 와르르 무너져 내리는 느낌이었다. 민중의 지팡이가 되어 마음의 충일을 얻으려 했던 자신의 마음 속 중심이 흔들리면서 그는 어깨에 맥살이 풀렸다. 그는 부끄러움을 느꼈다. 그의 그러한 부끄러움을 남들은 소심증이니 성취 동기가 낮아서 그러니 무능해서 그렇다느니 일방적으로 결론지어 말하곤 했다.

——적게 먹고 적게 싸는 거야.

박경사는 자신의 무능을 가끔 남들 앞에 보란 듯이 내보여 그것을 짐짓 자랑삼고 있는 자신을 발견할 때가 있었다. 그에게 있어서 그것은 또다른 기만이었고 자기를 기만한 그 몇 배의 부끄러움이 그를 괴롭혔다. 자신이 바라고 있는 참다운 삶이 이루어지지 못하고 있음을 알았을 때 그는 그런 식으로 자신의 무능에다가 책임을 돌리는 방법에 익숙해 갔던 것이다.

——그 돈을 꼭 받아야 하는 거요?

부임해 와 며칠 되지 않았을 때 그는 실로 난처한 경우에 처하지 않으면 안 되었다. 김차석이 두툼한 봉투 하나를 내밀며 말했던 것이다.

——이제부터 소장님이 맡아서 처리해 주셨으면 좋겠읍니다.

——뭡니까, 이거?

박경사는 문득 김차석이 새로 부임한 자기를 시험하고 있다는 생각을 했다. 떳떳하지 못한 돈이 굴러들어오는 경로를 확인해 주려고 하는 것과 아울러 지서장이 맡아 처리해도 떳떳한 것이라는 걸 일깨워 주기 위한 계책처럼 느껴졌던 것이다.

——뭔지 알아야 할 것 아닙니까?

박경사가 거푸 다그쳤다.

——산판 차가 하루에 이십여 대 이 앞을 통과하거든요.

김차석이 그냥 흘려 넘기는 투로 대답했다. 정순경이 덧붙였다.

——목상(木商)들이 놓고 가는 거지요.

퍽 자조적인 어투였다.

——부정 반출을 한다는 얘기군.

——결국은 그거지요.

정순경이 선뜻 대답하며 김차석 쪽을 돌아다보았다. 김차석이 매우 못마땅한 얼굴로 정순경을 바라보며 한마디 쏘았다.

——이봐, 정순경. 자네 그런 식으로 말할 수 있어?

——차석님, 제가 뭐 잘못 말했읍니까? 그럼 그 사람들이 정당하게 나무를 실어내면서 우리한테 봉투를 놓고 가는 겁니까?

——정순경, 그건 꼭 그래서 놓고 가는 건 아니야. 그건 오래 전부터 내려오는 관례가 아닌가 말이야.

——정당한 건 아니지요.

——우리 하나만 그걸 안 받는다고 해서 그런 일이 없어지는 건 아니야.

——모르겠어요. 나 역시 그 돈 여태껏 받아 먹었으니까 할 소리가 없긴 하지요. 그러나 아무래도 마음이 찜찜해 견딜 수가 없어요.

——그럼 정순경은 마음이 찜찜해 견딜 수 없고 우린 그렇지

못하다 그런 애긴가?

——고만두세요. 남들이 들으면 무슨 큰 내란이나 일어난 줄 알겠읍니다.

박경사도 그들이 티격태격하는 문제에 대해 이곳에 부임하기 전부터 다 알고 있었다. 산판 목상들이 과벌목을 어떠한 방법으로든 반출해 내기 위한 부정 반출의 경로는 이미 세상에 널리 알려진 사실이었던 것이다. 벌목 허가를 받은 몇 배의 나무를 베어 놓고 그 원목에다가 가짜 철검인을 만들어 찍는가 하면 반출 허가량이 훨씬 넘는 그 나무를 빼내기 위한 반출증 사용에서의 그 「눈감아 주기」는 50년대 말 산판의 생리를 조금만 아는 사람이면 척 들어오는 얘기였다. 박경사는 그러한 일이 바로 자신의 당면한 현실이라는 사실 앞에 우선 당혹하지 않을 수 없었다.

——그 돈을 꼭 받아야 하는 거요?

그렇게 질문해 놓고 박경사는 그 말이 얼마나 허황된 질문이라는 걸 곧 깨달았다. 그 돈을 받지 않으면 반출증 체크를 철저히 해 부정 반출을 일체 용납할 수 없다는 본때를 보여 주든가 아니면 그냥 얼렁뚱땅 모르는 척 통과시키는 방법밖에 더 묘한 수가 있을 수 없었기 때문이다. 돈을 받고 안 받고 그런 것은 나중 일이었다.

——우리 원칙대로 해 봅시다. 뒷책임은 내가 다 지겠소.

박경사는 결단을 내렸다. 그가 할 수 있는 대답은 그것뿐이기도 했다.

——결국 산판 차를 통과시키지 말란 말이군요.

김차석이 고개를 뻣뻣하게 쳐들고 말했다.

——정당하게 반출하는 거야 어떻게 통과를 안 시키겠소. 내 얘긴 철저하게 단속을 해 보자는 것뿐이오.

——알겠읍니다. 소장님 말씀대로 철저하게 해볼 수밖에요.

김차석이 코방귀를 날리듯 가볍게 대답했다. 그리고 짐짓 딴전을 부렸다.

정순경이 말했다.

——소장님, 그런데 그게 그렇게 쉽지가 않으니까 문제지요.

——원칙대로 하는 거야.

정순경이 하고자 하는 말의 뜻이 헤아려졌지만 박경사는 우정 그의 입을 막기라도 하듯 고집스럽게 말했다. 그러나 정순경은 계속했다.

——사실 그동안 우리도 수차에 걸쳐 부정 반출을 적발해서 차를 묶어 놨거든요. 그러나 어림도 없지 뭡니까. 읍에서, 시에서 당장 내보내라고 호통이 이만저만이 아니라니까요. 소장님, 먼저 소장님이 옷을 벗지 않으면 안된 게 뭣 때문인지 아세요?

박경사는 대답하지 않았다. 자기의 전임자인 그 사람이 뇌물 수수죄로 입건되어 애를 먹더니 결국은 옷을 벗고 만 사실을 그는 알고 있었다. 재수없게 걸린 거지 뭐. 동료들이 그 사람을 동정해서 말했다. 아니야, 열을 받았으면 일곱쯤은 위로 올려야 했어. 그걸 혼자 꿀떡한 거지 뭐. 상납의 원리를 터득하지 못한 죄지. 열을 받아 일곱을 올리면 그 일곱을 받은 사람은 다섯을 위로 올리고 다섯을 받은 사람은 셋을 올리고——이렇게 하는 피라밋식 상납 원리 아래서는 결코 문제가 터지지 않는다 했다. 밑바닥의 돌 하나를 빼내려면 연쇄적으로 윗부분 전체가 무너지기 때문이다.

——참 우스운 일이지요, 글쎄…….

정순경이 계속했다.

——글쎄 그 소장님은 원리 원칙대로 한다고 차를 묶어 놨던 것인데 우습게도 파면당한 이유가 부정 반출을 눈감아 주고 돈을 받았다는 거지요. 목상들이 모함을 한 거지요. 그통에 우리도 혼났다구요. 그 소장님이 우리 몫까지 다 뒤집어썼기 때문에 무사하긴 했지만요.

——정순경, 그 소장님을 옹호하는 건 좋지만 사실을 그런 식으로 은폐하는 건 옳지 않아.

딴전을 피우고 있던 김차석이 더 못 참겠다는 듯 껴들었다.

——사실대로 말씀드리자면 이렇습니다. 먼저 소장님 태도가 옳지 않았다 그겁니다. 그 사람들이 봉투를 놓고 갈 때는 모른 척 했다가 엉뚱하게 단속을 한다고 설칠 때는 우습지도 않았지요. 그 걸 그 사람들이 어떻게 받아들인 줄 아세요? 그 목상들은 돈을 더 내놓으라는 협박으로 생각했던 거예요. 우리가 곁에서 봐도 그랬으니까 그 구렁이 같은 목상들이 그냥 내버려 두겠어요.

——자, 그만들 둡시다.

박경사가 말을 자르고 나섰다. 지나간 얘기 더 듣고 싶지도 않 았다. 김차석이 손톱에 날을 세워 자신을 할퀴고 있다고 생각했 다. 김차석도 정순경도 그에게 있어서 하나의 벽이긴 매한가지였 다. 자신이 누구를 깊이 신뢰할 수 없는 것처럼 그는 남들이 자기를 신뢰하지 않는다는 것을 알고 있었다.

박경사는 까마아득 쳐다보이는 벽 앞에 선 자신의 왜소한 모습 을 보았다. 난 무능해. 난 용기 있는 사람이 아냐. 나같이 무능 한 사람은 그런 어마어마한 일에 도전할 자격이 없다구. 내가 하 지 않아도 이 세상에는 내가 하고 싶었던 일을 능히 해줄 수 있 는 사람이 많아. 그때 문득 작은 지혜 하나가 그의 옆구리를 꾹 꾹 찌르며 한쪽 눈을 찡끗해 보였다.

——어떻든 그 일은 입때껏 김차석이 맡아서 잘 해온 모양이니 까 이후로도 김차석이 알아서 하는 게 좋을 것 같소.

——네, 그렇게 하시는 게 좋을 것 같군요. 소장님은 아직 이 곳 실정을 잘 모르시니까.

좀 연장인 순경이 곁에서 거들어 주었다. 박경사는 자기 책상 위에 놓인 봉투를 김차석에게 넘겨 주었다.

——좀 잘 봐 주시오.

박경사가 항복의 뜻으로 웃으면서 말했다. 김차석이 좀 멋쩍어 하면서 사무실을 휘 둘러보았다.

다행스러운 일은 산판에서 원목을 실어 나르는 목상들이 모든 걸 눈치껏 해줌으로써 자신에게 직접적인 마음의 부담이 오지 않는다는 것이다. 김차석이 또한 유능했다. 박경사는 그 봉투의 돈이 삼분의 이쯤 관례에 따라 상납되고 있다는 사실을 알고 놀랐다. 모든 것이 닦여진 길을 따라 비공식적으로 지극히 자연스럽게 이루어졌다. 그는 그 일로 해서 뜻 아니한 치사도 많이 들었다. 그것은 유혹이었다. 근자에 와서는 이러한 박경사의 무너짐을 눈치챈 목상들이 그가 있는 데서도 공공연히 봉투를 던지고 갔다. 그럴 때마다 박경사는 끄륵끄륵 트림을 하면서 딴전을 보았다.

박경사는 자신이 유혹의 늪에 빠져 그 견딜 만한 늪 속의 유영(游泳)을 야금야금 즐기기 시작한 사실을 잘 알고 있었다. 하암지서에 부임해 와 한 달도 채 못되어 서울 김광모 의원의 부름을 받고 상경했을 때부터 그 유영은 시작되었다고 봄이 옳았다. 그때 그는 김광모 의원과 단둘이 마주 앉았다. 김의원은 시설이 좋은 호텔방을 사무실로 쓰고 있었다. 양담배를 내밀며 김의원이 말했다.

——자네 부친께서 항일 운동을 하신 훌륭한 분이란 걸 내 다 알고 있네.

느닷없이 던져오는 말에 박경사는 당혹했다. 그러나 곧 그는 모든 걸 분명히 해 둘 필요를 느꼈다.

——항일 운동을 하신 건 사실입니다만 결과는 달라졌읍니다. 저희 아버님은 동지들을 배신했다는 낙인이 찍혀 버렸읍니다.

——알고 있네. 그래서 자넬 부른 걸세.

박경사의 가슴이 뛰기 시작했다.

——무슨 말씀이신지요?

——자네, 그런 생각 해 본 적이 없나? 자네 부친의 누명을 벗겨야 하겠다는 생각 말일세.

박경사가 어리둥절해 있자 김광모 의원이 입가에 엷은 미소를 띠며 말했다.

——얘기는 간단하네. 자네 부친께서 동지들을 배신했다고 하는 그 모함을 한번 밝혀 보지 않겠느냐 그거지.

——모함이 아니라 그것이 사실일는지도 모른다는 생각을 해왔읍니다.

——자넨 불효군. 도대체 왜 그런 생각을 하게 됐나?

——증거가 없기 때문입니다.

——그렇군. 그건 자네 말이 맞네. 자네 부친이 배신자라고 주장하는 사람은 이 세상에 다섯이나 살아 있는데 그 당사자인 자네 부친은 생사도 모르는 일이니까 말이야. 그러나…….

김광모 의원은 박경사의 얼굴을 한참이나 바라보다가,

——그러나 자넨 이 시간부터 생각을 고쳐 먹어야 하네. 자네 부친은 동지들을 배신하지 않았어. 배신자는 오히려 그놈들일세. 자네 부친의 생사가 확인되지 않자 그것을 이용해서 자신들이 한 일을 확대 과장하기 위해 자네 부친을 판 거야.

박경사의 가슴은 더욱 거세게 뛰었다.

——말씀해 주십시오. 지금 하신 말씀은 사실입니까, 그냥 추정해서…….

——더 말할 거 없네. 중요한 것은 내가 자네의 편이 되어 자네를 돕고 싶다는 그것뿐일세.

박경사는 어깨에 힘이 빠져 내렸다. 왜, 무엇 때문에 이 사람이 내 편이 된다는 말인가, 정치가는 한 개인을 위해서도 자신의 능력을 행사하는 것인가.

한참 뒤에 김광모 의원이 입을 열었다.

——자네 이종철이란 사람 만난 본 적 있나?

——이종철씨라면 김의원님 선거구에 이번에 함께 출마를 한 분 아닙니까, 독립 투사…….

——예끼, 이 사람, 그놈이 뭐가 독립 투사란 말인가. 자네 정말 그놈 이종철이 정체를 모른단 말이지?

——모르겠읍니다.

326

——경찰이 임무를 게을리하고 있군.

——네?

——아닐세. 농담이야.

——그 이종철씨하고 저희 아버님하고 무슨 관계가 있어서 하시는 말씀입니까?

——그래, 관계가 있지. 그 이종철이가 바로 자네 부친을 밀고 자로 말들어 낸 그 작자일세. 놈의 권모술수를 따를 사람이 없네. 그 정도면 자네 부친을 팔아 제 잇속을 차리고도 남을 놈이지.

박경사는 다시 가슴이 뛰기 시작했다. 아버지와 함께 이마를 맞대고 민족을 위해 항일 운동을 벌였을 그가 바로 지금 선거구를 돌며 유세장에서 선동적인 언변으로 김광모 의원의 아성을 허물어 내리고 있는 이종철이라니, 어쩌면 예상을 뒤엎고 그가 당선될는지도 모른다는 얘기가 쉬쉬 나돌 지경이었다.

이종철 후보의 언동에 위법 사항이 나타나는 즉시 보고하도록. 위에서 내려오는 공문 중에 그런 구절도 끼어 있었지만 박경사는 그에 대해서 별 관심을 보이지 않았던 것이다.

——자세히 말씀해 주십시오. 어떻게 그걸 아셨읍니까?

박경사는 헐떡거렸다. 그러나 김광모 의원은 서두르지 않았다. 파이프에 잎담배를 담아 누르며 그가 말했다.

——자네 마음먹기에 달렸네. 그놈의 정체를 만천하에 드러내 보인 다음 자네 부친이 뒤집어쓴 누명을 벗기는 걸세.

——어떻게, 무슨 증거로 그렇게 하는 겁니까?

——다 방법이 있네. 우선 모든 일은 자네 부친과 죽마고우였던 오도민씨가 다 알아서 도와 줄 걸세. 이종철이 그놈이 자네 부친을 모함했듯 우리도 그놈의 허상을 깨뜨리고 그 실체를 만천하에 공개하는 거야. 그 일의 증인이 바로 자네가 되어야 하네. 자네 부친을 위해서 자네가 나설 때가 온 거야.

——저는 아무것도 모르고 있읍니다.

——몰라도 좋아. 오히려 모르는 게 좋을 걸세. 오도민씨가 시

키는 대로만 하면 되는 거야. 내 말뜻 알아듣겠나?

박경사는 대답할 수가 없었다. 김광모 의원과 자신의 후견인으로 행세하는 오도민씨의 속셈이 한번에 석연하게 잡혀들자 가슴이 떨렸다. 천길 낭떠러지로 곤두박질쳐지는 낭패감이 엄습했다. 그것은 이 세상 모든 것에 대한 허망감이었다.

그러나 문득 박경사는 마음 한편에서 서서히 고개를 쳐드는 유혹의 손을 보았다. 아버지를 위해서, 어머니가 확신하고 있는 아버지의 실상을 살려내기 위해서 자식이 힘을 보태지 않으면 그것을 또다른 누가 할 것인가. 그는 마음 밑바닥에 어떤 기꺼움 같은 게 벌렁벌렁 숨쉬기 시작한 걸 알고 있었다. 어쩌면 아버지는 김광모 의원의 말대로 배신자가 아니라 오히려 그들에게 배신을 당한 그런 억울한 입장일는지 모른다는 생각이었다. 그 억울함을 자식이 나서서 큰 소리로 외쳐 아버지의 결백을 주장한다——그렇게 해야 마땅할 일이다. 그것은 또 가능했다. 김광모 의원과 오도민씨와…… 그 순간 박경사는 한 사람의 웃는 얼굴이 머리에 떠올랐다. 자기 자신의 얼굴이었는지도 모른다. 어쩌면 아버지 얼굴 같기도 했다. 열 살 때 밤 눈을 떴을 때 등잔불 곁에 앉아 있던 아버지의 얼굴에다가 방금 전 머리에 그려진 웃는 얼굴을 겹쳐 보았다. 그러나 박경사는 고개를 설레설레 흔들었다. 아버지의 웃는 얼굴을 본 적이 없었다. 그에게 있어서 아버지의 웃는 얼굴이 보여진다는 것은 하나의 치욕이었다. 크고 옳은 것을 위해 일한다는 신념을 가진 사람은 결코 그런 웃음을 웃을 수 없는 일이라고 그는 못박아 생각했다.

——저는 지금 아버지의 실상을 찾고 있을 뿐입니다. 만들어진 아버지가 아니라 있는 그대로의 아버지를 찾고 싶습니다.

——내 제의에 대한 거절의 뜻인가?

——그렇습니다. 저는 아버지에 대한 일은 저 혼자 해내야 한다고 생각합니다.

박경사는 김의원의 얼굴에 불쾌한 그늘이 지늘 걸 역력히 알 수 있었다. 그늘은 곧 낭패스러운 얼굴로 바뀌어 갔다.

박경사의 가슴에 한가닥 두려움 같은 게 끼어들었다. 그러나 그 두려움보다 몇배의 큰 희열이 어금니에 지그시 씹히고 있음을 그는 즐기고 있었던 것이다.

——알겠네. 자넨 역시 오도민씨 말대로 똑똑한 사람이군. 나는 자네가 자네 스스로의 힘으로 부친의 명예를 되찾게 되리라고 믿네. 도움이 필요하면 언제나 찾아오게나.

김광모 의원은 역시 정치가였다. 쉽게 포기할 줄 아는 게 더 큰 것을 얻을 기회라는 걸 그는 알고 있었던 것이다. 사실 박경사는 불현듯 그의 앞에 무릎을 꿇고 매달리고 싶은 충동을 억누르기 힘들었다. 자식으로서 떳떳한 아버지를 가지고 싶은 게 뭐가 죄란 말인가. 일생을 치욕 속에 사는 어머니와 형들에게 자랑스러운 아버지를 보여 주고 싶었다.

그러나 박경사는 몸을 일으켰다. 김의원의 비서가 봉투 하나를 가지고 들어왔다.

——이거 여빌세. 딴 생각 없이 받아 주면 고맙겠네.

박경사는 그가 내미는 봉투를 엉겁결에 받아들었다.

김의원이 말했다.

——하암린 내 출생지일세. 특히 거기는 우리 문중과 늘 사이가 좋지 않게 지내는 상암리 사람들이 있다는 걸 명심하게. 늘 말썽이 생기는 데야. 법을 어기면서까지 내 일을 봐 달라는 얘긴 아닐세. 다만 말썽이 크게 번지지 않게만 자네가 힘써 주었으면 하는 거야.

그러면서 그는 손을 내밀었다. 박경사는 그에게 손을 잡힌 채 자기의 몸이 형편없이 작아지는 느낌이었다. 그가 등이라도 뚜덕거려 주었으면 아마 박경사는 눈물이라도 보였을는지 몰랐다.

하향하는 차 속에서 그 봉투를 열어 보고 박경사는 놀라지 않을 수 없었다. 자신의 한 달 봉급의 약 세 배쯤 되는 액수였다. 그는 문득 자신이 경찰에 투신하여 이때까지 보아온 수많은 하급

관리들의 그 박봉 속에서의 꿋꿋한 절조를 생각했다. 그가 모시고 있던 한 상급자는 어김없이 도시락을 싸 가지고 다니며 민폐를 끼치는 그 어떠한 일도 용납하지 않았다. 박경사는 그에게서 청렴결백한 관리상을 보았다. 생활고에 시달려 가족과 함께 삶을 포기한 동료도 있었다. 박경사가 달려갔을 때 그 집의 차가운 방바닥에 다섯 식구가 나란히 누워 있었다. 저녁을 먹은 듯 밀뜨데 기국이 한 그릇쯤 남겨져 방 한구석 상 위에 놓여 있었다. 그 동료는 살기가 힘들다——는 짤막한 글을 남기고 있었다. 그의 아내가 신병으로 오래 앓아 누워 있었기 때문에 그의 삶이 더욱 어려웠을 것이다. 어떻든 박경사는 분노를 느꼈다. 부정한 일에 눈을 번들거리는 동료에 대한 분노였다. 자기 삶 하나를 주체하지 못하고 죽어간 동료에 대한 분노였다.

박경사는 차 속에서 소화제를 사 먹었다. 끄윽끄윽 트림이라도 하고 싶었던 것이다. 그는 김광모 의원한테서 받은 그 봉투를 안주머니에 넣었다.

——자네 김의원께서 제안한 걸 거절했다며? 방금 서울서 전화가 왔네.

——거절이 아니라 제가 할 수 있는 일이 아니었읍니다.

——무슨 얘긴가, 자네 부친의 누명을 벗기는 데 자네가 협조할 수 없다는 건?

박경사는 대답하지 않았다. 대답할 성질의 것도 아니었다.

——자네 출세하기 싫다는 거군.

——저는 지금 이대로가 좋습니다.

——지금 이대로는 누구 덕택인데 그런 소릴 하나?

박경사는 안주머니에서 그 봉투를 꺼내 놓았다.

——김의원께서 여비나 하라고 주셨는데 아무래도 봉투가 바뀐 것 같습니다.

——이 사람, 이거 덜 떨어졌군.

오도민씨는 박경사가 내놓은 봉투의 내용을 살펴보며 한심하다
는 듯 혀를 찼다.

——이 사람아, 이런 건 남한테 내보이는 게 아냐. 자네 부인
한테나 가지고 가 자랑을 할 것이지.

——오사장님께서 맡았다가 돌려주셨으면 감사하겠읍니다.

——부담 가질 일이 아니니까 안심하고 넣어 두게. 누구를 위
해서 일한다는 생각보다 바로 자네 자신을 위해서 힘이 닿는 데
까지 일하면 되는 거야. 기회란 그렇게 흔한 게 아닐세. 자넨 이
기회를 놓쳐서는 안 되네.

오도민씨는 자기를 위해서 일해 달라는 얘기만은 하지 않았다.
죽마고우 아들의 장래를 걱정하는 그의 얼굴은 결코 밝지 못했
다. 박경사가 끝내 그 봉투를 놓고 일어섰던 것이다. 그가 앉은
채 방을 나서는 박경사한테 한마디 던졌다.

——자넨 역시 대단한 사람이군. 이까짓 걸 먹고 먹었다는 소
린 듣기 싫다 그 얘긴가?

외등 주위에 몰려든 날벌레들의 어지러운 난무는 여전했다. 더
많은 날벌레들이 모여들어 서로 엉겨 돌았다. 좀전까지 그 큰 몸
체를 사정없이 부딪쳐 가며 날뛰던 나방은 이제 보이지 않았다.
지쳐 떨어졌겠지. 그 나방처럼 사는 게 굵고 짧게 사는 걸까. 박
경사는 혼자 웃었다. 그 나방처럼 격렬한 삶을 정말 잠시라도 누
리고 싶다는 충동이 불쑥 치민 것이다. 어쩌면 아버지가 누린 그
일생은 저 나방과 같이 짧고 격렬한 것이었는지도 모른다는 생각
이 들었다.

박경사는 일어나 실내등을 껐다. 거기도 하루살이 비슷한 날벌
레들이 새까맣게 달라붙어 있었기 때문이다. 좀 있으면 그 날벌
레들이 모두 현관 외등으로 나갈 것이다. 그러나 그는 더 기다리
지 않고 외등 스위치마저 내려 버렸다. 그는 칠흑 같은 어둠 속에
우뚝 서 있었다. 쏴아 정적이 밀려와 그를 형체도 없이 녹여 버

리는 것 같았다. 비로소 그는 시커먼 어둠 저쪽 산자락을 지나는
바람 소리를 들었다. 지서와 가까운 논에서 개구리가 듣그럽게
울어댔다. 불을 켜고 앉았을 때는 전연 귀에 들리지 않던 소리들
이 한데 뒤섞여 들렸다. 마을 장터 비석거리 쪽에서 유선 방송을
통해 연속 방송극이 흘러나오고 있었다. 이제 그 연속극이 끝나
면 마을 노인들이 비석거리 느티나무 아래로 바람을 쐬러 나올
것이다. 그들은 모여 앉으면 지난 이야기들을 나눴다. 마을에 들
어와 소를 잡아먹던 동학군 얘기, 자기들이 기대 앉은 비석을 더
듬으며 8열사가 만세를 부르던 기미년 얘기, 더 가깝게는 일제
말기 상암리 사람들과 아옹다옹 다투다가 해방되던 해 두 마을이
맞붙었던 마을의 역사가 서리서리 풀려 나왔다. 할아버지를 따라
나온 애들은 반딧불을 잡으며 할아버지들이 말하는 상암리 사람
들에 대한 적대 감정을 자신도 모르는 사이에 야금야금 키우고
있을 것이다. 실상 학교에서도 두 마을 아이들은 자주 충돌이 있
는 모양이었다.
　——국민학교 선생들도 아주 골치래요. 하암리 학부형을 만나
면 상암리 사람들 욕을 하고 상암리 사람들은 하암리 사람들을
헐뜯고……보통이 아니라는 거예요. 하여튼 큰 문제라구요.
　언젠가 정순경이 두 마을이 공동으로 놓아야 하는 은백내 다리
공사장에서 벌어진 싸움을 말리러 갔다가 돌아와 하는 얘기였다.
그들은 애초부터 중간을 지키는 것, 서로가 서로를 이해하려는
화해의 실마리를 거부한다는 것이다.
　——살이 꼈다고 하던가, 왜 처음부터 모든 게 안 맞는 부부가
있잖아요. 꼭 그런 꼴이야. 우리나라도 그 꼴이지 뭡니까.
　——우리나라?
　——남과 북이 그렇지 않아요?
　——그거완 경우가 다르지.
　——다를 게 없어요. 결국 마찬가지예요.
박경사는 문득 어머니의 말이 생각났다. 다른 사람들은 다 참

고 사는데 늬 아버진 참 이상두 했다. 그렇게 일본 사람들을 미워할 수가 없었다. 어쩌다 한번 집에 들를 때도 일본 사람들 욕을 하며 이를 부득부득 가는구나. 그 사람들이 왜 그렇게 밉수? 내가 그렇게 늬 아버지한테 물었잖겠니. 그랬더니 늬 아버지가 내 뺨을 후려치더구나. 눈에 불이 번쩍하더라. 그놈들하곤 피가 다른 게여. 피 다른 놈들한테 우리 민족이 얽매 지내는데 왜 밉지 않단 말이야. 늬 아버진 그런 사람이여. 피가 다른 일본놈 밑에 사느니 차라리 죽는 게 낫다구 하시더니만……박경사는 꽤 커서까지 어머니의 그 말 속에 깃든 아버지에 대한 연연한 그리움과 함께 훌륭한 남편을 가진 지어미의 그 자랑스러움을 깨닫지 못했다.

　——상암리와 하암리처럼 남북은 기름과 물입니다.
　——기름과 물?
　——그래요. 걔들과 우린 근본적으로 달라요.
　——그럴까?
　——우선 사고방식부터 틀려요.
　——사고방식부터가 아니라 사고방식만 다른 게 아닐까?
　——그럴지도 모르겠군요. 그러나 피를 따지는 건 구세기적 생각이에요. 피보다 강한 게 이념인 시대에 우린 살고 있어요.
　——그건 정순경 자네 생각인가?
　——일반적으로 그렇다는 겁니다.
　——그럼 간단하잖아, 그 이념과 사고방식만 뜯어 고치면 되니까 말이야.
　——그게 어디 쉬운 일입니까.
　——쉽진 않지만 불가능한 건 아니잖는가?
　——맞아요. 제 생각이 바로 그겁니다. 완전한 평행이 아닌 이상 두 선은 언제고 만날 지점을 가지고 있지요.
　박경사는 문득 젊은 정순경의 생각을 더듬어 보고 싶은 충동을 받았다.

──그렇다면 말이야. 어떻하는 게 남과 북이 빨리 화해를 해 하나가 될 수 있는 길일까?

──방법이 하나 있긴 합니다.

──뭔데?

──당분간 양쪽에서 서로의 존재를 망각하는 겁니다. 서로 의 식하지 않는다 그거지요. 아무것도 보지 말고 또한 아무것도 듣 지 않는 겁니다.

──그리고?

──가능하면 어른들은 아무것도 먹지 않는 게 좋습니다. 배가 부르면 자꾸 엉뚱한 생각을 하고 욕심을 부리고 하거든요. 문제 는 어린아이들부터 싹 새로 시작하는 겁니다.

──뭘 말인가?

──가르치는 거지요, 키가 큰 사람은 나쁘고 작은 사람은 좋 다. 이런 극과 극의 대비라든가 양자 선택을 강요하는 교육이 아 닌 안과 겉을 동시에 보여 주는 상대적 사물 평가의 올바른 안목 을 길러 주는 겁니다. 또한 키가 큰 사람과 키 작은 사람이 주종 의 관계가 아닌 대등한 입장에서 만나 그 힘이 합쳐졌을 때의 그 창조력 같은 걸 가르쳐야 합니다. 이런 가르침에서 가장 멀리 해 야 할 것은 독선과 한 개인의 우상화입니다. 절대 권한, 절대 추 종이 우리의 미래를 얼마나 어둡게 하는가를 가르쳐야 합니다 그 리고…….

정순경이 열을 올렸다. 그는 더 많은 걸 얘기하고 싶어했다. 그러나 박경사는 중간에서 그의 말을 잘랐다.

──그렇다면 정순경 자신은 교육받은 세댄가 아니면 가르쳐야 하는 세댄가?

──그야 물론 나 같은 건 희생 세대가 되어야 마땅하죠. 남북 이 하나가 된다면 나는 지금보다 더 나은 생활을 할 것인가 아니 면 더 못한 형편이 될 것인가 그런 거나 염려하고 있거든요. 남 북이 하나가 되어 자기의 안일이 허물어질 것 같은 두려움을 갖

고 있는 사람들이 너무 많아요. 옳고 큰 것을 위해 자기를 버릴
수 있는 용기 있는 사람들이 너무 적어요.

　박경사는 어둠 속에 팔짱을 낀 채 우두커니 서 있었다. 옳고
큰 것을 위해 자신과 가정까지 다 버렸던 자신의 아버지 얼굴을
떠올리려 하고 있었던 것이다. 그러나 그에게 보여지는 건 아무
것도 없었다. 오직 어둠과 산자락을 스치는 바람 소리와 가까운
논에서 나는 개구리 울음소리와…….
　「아니 어떻게 된 겁니까? 왜 불을 전부 끄고 계시는 거예요?」
　정순경이 현관 저쪽 어둠 속에서 목소리만 보내왔다. 박경사는
외등에 불을 넣었다. 정순경이 정복 차림으로 신작로에 서 있었
다.
　「집에 애가 경기가 났어요. 저 탑골 한약방에 가 약좀 사 가지
고 올 거니 조금 더 봐 주십시오, 소장님.」
　정순경은 비석거리 쪽으로 총총히 사라져갔다. 그에겐 이제 백
일이 지난 애기가 하나 있었던 것이다.
　박경사는 실내 전등을 켰다. 어느새 현관 외등에는 또 숱한 날
벌레들이 모여들기 시작했다. 누군가 불쑥 지서 안으로 들어섰다.
김차석이 남방 셔츠 차림으로 이마에 땀이 번들거렸다. 몹시 급
한 걸음으로 달려온 양 숨까지 가쁘게 몰아 쉬었다.
　「그 사람 여기 안 왔었어요?」
　「그 사람이라니?」
　「표경철이 말입니다.」
　「표경철 선생?」
　「맞아요. 그 사람이 지금 장터 변씨네 가게서 술을 먹고 있다
니까요.」
　박경사는 가슴이 덜컥 내려앉는 느낌이었다. 머리를 곱게 빗은
채 혀를 빼물고 왜갈봉 중턱 노송에 매달려 있던 표선생 부인의
얼굴이 떠올랐던 것이다. 그 일로 해서 자신이 겪은 곤욕스러웠

던 일이 새삼 신음처럼 섭혔다. 뭔가 굉장히 낭패스러운 일이 자신을 향해 다가오고 있다는 그런 예감으로 가슴이 떨렸다. 그러나 그는 애써 태연한 얼굴을 했다.

「여기 신문에 났더군. 8·15 특사로 풀려났다고. 석방됐으니 고향에 돌아왔을 거 아니오.」

「하지만 그 법이 돼먹지가 않았다니까요. 사람을 죽인 놈을 겨우 2년 징역을 시키고 풀어주다니 말이나 됩니까.」

김차석은 지금 하암리 대변자 같은 소릴 하는군, 박경사는 그렇게 얘기하고 싶은 걸 참았다.

「그건 정당방위였고, 과실 치사야. 더구나 그 사람은 그때 교사로서의 임무를 수행하던 중이었어.」

「마치 표선생 변호인이라도 되시는 것 같은 말씀을 하시는군요. 소장님은 그때 여기 계시지도 않았읍니다.」

김차석이 볼멘소릴 했다.

「보지 않았어도 뻔한 일이 아닌가. 그 사람은 당연한 일을 했을 뿐이야.」

「사람을 죽인 일이 당연하다는 얘깁니까?」

「아니지. 그 사건이 있기 전에 그가 했던 일 말일세.」

「그게 어째서 당연하다는 겁니까? 거길 지나가면 말썽이 생길 걸 뻔히 알면서도 고의로 그런 짓을 한 겁니다. 일부러 싸움을 걸어온 겁니다.」

「그게 잘못된 생각이네. 지금 세상에 어느 곳을 성역화해 놓고 여길 범하면 안된다——하는 이런 전시대적인 사고는 비판받아야 마땅해.」

「소장님, 지금 소장님 위치에서 그런 식으로 우리 하암리 김씨 문중을 비난해야 옳습니까?」

「우리끼리니까 하는 얘기 아니오.」

박경사는 어조를 누그러뜨리며 웃어 보였다. 김차석의 얼굴이 온통 벌겋게 달아 있었다. 상·하암리 사람들은 다 이랬다.

336

「소장님, 좀 안된 얘기지만 앞으로 표선생의 입장을 옹호하는 그런 태도 표명은 안 하시는 게 좋을 것 같습니다.」

협박인가. 왜, 김광모 의원의 출생지고 그의 성역이기 때문인가. 그렇게 윽박질러 주고 싶은 걸 박경사는 눌러 참았다. 동료로서가 아닌, 김씨 문중을 대변해서 나오는 그와 더 맞서 보았자 감정만 격해질 뿐이라는 생각을 했기 때문이다. 그러나 백번 양보해도 박경사는 표경철 선생이 그때 한 일이 결코 틀렸다곤 생각할 수 없었다.

표경철 선생은 그날 상암리 사람들이 지나갈 수 없는 하암리 김씨 문중의 사당 앞을 지나갔던 것이다. 그것도 70여 명에 이르는 상암리 아이들을 인솔해서 당당하게 그 금단의 지역을 통과했던 것이다. 잘 가꾼 향나무가 길 옆으로 그림처럼 도열한 사당앞을 지나갈 때 70여 상암리 아이들은 「전우의 시체를 넘고 넘어, 앞으로 앞으로……」란 군가까지 요란하게 불러댔던 것이다. 그냥 그렇게 지나가기만 했어도 언젠가 표선생이 가족과 함께 고향을 떠날 때 그 사당 앞을 지나갔듯 아무런 일도 없었을는지 모른다.

문제는 그날 그 앞을 지나가던 아이들이 사당까지 올라가 사당 벽에 불경스런 낙서를 했는가 하면 어떤 놈은 기둥에다 오줌까지 갈겼던 것이다. 6·25 때 세상이 바뀌었을 때도 상암리 사람들 스스로가 그곳을 지나기 꺼려했을 만큼 오랜 세월 속에서 금단의 지역으로 못박혀 버린 곳이었다. 그런 금단의 지역을 무단히 침입하여 그런 불경스런 짓을 하도록 내버려둔 표선생에 대한 분노는 대단했다. 하암리 사람들은 기가 넘을 정도로 흥분해서 날뛰었다. 표경철 선생이 하암리에 들어온 뒤 눈에 가시처럼 거북해하던 사람들이라 막상 일이 터지자 걷잡을 수 없게 감정들을 폭발시켰다. 물론 젊은 사람들보다 나이가 많은 문중의 어른들이 더하기 마련이었다.

──그놈이 일부러 어깃장으로 그런 거여!

——맞아. 그놈이 우릴 우습게 알고 그랬다니까.

——제 애비 복수를 할려고 기어든 놈 아닌가. 내 그럴 줄 알았지!

하암리 노인들은 표경철 선생이 상암리에서 돌아오는 길목을 지키고 서 있었다. 몇 다혈질의 장년들은 몽둥이까지 들고 나왔다.

표선생은 날이 어둑해져서야 상암리에서 터벌터벌 돌아왔다. 나이 많은 노인 한 사람이 표선생의 멱살을 잡고 뺨을 쳤다. 몇 사람이 더 달려들어 턱을 걷어올리듯 삿대질을 하며 욕을 퍼댔다. 표선생이 멱살을 잡혀 매를 맞으면서 몇 마디 변명을 하긴 했다. 그 전날 비가 많이 내려 상암리 입구의 개울물이 많이 불어 하급 학년 아이들은 아예 학교도 나오지 못한 날이었다. 아침 나절에 다시 비가 내렸고 하학 시간에는 그 개울을 건너기 어렵다는 전갈이 왔다. 물론 산비탈을 끼고 돌아서 가는 길이 있긴 했다. 그러나 그날 아이들 하학지도를 맡은 표선생 생각에는 그 산비탈 길이 우중에 미끄러워 더 위험하다고 판단됐던 것이다. 개울을 건너지 않고도 상암리로 들어갈 수 있는 사당 앞길을 이용하기로 한 표선생이었다. 불가피한 상황인데 어떠랴 싶었는지 아니면 이 기회에 터부처럼 되어 온 그 좋지 못한 생각을 깨뜨려 볼 요량이었는지 그것은 아무도 몰랐다. 어떻든 표선생은 70여 명 상암리 아이들을 모아 그 사당 앞을 지났던 것이다. 어떤 각오가 돼 있었던 모양 표선생은 그날 저녁 멱살을 잡혀 뺨을 맞으면서도 별 저항을 보이지 않았다. 그리고 자기 인솔 부주의로 아이들이 사당 벽에 낙서를 한 일 등 김씨 문중에 욕이 된 일이 있었음을 솔직이 시인하면서 용서를 빌었다. 그러나 그런 표선생의 사과가 귀에 들어올 리가 없는 하암리 노인들이었다. 노인 하나가 담뱃대로 표선생의 머리통을 후려쳤다. 그 순간 표선생은 자기의 멱살을 쥔 노인네를 냅다 뿌리쳐 던졌다. 그 노인네가 땅바닥에 넘어지면서 뇌진탕을 일으켰던 것이다. 표선생이 꼼짝없이 살인범이 돼 버린 내역이었다. 하암리 사람들이 하나같이 불리한 증언만 한 건 당연한 일이었다.

「이 사람, 몇 신데 이렇게 안 나오는 거야.」

김차석이 사무실 안을 서성거리며 신경질적으로 중얼거렸다. 야근인 정순경을 두고 하는 얘기였다. 박경사는 애기가 경기증을 일으켜 한약방에 약을 사러 간다고 탑골로 가던 정순경 얘기를 해줄까 하다가 그만두었다. 김차석에게 그런 얘기가 귀에 들어갈 리가 없다고 생각한 것이다. 그의 머리 속은 온통 표경철 선생으로 꽉 차 있을 것이기 때문이었다.

「뭐 별일도 없는데 천천히 나와도 좋다고 내가 아까 말했소.」

박경사는 짐짓 심술스러워지는 자신을 발견했다. 아니나다를까,

「소장님, 별일이 없다니요? 지금 표경철이가 장거리에 와 있다는 걸 우습게 보심 안됩니다.」

「왜, 그때 사건 조사 때 위증이라도 했나?」

「소장님, 농담하지 마십시오. 표경철일 잘 몰라서 그러시지만, 까딱하다간 크게 당합니다.」

「아니, 그 사람이 무슨 난동이라도 부릴 것 같아 그러오?」

그럴 가능성이 충분히 있다는 생각을 하면서 박경사는 짐짓 가볍게 물었던 것이다.

「지금 표경철이가 누구하고 술을 마시고 있는지나 아세요?」

「하암 학교 선생님들이겠지.」

「그게 아닙니다. 아까 여기 왔던 사람들이에요.」

「여기 왔던 사람들이라니?」

박경사가 시치미를 뗐다.

「정순경이 얘기 안 했군요. 유관석이하고 최진혁이 말입니다.」

「그 사람들하고 표선생은 어릴 때부터 친구라면서?」

「그냥 친구로 만난 게 아니라구요. 유관석이 그놈들 성질을 몰라서 그러시는 겁니까?」

박경사는 끄윽끄윽 시원치 않은 트림을 억지로 만들어 냈다. 역시 소화제를 가지고 나오는 건데 잘못했다는 생각이 든다. 트림이 나오는 단계가 지나서 이제는 배가 뿌듯하고 숨이 답답한 증세가 심해진 때문이다. 이제부터 매사 의욕이 나지 않고 손에 힘살이 풀리면서 안절부절 못하는 그런 괴로움을 겪어야 한다.

「김차석, 그 표선생, 학교에 복직은 어렵겠지.」

자신이 생각해도 엉뚱한 걸 묻고 있는 박경사였다.

「소장님, 그 사람 취직시켜 주시려구 그러십니까?」

「김차석, 그 사람들이 그렇게 두렵소?」

박경사는 자신의 말이 김차석에게 불쾌감을 줄 것을 알면서도 그렇게 묻고 있는 자신에 대해 놀라지 않을 수 없었다. 내가 지금 속이 몹시 불편해서 그러는 거야. 소화제를 먹어야 하는 건데 그는 자신에게 그렇게 변명하고 있었다.

「소장님, 참 이상하십니다. 뭔 말씀을 자꾸 그렇게 하십니까. 내가 왜 그 사람들을 두려워한다는 얘깁니까?」

김차석이 몹시 불쾌한 얼굴로 다그치고 있었다.

「김차석, 도대체 왜 표경철 선생 부인이 자살한 것 같소?」

김차석이 어이없다는 듯 그의 얼굴을 뻔히 치어다보다가 되물었다.

「새삼스럽게 왜 그런 건 물으시는 겁니까?」

「그 죽은 여자의 남편이 왔잖은가. 표선생이 찾아와 자기 부인이 왜 죽었느냐고 캐묻는다면 어떻게 하겠소?」

「경찰이 한 여자가 왜 자살을 했는지 그 이유까지 반드시 알아야 합니까? 더구나 그 여자는 미친 상태였읍니다.」

「바로 그거요. 우리는 왜 그 여자가 미쳤는지 그것도 모르고 있었단 말이오.」

「그걸 우리가 꼭 알아야 한단 말씀인가요?」

「알아야 했소. 더구나 그 여자는 죽었지 않소. 한 가정의 파탄이 생기는 걸 막을 수 있는 게 우리 경찰이 해야 할 임무가 아니겠소.」
「저는 지금 공자님 말씀을 듣는 기분이군요.」
김차석이 빈정거렸다.
전화 벨이 찌륵찌륵 울렸다. 군대에서 쓰던 야전용 전화기가
김차석 책상 위에 있었던 것이다. 수화기를 든 김차석이 악을 쓰
듯 그렇게 높은 목소리로 받고 있었다. 감이 먼 것으로 미루어
읍에서 면사무소 교환대를 경유해서 이어지는 장거리 전화가 분
명했다.
「소장님 받으십시오, 읍에서 온 겁니다.」
수화기를 넘겨 주는 김차석의 얼굴에 묘한 웃음이 고물고물 떠
돌고 있음을 박경사는 놓치지 않았다. 그는 뒤통수에 화끈한 열
기를 느끼면서 전화를 받았다. 생각했던 대로였다. 오도민씨였
다.
「어, 자넨가? 별일 없었지? 딴 얘기가 아니구 말이야, 자네
부친 일에 대해서 의논할 일이 있으니까 내일 모레쯤 한번 나오
게. 어, 뭐라구? 무슨 얘기냐구? 이사람아, 그런 얘길 어떻게
전화로 한단 말인가. 자네 말이야, 공치사 같지만 내가 자네 부
친 일로 얼마나 신경을 쓰고 있는지 알고나 있나? 독립 투사 하
나 만들어내는 게 그렇게 쉬운 일인 줄 알았다간 큰일나네. 더구
나 요즘 이종철 후보가 낙선 분풀이로 아주 까놓고 자네 아버지
이름을 팔고 다닌다 이거야.」
오도민씨는 감이 먼 전화 속에서 더 길게 너스레를 떤 다음,
「그건 그렇고 말일세, 오늘 거기 우리 산판 차 일곱 대 들어갔
지? 응, 그래그래, 안 나왔을 거야. 이따가 말이야. 우리 차 거
기 나오거든 말이야, 그 차주 중에 심씨라고 있어. 그래, 내가
쓰고 있는 사람인데 말이야. 그 심씨한테 읍에 나오거든 나를 꼭
보고 가라고 하란 말이야, 다른 게 아니고 말이야, 경기도경에서
선거가 끝난 뒤에 단속이 강화됐다는 거야. 오늘 밤에 비상이 걸
렸다 그거야. 그러니까 그냥 올라가지 말고 나한테 먼저 들려이

한다 하란 말이야. 이봐, 자네 뭔 얘긴지 알겠나? 꼭 전해야 하네. 내 청평 지서에두 연락해 놓겠지만 말이야.」

박경사는 수화기를 던지듯 내려놓고 의자에 털썩 주저앉았다. 가슴이 답답했다. 이젠 만들어 하는 트림마저 나오지 않았다. 그는 현관의 외등에 모여든 날벌레를 바라보면서 심한 혐오감을 느꼈다. 외등이 밝힌 아주 작은 공간을 찾아 저처럼 무의미한 난무를 벌이는 그들 하루살이의 생리가 싫었다. 외등 저쪽 무한한 어둠 속에서 헤아릴 수 없을 만큼 많은 날벌레들의 보이지 않는 그 외로운 비상을 생각할 때 그는 가슴이 눌린 듯 암울하고 삭연한 기분에 휩싸였다. 그는 보이지 않는 어둠 속 벌레가 갖는 외로움을 느꼈다.

아버지. 그는 마음 속 깊은 데서부터 아버지를 살려 올리고 있었다. 아버지를 만지고 싶었다. 그것이 실상이든 가상이든 그분의 모든 것을 속속들이 만지고 싶었다. 아버지 그분만은 이 암울한 늪에 빠져 허덕이는 자신을 건져 올릴 수 있을 것 같은 확신이 가슴에 싹터 올랐던 것이다.

「표경철 선생이 여기에 올 것 같소?」

그는 무심결에 그렇게 묻고 있었다. 장거리 변씨네 가게까지 달려가 그를 만나 보고 싶다는 말만은 차마 입 밖에 낼 수 없었던 것이다.

「소장님, 그 사람이 무서워서 그러세요?」

김차석이 싱긋 웃으며 말했다. 아까 당한 데 대한 화풀이가 된 양 그는 헤벌쭉 웃고 있었다. 박경사는 대답 대신 심호흡을 하며 바른손의 엄지와 검지 사이를 아플 정도로 꾹꾹 눌렀다. 그런 지압 방법이 소화기능을 도와 주는 경우가 많다는 걸 그는 오랜 경험을 통해서 익히고 있었던 것이다. 그러나 좀체 트림은 나와 주지 않았다. 큰 트림 한 번만 해도 가슴이 확 뚫릴 것 같은데 아무래도 트림은 나올 기색이 아니었다.

정순경이 들어서고 있었다. 그 역시 이마에 땀을 흘리고 있었다.

「어때, 얘기는 좀……」

뭔가 대단한 얘기를 떠벌리려는 양 서두는 정순경을 향해 박경사가 먼저 물었다.

「괜찮아요. 경기엔 영사가 좋다고 해서 사다 먹였더니 아주 깨끗이 나았어요. 그런데 말이지요……」

그는 허둥거리며 사무실 한구석 음료수대 위에 놓인 주전자에서 물을 따르며 계속했다.

「표경철 선생이 온 거 모르시지요?」

김차석이 정순경을 향해 내쏘았다.

「알고 있어! 이 사람아, 그걸 알고 있는 사람이 그래 인제 나온단 말이야?」

「약 사러 탑골에 갔었다니까요. 글쎄 말입니다. 표선생이 장거리서 술을 먹고 있다잖아요. 그래 내가 밖에서 들여다봤거든요. 유판석이들하고 술을 마시면서 표선생이 엉엉 울더라니까요. 사람들이 쑤군거리데요. 뭔 일이 꼭 생길 것 같다는 거지요. 글쎄 최진혁이가 팔뚝을 걷어붙이고 술상에다가 칼을 꽝꽝 꽂더래요. 내가 봤을 땐 그런 칼 같은 건 없었지만 분위기 하난 으시시하데요. 하암리 사람들은 표선생 패들이 난동을 부리면 당장 집어넣는다구 기세들이 또 대단하더구먼요. 정말 그러다가 뭔 일이 안 터질지 모르겠네요.」

박경사는 더 견딜 수가 없었다. 가슴을 주먹으로 쿵쿵 쳐 보았지만 헛일이었다.

「또 소화가 안 되시는 모양이죠?」

정순경이 물었다.

「정순경, 아까 낮에 산판에 차 몇 대 들어갔지?」

「거기 일지에 체크했잖아요. 모두 일곱 대 들어갔어요. 전부 수작골 산판으로 간다데요.」

「됐어. 혹시 나 없을 때 그 차 나오거든 붙잡아 둬. 나 집에 들어가 약 좀 먹고 나올 거니까 말이야.」

「네?」

정순경과 김차석이 동시에 그의 얼굴을 쳐다보았다.

「절대 통과시키지 마라.」

그는 현관을 나와 어둠 속으로 들어섰다. 멀리 장거리 쪽 불빛이 어둠의 눈처럼 반짝이고 있었다. 어둠 속에 서자 그런대로 밤바람이 얼굴에 괜찮게 스쳤다. 장거리 어둠 속에서 개짖는 소리가 시골의 여름 밤을 흔들고 있었다.

「어디 아파 그러세요?」

집에 들어서자 그의 아내가 놀란 얼굴로 쳐다보았다. 박경사의 얼굴에 땀이 비오듯 흐르고 있었던 것이다. 그는 아편장이가 그렇듯 집안 여기저기를 서둘러 뒤지기 시작했다. 읍에 나갈 때마다 약방에서 소화제를 사다가 먹었던 것이다. 그러나 소화제는 어느 곳에고 보이지 않았다.

「여기 뒀던 약 어디다 치웠어?」

그가 신경질적으로 물었다.

「어제 보니까 빈 통만 있던데요. 그래서 버렸는 걸요. 또 소화가 안 되는가 보죠? 아까 저녁에 밀국수 잡순 게 좋지 않았나 봐요. 아이 속상해 죽겠네, 요즘 좀 웬만하시더니……」

그의 아내가 징징 우는 소리로 말하며 탑골 한약방에 가 약을 사 오겠다고 일어섰다. 그는 아내를 나가지 못하게 했다. 그리고 아내 앞에 손을 내밀었다. 그의 아내가 익숙한 솜씨로 엄지와 검지 사이를 눌러 주무르는 지압을 시작했다. 기분이겠지만 그렇게 하면 가슴에 좀 시원한 느낌이 왔다. 박경사는 아내의 생활에 쪼들린 그 얼굴을 쳐다봤다. 남처럼 많은 것을 갖지 못해 안달하거나 남이 가진 것을 시샘할 줄 모르는 소박한 여자였다. 월급 외의 돈을 들여가면 그것을 받아들고 얼굴을 붉히며 가슴을 떨었다. 몇달이 지나도 그 돈에 손을 대지 못한 채 그것으로 해 아예 괴로와하는 여자였다. 지서 소장 부인이라고 이웃들이 따돌림할 것

344

이 두려워 항상 팔소매를 걷어붙이고 남의 집 허드렛일까지 거들
어 주고 싶어하는 아내——박경사는 손을 주무르는 그네의 얼굴
을 쳐다보면서 가슴에 잔잔한 감동을 받았다. 그것은 새삼 고마
움을 느낄 때 갖는 그런 감동이었다. 그는 문득 자신의 모든 것
을 아내에게 의지하고 싶은 생각이 되었다. 그는 그것이 뭔지 몰
라도 아내를 붙잡고 한없이 이야기하고 싶은 충동을 받았다. 가
틀릭 신자가 고해를 하기 위해 신부를 찾는 심정이 이해될 것 같
았다. 뭔가 자기의 삶에 끼어들어 삐거덕거리는 것을 엄마가 아
이들 이를 뽑듯 그렇게 매몰차게 제거해 줄 신비와 사랑을 가진
손을 그는 바라고 있었는지도 모른다. 그는 마디가 굵고 거친 아
내의 손을 내려다보았다. 그 순간 아주 거침없는 트림이 크게 터
져 나왔다. 그처럼 가슴이 시원할 수가 없었다.
　「이제 됐소.」
　그는 이제까지 한번도 그렇게 해보지 못한 일을 했다. 그것은
아내의 그 거친 손을 다잡아 쥔 것이다. 손을 빼내며 얼굴을 마
치 소녀처럼 발갛게 물들이는 아내를 향해 그가 말했다.
　「당신은 농사꾼의 아내가 돼도 끄덕 없겠는걸.」
　그네는 어리둥절한 표정을 하면서도 여자의 특유한 그 민감성
으로 해 눈에 일순 불안을 보였다. 그는 어차피 절망을 한번쯤
안아야 할 일이라면 아예 일찍부터 길들여지는 것도 괜찮으리란
비장한 생각을 했다. 그러나 중요한 것은 지금 자신의 가슴이 그
한번의 트림으로 해서 바람 없는 날 호수의 수면처럼 잔잔하게
가라앉고 있음을 자각하는 일이었다.
　「애들 모기에 물리지 않도록 해.」
　그는 서둘러 일어섰다. 먼 데서 들려오는 차 소리를 들었던 것
이다. 아닌게아니라 상암리 쪽에서 산판 차들이 나올 때마다 그
헤드라이트 불빛이 지서 앞 왜갈봉에 번뜩번뜩 와 닿곤 했는데
그가 방문을 열고 나서자 지금 불빛이 보였던 것이다. 그는 서둘
러 지서로 들어섰다. 정순경은 정복을 입은 채 문턱에 의자를 끌

어다 놓고 앉아 바람을 쐬고 있었고 김차석은 책상에서 뭔가 쓰고 있었다.

산판 차가 장거리쯤 이르러 있을 것이다. 박경사는 벽에 걸린 경찰 전투모를 벗겨 썼다.

그러나 지서 앞에 나타난 것은 고작 한 대뿐이었다.

「어이구, 수고들 하십니다요.」

얼굴이 낯익은 두꺼비란 별명의 운전수가 차에서 내려섰다. 몸이 크고 우락부락하게 생긴 사람이었다. 그 운전수는 대개 다른 사람들보다 더 빨리 차를 몰고 나왔다. 그렇지 않으면 다른 차들이 다 빠져 나간 다음에야 는정는정 나오기 마련이었다. 한번은 그 차가 맨 뒤에 나와 마지막 체크를 하고 있는데 장거리 쪽에서 사람이 헐레벌떡 쫓아왔다. 산판 차 운전수가 돼지새끼를 훔쳐갔다는 신고였다. 차를 뒤지니까 운전석 밑에 꿈틀거리는 게 있었다. 자루 속에 새끼 돼지 두 마리가 들어 있었던 것이다. 그냥 장난으로 그랬다고 뒤통수를 긁었다. 입건해야 마땅한 일이었지만 새끼 돼지를 찾은 사람이 사정하는 바람에 각서만 쓰고 훈방을 했던 사람이다. 정순경이 유독 그 운전수를 싫어했다. 사람이 칙칙하게 생겨먹었다는 것이다.

그는 자동차 바퀴를 발로 두어 번씩 차 점검해 보곤 성큼성큼 지서 안으로 들어섰다. 그리고 꼭 제 집에서처럼 스스럼없이 한 쪽 구석에 놓인 물주전자를 찾아 그냥 꼭지를 입에 댄 채 벌컥벌컥 들이켰다.

「다른 차들은 왜 안 나오는 거요?」

박경사는 자신의 목소리가 무척 통명스럽다는 것을 깨달았다.

「이제 곧 오겠지요. 꼰지리 내길 해서 내 차에 제일 먼저 실었거든요.」

그는 남방을 벗어 어깨에 걸치며 다시 말했다.

「소장님, 나 저 숙직실에서 눈 좀 잠깐 붙여두 될까유?」

그 운전수는 이쪽의 대답 같은 건 아예 생각지도 않은 물음이라는 듯 벌써 숙직실 문지방에 두 발을 덜렁 걸친 채 요란한 하품과 기지개를 하고 있었다. 그리고 벌렁 몸을 눕혔다. 정순경이 기가 차다는 표정을 짓곤 밖으로 침을 쩍 내뱉었다. 밤이 깊어질수록 외등에 모여든 날벌레 수효는 많아졌다.

다른 산판 차들이 하나 둘 나타나 지서 앞에서부터 비석거리 있는 데까지 늘어선 것은 꽤 오랜 뒤였다. 그 두 번째 차에 심씨가 타고 왔다. 키가 작고 퍽 교활해 뵈는 인상의 중년이었다.

「와따나, 덥구만요. 허, 이 사람 되게 설쳐쌓더니 겨우 팔자 좋게 잘려고 그랬구먼.」

심씨는 그 운천수가 문지방에 발을 걸친 채 코까지 골고 있는 것을 들여다보며 말했다. 그는 내일쯤 비가 올 것 같다는 얘기에서부터 지난 선거 때의 에피소드를 주워섬기는가 하면 금세 읍내의 갈보집 여자 궁둥이 크다는 얘기까지 떠벌였다. 차 점검을 끝낸 운전수들이 하나 둘 지서 안으로 들어서기 시작했다.

박경사는 더 기다렸다. 심씨가 반출증을 스스로 내놓을 때까지 기다려 보자는 생각이었다. 서두를 일이 아닌 것 같았기 때문이다.

「또 수백 마리 잡는군.」

박경사는 내심의 초조를 감추기 위해 짐짓 정순경을 향해 농을 걸었다. 정순경이 또 그 바퀴벌레를 잡기 위해 책상 밑을 노려보는 일을 시작한 때문이었다.

차 정비를 끝낸 몇몇 운전수들이 지서 앞에 모여 서서 담배를 피우고 있었다. 박경사는 그들을 모두 안으로 들어오도록 했다. 칠팔 명의 장정이 들어서자 사무실 안은 꽉 찬 느낌이었다.

「들어오긴, 이제 곧 출발해야지. 서둘러야 빌 새벽 4시 전에 망우리에 닿겠는 걸.」

심씨가 운전수들을 둘러보며 몸을 일으켰다. 숙직실에서 코를 골던 운전수도 크게 몸 기지개를 하며 일어나고 있었다.

박경사는 자신의 자리에 앉은 채 말했다.

「심씨, 반출증 좀 보여주시오.」

밖으로 나가려던 심씨가 멈칫 돌아서며 무슨 얘기냐는 듯 박경사를 쳐다보았다.

「김차석, 이 양반들 반출증 철저히 체크하도록 하시오.」

김차석과 정순경이 동시에 박경사 쪽으로 고개를 돌렸다. 그들은 경찰 전투모를 쓴 박경사를 처음 발견한 양 자신들의 모자가 걸려 있는 벽 쪽을 무의식중에 바라보았다.

「상부 지시요. 요즘 부정 반출을 하는 목상들이 있다는 거야. 김차석, 아까 읍에서 온 경비 전화 들었지요?」

김차석이 무슨 얘기냐는 듯 어리둥절한 표정을 했다. 그러나 박경사는 엄숙한 얼굴로 말했다.

「심씨, 어서 반출증을 보여요. 반출증 없인 나무 한 토막이라도 실어낼 수 없다는 걸 당신들도 잘 알지 않소? 내일 아침 날이 밝으면 당신들 차에 실은 원목에 적힌 검인을 확인해 보겠소. 그 검인까지 가짜 철인을 만들어 적는다는 정보가 들어왔기 때문이오.」

심씨가 싱글싱글 웃으며 박경사 책상 앞으로 다가왔다. 사무실을 가득 채우고 선 운전수들도 흥미로와하는 그런 웃음을 만들고 있었다. 가소롭다는 그런 뜻의 웃음일 수도 있을 것이다.

「소장님, 뭔 농담을 그렇게 하십니까? 아마 생판 모르는 데서 이런 경우를 당했다면 내 간 다 떨어졌겠시다.」

그러면서 심씨는 뒷주머니를 훔척훔척 무엇인가 꺼내고 있었다. 그는 지폐 몇 장을 김차석 책상 위에 던지듯 놓으며 말했다.

「날씨두 더운데 내일 천렵들이나 한번 하셔.」

그는 박경사를 향해 손을 한번 번쩍 쳐들어 보인 다음 운전수들 한테 나가라는 눈짓을 했다.

「잠깐!」

박경사가 벌떡 몸을 일으켰다. 우루루 밖으로 나가던 운전수들이 다시 안으로 들어오기를 기다려 박경사는 다 들으라는 듯 큰 소리로 말했다.

「심씨, 나 지금 당신들하고 농담하고 있는 거 아닙니다. 김차석, 그 돈 잘 보관해 두시오. 심씨가 뇌물로 내놓은 거니까, 증인도 여럿 있고……」

운전수들이 킥킥 웃었다.

「와아 참, 농담 한번 잘 하시네. 소장님, 이거 증말 왜 이러십니까.」

「반출증만 내놓으면 될 거 아니오.」

「아이구 소장님, 제발 좀……」

심씨가 박경사를 향해 허리를 굽실거리며 손을 비벼댔다. 그러나 그 교활한 눈과 입은 웃고 있었다.

「내놓으시오. 내가 당신하고 언제 농담했소?」

「하아 참, 다 아시면서…… 읍에 두고 왔어요, 읍에.」

「심씨, 내가 어린애로 보입니까?」

박경사는 다시 자리에 앉았다. 집에서 났던 그 시원한 트림이 또 한번 나자 속은 더없이 편해졌다.

이쪽 기세가 그게 아니란 걸 깨달은 심씨가 이번에는 되레 정색을 하고 나왔다.

「소장님, 이 나무가 어떤 분 산판에서 나오는 건지 몰라서 그러십니까?」

얼굴에 야비한 웃음이 떠도는 심씨를 향해 박경사가 말했다.

「잔말하지 말고 반출증 내놓으시오.」

「나, 읍에 전화 한 통 쓰겠시다.」

심씨가 서슴없이 경비 전화로 달려갔다.

「이봐, 당신 그 전화 놓지 못해?」

박경사가 크게 소리치며 몸을 벌떡 일으켰다. 심씨가 기세있게 들었던 전화기를 도로 내려놓으며 금방 곤혹스런 표정으로 바꿔,

「제발 좀 살려 줍쇼. 도대체 왜 이러십니까. 즈이들이 뭘 잘못한 게 있다는 얘긴지. 김차석님, 차석님은 아실 거 아녜요?」

그러면서 그가 운전수들에게 나가 있으라는 손짓을 했다.

「나가지들 마시오. 당신들한테두 불 일이 있으니까.」

박경사가 운전수들을 향해 말했다.

심씨가 김차석 앞으로 다가가 은근스럽게 허리를 굽혀 귀를 들이대고 있었다. 그러나 김차석은 얼굴이 하얗게 질린 채 담배만 피워대고 있었다. 결국 그는 심씨의 얼굴도 제대로 쳐다보지 않았다. 정순경은 퍽 흥미있어 하는 표정으로 일의 사태를 흘금거리며 여전히 바퀴벌레를 밟아 죽이는 일을 계속하고 있었다.

「반출증이 없다니까, 이제 당신 차들은 나갈 수 없소. 이제 그 문제는 끝난 거요.」

박경사는 그렇게 말해 놓고 심씨 곁을 지나 운전수들이 서 있는 쪽으로 다가갔다. 그리고 그들에게 말하기에 앞서 김차석과 정순경을 가까이 불러 귓속말을 했다.

「협조해 주시오. 미리 상의 못한 건 내 나중에 사과하리다.」

그렇게 일러놓은 뒤 그는 일곱 명의 운전수들을 훑어보았다. 맨 뒤에 선 두꺼비란 별명의, 아까 숙직실에서 잠을 자던 운전수가 입을 크게 벌려 하품을 하고 있었다.

「보아하니 모두 일 년 전부터 여기 드나드는 분만 오셨구먼. 아주 잘 됐소. 실은 상부 지시로 조사할 게 있어 기다리던 중이오.」

그는 조사서철이 꽂힌 서류함 쪽으로 걸어가 두툼한 서류철 하나를 뽑아들었다.

「여러분 중에 약 일 년 전 우촌면에서 이 마을로 오는 젊은 여자 하나를 태워다 준 사람이 있을 거요.」

박경사는 일곱 사람의 얼굴 중에서 두꺼비란 별명의 운전수 얼굴이 변하는 것을 놓치지 않았다. 예감이 적중했을 때의 기분은 실로 묘한 것이다. 그는 가슴이 후들후들 떨렸다. 그와 동시에 그는 아──하고 감탄사를 터뜨릴 뻔하였다. 그것은 좀전 장거리에 표경철 선생이 나타났다는 말을 들었을 때 느닷없이 머리에 떠오른 한 사내의 얼굴이 다시 살아난 때문이다. 이제 비로소 그는 그 의문의 얼굴 모습의 임자를 찾아낸 것이다. 아버지, 몸이 깡마른 데다 눈빛이 유난히 번쩍이던 아버지의 모습이었던 것이다.

「물론 그 일이 잘 기억나지 않을지도 모르오. 일 년 전이니까. 그리고 설사 기억났다 하더라도 자기가 그랬다고 쉽게 말하지 않겠지.」

박경사는 말에 좀 뜸을 들이기 위해 짐짓 서류를 뒤적이다가 다시 말을 이었다.

「어떻든 여러분 중에 누군가 그 여자를 차에 태워 주었고, 그 밤에 있었던 일로 해서 그 여자는 미쳐 버렸던 거요. 그리고 그 여자는 결국 목매달아 죽었소. 결국 당신들 중에는 누군가 그 여자를 죽게 한 사람이 있다는 겁니다.」

박경사는 다시 자기 자리에 돌아가 앉았다. 자신의 목소리가 너무나 차분하게 가라앉아 있음에 놀라고 있었다.

「소장님, 무슨 말씀을 그렇게 하십니까유, 우린 도무지 무슨 얘긴지……」

그 중에서 가장 나이가 든 운전수 하나가 억울하지 않느냔 뜻의 동의를 곁에 선 운전수들한테 구하기 위해 두리번거렸다.

「다 알게 될 것이오. 그때 현장을 목격해서 그 운전수의 얼굴을 똑똑히 기억하고 있는 사람이 요즘 나타났단 말이오. 필요할 때 본서에서 만나게 될 거요. 아니지, 법정에서 증인으로 나온 걸 보게 될 테지.」

그는 서류철을 천천히 넘기며 더 나지막한 목소리로 말했다.

「그리고 그 여자가 남긴 유서도 있소. 국민학교 아이들이 쓰는 공책장에 그 여자가 일의 경위를 모두 적어놓고 죽었던 거요. 그 유서가 며칠 전 발견되었소. 그것도 귀중한 증거로 제공될 것이오. 더 중요한 것은 이 모든 사실을 그 여자의 남편이 알고 있다는 거요. 알 거요, 모두. 표경철 선생이라고 하암교 교사…… 그 표선생이 2년 징역을 치르고 오늘 밤 이 마을에 나타났단 말이오.

문제는 그 사람이 당신들 중의 한 사람을 죽이고 말 거란 얘기요. 내 백 번 장담하지만 표선생은 반드시 자기 부인을 죽인 원수를 갚고 말 겁니다. 우린 경찰로서 그런 불상사를 막아야 하기 때문에 이렇게 여러분의 협조를 바라는 것입니다. 어이, 정순경, 아직두 그 사람들 장거리에서 술을 먹고 있겠지?」

정순경이 의자에서 일어서며 대답했다. 눈치가 빠른 사람이었다.

「아마 지금쯤은 말고개 초입에서 기다리고 있을는지 모릅니다. 상암리 유판석이와 최진력이도 함께 술을 마시고 있었거든요. 모두 칼을 가졌더래요.」

이번에는 박경사가 심써를 돌아보며 말했다.

「참, 심써, 산판에서 도벌을 하고 부정 반출을 한다는 신고를 두 번씩이나 한 사람들이 바로 그 상암리 사람들이오. 여기 그 사람들이 정식으로 제출한 신고서가 있소. 자, 보시오.」

박경사는 서류철을 심써 앞으로 돌려놓았다. 심써는 얼굴이 벌겋게 달아오른 채 한쪽 구석에 서서 식식거리고 있을 뿐이었다. 그의 얼굴에 낭패의 빛이 역력해 보였다.

「내일 아침 정식으로 상부에 보고하겠소. 부정 반출을 현장에서 잡았다는 걸 말이오. 물론 우리 지서에서 그동안 고의로 묵인해 온 죄상도 함께 올려 법적 조치를 받을 것이오. 심써, 상부에 보고할 보고설 오늘 저녁 작성할 것이니 협조해 주시오.」

박경사는 다시 운전수들 쪽을 향해 말했다.

「추행 사건은 지금쯤 본서에서 영장이 떨어졌을 거요. 그 사람을 체포하라는 지시 전통이 관할 지역에 내일쯤이면 나가게 될 것이오. 물론 표경철 선생을 만나게 되면 일이 더 크게 될 테지만 말이오. 어떻든 나도 그 사람을 알고 있지만 구속 영장 없이 체포하진 않겠소. 더구나 그것은 오래전 일이고 우발적 사건이기 때문에 그 사람이 자수만 하면 죄가 한결 가벼워질 수 있는 성질의 것이기 때문에 지금 그걸 알려 주는 거란 말이오. 어이, 김차석, 우리 아까 계획대로 도벌과 부정 반출 사건 조서를 **꾸미기로** 합시다. 이미 각오한 거 빨리 끝냅시다.」

박경사는 자신이 지금 거짓말을 하고 있지 않다고 확신했다. 비록 다른 동료들이 반대를 한다고 해도 그것만은 관철하고 말 것이란 생각이었다. 모든 책임은 지서장이 지기로 한다는 각오를 해놓고 있었던 것이다. 이것은 소영웅주의나 어떤 얄팍한 의미의 사회 정의를 위해서라는 말로 해석할 수 없는 일이었다. 뭔가 모르지만 그는 그렇게 해야 할 것 같은 절박감을 느끼고 있었던 것이다. 중요한 일은 이처럼 위장의 기능 상태가 정상으로 돌아가 있는 바로 지금 그러한 일을 해내야 한다는 것뿐이다.

박경사가 어리둥절해 있는 김차석 앞으로 다가가려고 했을 때 둘러서 있던 운전수들 중에서 한 사람이 움직이고 있음이 보였다. 앞으로 나선 그 운전수가 박경사 곁에 다가와 기어들어가는 입엣소리로 중얼거렸다.

「소장님한테 조용히 말씀드릴 게……」

박경사는 두꺼비란 별명의 그 허위대 좋은 운전수의 손이 가늘게 떨고 있음을 보았다. 박경사는 그 두꺼비에게 의자를 내주고 앉도록 했다.

다음날 저녁 도벌 및 부정 반출에 관한 보고서가 심씨와 함께 본서로 넘겨진 시간이었다. 물론 그 두꺼비란 운전수도 본서로 넘겨졌다. 실내는 물론 외등마저 켜지 않은 어둑한 사무실에 박경사와 그의 동료들이 침통한 표정으로 앉아 있었다. 그 침통한 분위기를 정순경이 깼다.

「소장님, 왜 사전에 말씀해 주시지 않았읍니까?」

「어제도 말했지만 그 문제는 사과한다는 그 말밖에 할 수 없군. 정말 모두에게 미안하게 되었소.」

「그 두 가지 사건이 다 상부 지시를 받고 하신 겁니까?」

정순경이 다시 물었다.

「내 직책이 미치는 범위에서 내 양심에 따라 했을 뿐이야.」

「소장님, 또 한 가지 궁금한 게 있습니다. 정말 그 유서를 가지고 계시는 겁니까. 표선생 부인이 쓴……」

「왜, 내가 거짓말을 했을 것 같아?」

그러면서 박경사는 책상 사람에서 흐지흐지 낡은 종이 하나를 꺼내놓았다. 김차석만 빼놓고 모두 박경사 책상으로 몰려갔다. 그때 왜갈봉 중턱 그 노송이 있는 현장, 죽은 사람의 스웨터 주머니에서 나온 종이가 틀림없었다. 그러나 이리저리 뒤져 보아도 국민학교 아이가 썼을 게 틀림없는 조잡한 필체의 수자만이 어지럽게 적혀 있었을 뿐이다.

「아니 이건……? 유서가 아니잖아요!」

「온통 숫자만 적혀 있다 그건가? 그래, 숫자란 참 묘한 거야. 정순경 자네가 바퀴벌레 여섯 마리를 잡고 오륙 삼십, 삼백 마리를 잡았다고 계산하는 그런 식이 바로 숫자의 세계야. 거기 한 곳을 잘 살펴보게. 100m³라는 숫자가 있을 거야. 산판 사람들이 몇 사이〔才〕라는 말과 함께 많이 쓰는 단위지. 난 거기서 힌트를 얻은 거야. 얼마 전 집에 걸어 둔 여름 작업복 주머니에서 그 종이를 찾아낸 뒤부터 줄곧 표경철 선생 부인의 자살 사건을 생각해 왔네. 즉 그 여자의 죽음을 산판 사람들하고 연관시켜 본 거야. 한 여자가 미치지 않으면 안될, 그리고 결국은 자살까지 하게 된 한 여자의 정신적 파탄이 어면 것일까, 이 세상의 한 남편의 입장에서 생각해 보았네. 그것은 괴로운 일이었어.」

모두들 숙연한 얼굴을 해 가지고 제자리로 돌아갔다. 김차석 혼자만 멍청한 자세로 어두워지는 바깥에 눈길을 보내고 앉아 있었다.

「김차석.」

박경사가 나지막하게 불렀다.

「김차석, 우리 서로 괴로와하지 맙시다. 그리고 나 그렇게 쉽게 사표는 안 쓸 거요. 책임을 회피하고 싶어 그러는 게 아니라 양심에 따라 행동하는 것이 얼마나 떳떳한 일인가를 내 자식들에게 보여 주고 싶기 때문이오.」

그때 김차석이 밖에 내려 덮이기 시작하는 어둠의 깊이만큼 무거운 목소리로 말했다.

「그렇지만 소장님, 표경철 선생과 상암리 사람들이 이번 일을 통해 우리를 비웃을 겁니다. 자기네들이 무서워서 우리가……」

김차석의 말을 박경사가 중간에서 잘랐다.

「맞아. 우린 그들을 좀더 진작부터 무서워했어야 옳았던 거야. 그들 곁에 가까이 다가가 그들이 어둠 속에서 겪는 절망과 그 분노가 어떠한 것인가를 조금이나마 이해하려 했던들 오늘 우리가 맞은 밤이 저처럼 무겁게 느껴지지는 않았을는지 몰라.」

박경사는 꽤 어둑해진 창밖으로 눈길을 돌리며 몸을 일으켰다.

──밖이 어둡구나. 외등을 켜라.

그는 누군가 자기 귓가에 나직이 속삭이는 목소리를 들었다. 그 순간 얼굴이 깡마르고 눈빛이 빛나는 한 사람의 모습이 머리 속에 선연하게 떠올랐다. 아버지, 아버지의 따스한 손길이 자신의 머리를 짚어 주던 그 어린 시절의 어느 밤이 보여졌다. 그때 아버지가 일어나 어두워진 방에 불을 밝혔듯 박종대 경사는 현관 외등에 불을 넣었다.

■ 全商國의 〈아베의 家族〉

그 원상(原傷)의 우의(寓意)
金 烈 圭
문학평론가 · 서강대교수

1. 엉망인 전쟁

「내가 쓰고 싶은 것은 전쟁이다. 전쟁에 관한 연민이다. 시는 연민 속에 있는 것이다. 경고하는 것, 그것이 오늘날 한 시인이 다할 수 있는 일의 전부다. 참된 시인이 진실해야 하는 것은 바로 이 때문이다.」

I차 세계대전이 끝나기 불과 한 주일 전에 삼브르의 운하에서 스물 다섯의 젊은 나이로 전사한 오웬이 남긴 말이다. 전쟁의 세기에 시인이 울릴 수 있는 말의 전부는 전쟁에 관한 연민과 그리고 전쟁에 대한 경고다.

거기서 웃는 일은 즐거움이었으니—
죽음이 엉망이 되고, 삶은 더욱 엉망진창이 된 그곳에서.

356

왜냐하면, 아픔도 살인자의 회한도 느끼질 못하는 깨벗은 뼈조각들을
난도질할 힘이 우리들에게는 있었기에.

오웬은 〈나의 시를 위한 변명〉에서 이렇게 노래하였다. 이것이
바로 연민과 경고의 정체다. 엉망인 죽음과 그보다 더 엉망인 삶
을 옆에 두고 기꺼이 웃는 웃음은 또 얼마나 엉망인가. 전쟁은
죽은 자와 살아남은 자를 다 엉망이게 한다. 진 자와 이긴 자를
다같이 엉망이게 한다.
  전쟁을 「왕들의 경기」라고 본 꿈 같은 시절이 있었다. 전쟁을
신에 의한 「세계의 질서화」라고 소리친 몰트케(Moltke) 같은 사나
이도 있긴 있었다. 인간들이 전쟁을 그럴싸하게 옹호하거나 합리
화할 필요가 있다고 생각하기 시작한 것은, 사실 그렇게 오래된
일이 아니다. 확실하게 금긋기는 힘드나, 1차 세계대전 그 이전
까지만 해도 사람들은, 전쟁은 그 자체로 구태여 합리화할 필요가
없는 것이라고들 생각하였던 것이다. 당연히 있어 왔던 것이어
서, 그것이 일어나는 것은 응당 있을 만한 일이라고들 여겨왔던
것이다. 이것은 오늘날의 밀리타리즘과는 차원이 다른 얘기다.
어쩌다 전쟁을 필요악이라고 생각하는 정도가 그나마 이 집단적
파괴행위에 붙이는 회의나 반성의 결과였다. 악이라고 볼 때에라
도, 돌림병이니 지진 따위와 같은 「자연」이라고들 생각했다.
  서구의 신사란 다름아닌 기사거나 그 후예였다는 것이 무엇을
의미할까? 기사나 신사면 적어도 서구적인 견지에서는 높은 수
준의 덕을 갖춘 인간이란 것은 의심할 여지가 없다. 그렇다면 전
쟁에게도 인간적인 덕이 있는 것으로 인정해야 할 것이다. 극단
적으로 얘기하자면 전쟁의 덕(혹, 그런 것이 있다고 치고)이야말로
기사와 신사의 덕이고, 가장 높은 수준의 인간적인 덕으로 간주
된 것이라고 우겨도 좋을 것이다. 그것은 영낙없는 피와 파괴의
덕이다.
  휴머니즘의 세기를 쟁취하기까지에는, 아니, 정확하게는 그와

같은 세기가 있어야겠다고들 생각하게 되기까지에, 인간들은 전쟁 속에서 적과 싸우기 이전에 전쟁 그 자체와 싸워야 했다. 아니 그보다 전쟁에 대한 인간들의 생각과 싸워야 했던 것이다.

참호 속에서 시인은 연민과 경고로써 전쟁에 관해 노래하였다.

　나의 벗이여, 어처구니없는 영광을 위해 안달이 난 아이들에게, 그대여, 열병이라도 앓 듯이 오랜 거짓을 얘기하지 말지니, 싸움터의 죽음은 달갑고 영화롭다는 그 오랜 거짓을.

오웬이 이렇게 부르짖으면서 경고하였을 때, 전쟁에는 아무런 덕도 없었다. 장대함이나 위엄이 없었고, 또 영웅도 없었다. 대량살육의 전쟁, 그것도 기계와 거시적 편제에 의한 대량살육의 전쟁에는 인간적인 것이 얼굴을 내밀 틈마저 없는데, 거기 지난날처럼 덕을 기대할 수가 없다. 그런 전쟁이 끝나고 확실하게 남는 것은 파괴와 상처다. 그것은 진 자와 이긴 자를 가르지 않고, 죽은 자와 살아남은 자를 가름하지 않는다. 파괴와 상처는 전쟁이 인간에게 주는 유일한 보상이다.

전쟁에 휘말린 시인은 연민과 경고만으로 시를 쓸 수 있을 것이다. 그러나 전쟁이 끝나고 난 파괴와 상처의 폐허에 서서 시인이 그냥 연민과 경고만으로 작품을 쓸 수는 없다. 그는 이제 다른 말, 다른 말투로 노래하고 작품을 써야 한다. 그것은 물론 단순한 푸념이나 넋두리일 수가 없고, 회한과 저주로 끝날 수가 없다. 그보다 다른 게 있어야 한다. 그 뭔가 다른 소리를 위해, 그 다른 소리로 전상국은 작품을 쓰기 시작한다. 여운처럼 들리는 포성의 메아리, 싸움의 아우성, 초연냄새며 피비린내들이 뒤범벅이 되어 저주와 회한으로 더불어 그의 작품이, 특히 〈아베의 가족〉이 우리를 덮어씌우는 것은 사실이다. 심지어 다들 덮어두고 싶어하는 치부, 금기로 가려 놓아야 할 것들을 그가 드러내 보이고 있는 것은 사실이다. 그러나 그의 작품은 그러한 여러 징

358

후들을 배경삼아, 전쟁에 휘말려 있을 때가 아니고 휘말려 있다가 그 종말을 보게 된 이후의 시기에 어울릴 뭔가 다른 목소리로 그의 작품들을, 그리고 〈아베의 가족〉을 쓰기 시작했다.

아직도 맑은 날이 계속되고 있다. 농촌풍경이 자뭇 달라져 보인다. 봄이면 이곳 경치가 어떠하리란 것을 짐작할 수 있을 것 같다. 그러나 우리들 가운데 어느 누구도 각별한 관심을 가지고 봄을 기다리고 있을 것 같지 않다. 누구나 여기서 관심을 갖는 것은 물리적인 일뿐이다.

오웬과 함께 I차대전 중 전선에서 죽은 T.E 흄은 참호 속에서 이같은 일기를 남기고 있다. 그러나 그 「물리적(육체적) 관심」은 어디까지나 전쟁 동안의 것이다. 전화가 멎고 참호에서 나오면, 사람들은 얼마 전까지 그들의 유일한 관심거리였던 육체적인 것, 물리적인 것을 넘어서야 한다. 어쩌면 그 육체적인 것, 물리적인 것에 대한 생각이 한결 더 가중될지도 모른다. 왜냐하면, 그것들이 이젠 부서지고 찢기고 있기 때문이다. 하지만, 그들이 버리고 나온 참호 속에 풀이 돋고 꽃이 필 것처럼 그들의 생채기에서부터 비로소 비롯될 정신적인 무엇인가를 이제 눈여겨 보아야 한다. 그것은 생채기를 단순히 아물게 하는 일 이상의 것이다. 생채기는 내버려 둔다 해도 아물 수도 있을 것이기 때문이다.
더욱 싸움 속에서 어린 철을 보낸 사람에게 있어 전쟁의 상처는 「원상(原傷)」이라 불러도 좋은 경험을 이룬다. 그 뒤의 모든 일이 거기서 비롯될 원상을 두고 있어야 할 정신적인 것에 대한 관심 때문에 작가 전상국은 〈아베의 가족〉을 서술하기 시작한다.

2. 原 傷

「할머니 역시 삼촌 고집을 꺾지 못하자 당신의 손에 낀 반지를 빼어 줄 양으로 그 일을 시작한 것이다. 손가락에 비누칠을 하고 빼려 하였으나 처음부터 헛일이었다. 아침에 일어나 보니 할머니의 왼손 가운데 손가락은 온통 껍질이 벗겨진 채 퉁퉁 부어 있었다.」
　　　　　　　　　—〈잊고 사는 세월〉에서

　전상국의 작품에는 상처가 있다. 찢기고 할퀸 상처며, 문드러
진, 까부라진 상흔이 있다. 선혈이 낭자하기도 하고 고름과 피가
범벅이 되어 딱지가 앉기도 한 상처가 있다. 그 상처는 적게는
가정이, 크게는 민족의 역사가 빚은 것이다. 그리고 그것들은 나
지 말아야 했을 뿐만 아니라, 나서는 안 될, 날 수가 없는 상처
라는 공통성을 지니고 있다. 그의 작품 자체가 「할머니의 손가
락」이다. 혈연적 동질감과 애정으로 감싸여져 있어야 하는 게 할
머니의 손가락이다. 그것은 인자의 손가락이라야 한다. 한데도
그 할머니의 손가락은 상처투성이다.
　전상국에 있어 전상은 「원상」이다. 어려서 겪은 경험들 가운데
가장 원초적인 것의 하나로서 전상은 그에게 엉겨 있다. 흉한 부
스럼딱지처럼 달라붙어 있다. 초기에 겪은 가장 충격적인 경험,
그래서 그의 뇌리의 심층과 의식의 오지에 언제나 서리감고 도사
리고 있는 경험이란 뜻으로만 원초적인 것은 아니다. 살아가는
동안 되풀이 되풀이 나타나서는 그의 생각을 다스리고 이끌고 나
감과 함께 그의 행복을 제약하는 경험이란 뜻으로도 원초적이다.
전상은 그의 전생애에 걸쳐 제일의적 경험이다. 〈아베의 가족〉에
서 주인공인 「나」는 그의 아버지와 고모와의 17년 만의 기구한 재
회를 두고 「6·25때의 비극 한 토막이 연극처럼 펼쳐졌다」고 말하
고 있으나, 사실상 〈아베의 가족〉 전편이 「6·25때의 상흔이 판친
연극」인 것이다.
　원상의 뜻은 이 정도에 끝나지 않는다. 주인공 진호 가족을 휩
쓸어 간 잔혹한 전상은 민족이 입은 상처에 대한 우의적 표현이
란 점에서도 원상이다. 정도의 차이는 있을지언정 민족이 고루 겪
은 무서운 상흔의 아픔이 진호 일가의 전상에 응축되어 있다. 한
가족 구성원 가운데서 적도에게 살육당하는 사람이 있고, 이른바

의용군에 끌려간 사람이 있는가 하면, 거꾸로 부역한 사람이 있
는 것부터가 민족이 공통으로 겪은 전상이다. 전쟁은 핏줄을 찢
고 할퀴었던 것이다. 인간적 유대의 최후의 단위인 가족끼리도
서로 등지고 돌아서게 하였다.

하지만 공시적으로 보아서만, 진호일가의 전상을 민족적인 것
이라고 말할 수 있는 것은 아니다. 통시적으로도 그렇다. 어느
시대사를 뒤져도 전쟁이나 전란이 없었던 적이 없는 민족사의 그
오래고 모진 상흔을 〈아베의 가족〉은 오늘날에 있어 재연한다.

이 다각적인 의미의 전상에서 비롯될 정신적 값을 위해 주인공
진호는 그의 고국, 그 처절한 전상의 현장으로 되돌아 온다. 그
에게 있어 불구의 이복형제인 아베는 허리동강이 잘려서 불구의
몰골을 강요당하고 있는 한반도 그 자체였는지도 모른다. 이런
뜻에서도 그가 그리고 그의 가족이 입은 전상은 다시 또하나의
원상의 뜻을 지니게 된다.

그의 귀국은 지극히 세속적인 의미로 금의환향이라고 할 만한가
하면 상처투성이의 귀환이기도 하다. 그가 한번은, 그리고 잠깐
은 우쭐대며 비행기를 내려 고국땅을 밟을 수 있었던 저 「지 아
이」의 군복은 동시에 그의 상처에 감긴 카키빛 붕대이기도 했던
것이다.

그런 꼴로 주인공 진호, 아베의 이복동생은 귀국한다. 버리고
떠난 배냇 병신을 찾는 일이 되레 뿌리 찾기이기도 한 그 아이러
니컬한 귀국을 우리들의 주인공 진호는 감행한 것이다. 상처에의
귀환이 뿌리에의 회귀라는 이 기막힌 아이러니를 안고 진호는 귀
국한 것이다. 진호가 입은 군복의 아이러니에 겹쳐져서 이 귀국
의 아이러니가 무엇보다 선명하게, 그리고 준열하게 독자의 가슴
을 후비고 든다. 그것은 원상이 주는 통렬한 감동이라고 해도 좋
다.

버리고 떠난 자가, 고국에 남은 이들에게 뿌리의 소재를, 그
뜻을 확인시키는 걸음으로 돌아오면서 작품 〈아베의 가족〉은 시

작된다.

3. 진호의 귀국

얘기는 주인공 진호에 의해 서술되기 시작한다. 진호는 미국으로 이민간 지 꼭 4년 만에 한국엘 돌아온다. 미국군인이 되어서. 그는 그들의 가족이 짐승이라고 여기던 배냇 병신인 아베를 찾아서 되돌아 온 것이다.

그가 귀국하게 된 동기, 사실상의 그의 귀국여권은 그의 어머니가 감추고 있던 한 권의 일기였다. 이 노트의 제시로 말미암아, 작품은 첫번째 바깥 테를 벗고 보다 더 심층의 테 속으로 독자를 안내한다.

어머니는 최창배씨와 결혼하였다. 그것은 1950년, 6·25동란이 일어나기 두 달 전, 4월의 일이었다. 국민학교 여선생과 대학에 재학중인 법학도인 젊은 신랑신부는 신혼의 단꿈이 깨어지기 전에 전쟁의 소용돌이 속에 휘말려 든다. 시가가 있는 춘천 근교의 샘골은 쑥밭이 되었다. 부면장이던 시아비는 살육을 당하고, 남편은 의용군에 끌려 가고, 어머니 자신은 시아버지와 남편을 살려 보자고 저들에게 본의아닌 협력을 하게 된다. 불행은 이에 그치지 않았다. 임신중이던 어머니는 얼마 뒤 생유복아를 낳게 된다. 사지가 헝클어진 배냇병신이었다. 그러나 그것은 한 집안의 사대독자였다.

「그 시커먼 짐승들을 칼로 퍽퍽 찔러 검고 끈적끈적한 살갖 그 깊숙한 데서 콸콸 쏟아지는 피를 받아 이웃 사람들 눈 앞에 내보이고 싶은」 저주가 엉킨 배냇병신, 그게 바로 아베였다.

그러나 돌아오지 않는 아베의 친아버지 대신에 뜻밖에 이 병신을 친자식처럼 돌보아줄 사내가 나타났다. 그가 바로 어머니의 둘째 남편이자, 주인공 진호의 아버지인 김상만이었다. 여기서 얘기는 두번째 테를 벗고 다시 더 깊은 속으로 독자를 데리고 들

어간다. 아리아드네의 끈이 라브린토스〔迷路〕 속으로 테세우스를
이끌고 가듯이…….

 김상만씨는 이북땅 장연 출신이었다. 이북에 두고 온 부모의 생
사를 몰랐고 이남에 같이 있던 피붙이는 다들 풍지박산이 된 떠
돌이 사내였다. 그가 아베를 친자식처럼 여기며 보살피게 된 데는
까닭이 있었다.

 국군병사로서 참전한 김상만은 북진하였다가 중공군 공세에 밀
려 후퇴하면서 부대를 떠난다.

 그리고 어느 산속 농가에서 그 집 가족을 살해하게 된다. 그러
면서 살아남아서 히죽 웃고 있는 그 집 반편 아이를 목격하게 된
다.

 그 뒤 줄곧 상만은 히죽거리며 웃는 반편 아이의 영상에 쫓기
면서 살게 된다. 그것들로 해서 생긴 죄책감과 공포로 상만의 삶
은 「알맹이 빼앗긴 빈 껍질」이 되고 만다. 이 빈 껍질을 메우는
것이 곧 아베를 사랑하는 일이었던 셈이다. 상만은 그의 마음의
상처를 불구의 아베에 붙여 치유하려고 든 것이다.

 그리하여 상만과 아베의 어머니는 짝지워지게 된다. 그것은 기
구한 짝지움이다. 공포와 죄의식을 대상코자 해서 불구의 아베에
게 사랑을 쏟는 상처투성이의 사내와, 저주와 뒤범벅이 된 사랑
을 아베에게 쏟는 여인과의 만남이었기 때문이다. 의붓아비와 생
모에게 있어 아베는 다같이 전상의 자국이었다. 그 절름발이 부
부는 남에게 상처를 주면서 상처입은 사내와, 남에게서 상해를
당해서 상처입은 여인과의 만남으로 이루어진 것이다. 거기다 다
시 그들의 매듭이요 인연의 사슬이 된 아베는 더 큰 전상이었다.
그들은 상처투성이의 가족이었다.

 여기서 얘기는 다시 어머니에게로 인계된다.

 상만의 여동생은 양공주였다. 17년 만에 오빠 앞에 나타난 애들
의 고모는 먼저 흑인병사를 따라 미국으로 건너갔고, 잇따라 진
호네 일가족을 이민으로 초청했다. 다들 날 듯이 고국을 떠나갔

다. 짐승이라고 생각한 아베를 버리고서 개선이나 하듯 미국으로
갔다. 진호를 비롯한 나머지 식구는 마음으로 아베를 버렸고, 어
머니는 실제로 아베를 버리고 떠나들 갔다. 아베는 기르다가 버
려진 한마리 가축에 지나지 않았다. 아니, 강아지라도 그렇게 버
려지고 잊혀지지는 아니했을 것이다. 귀국한 진호에게 그의 친구
가 아베의 안부를 물었을 때, 진호는 「누가 남의 집에 키우던 짐
승에 대해서 안부를 묻겠는가」라고 혼자 생각할 정도였다.
　작품 속의 서술자는 여기서 진호에게로 돌아간다.
　미국에 도착한 어머니는 「눈물뿐인 페인」으로 화한다. 온가족
이 누릴 모처럼의 미국 시민생활이 그때문에 엉망이 된다. 진호
의 동생은 그런 어머니를 보고 「아베의 귀신이 붙은 거야」라고
했다.
　「아베, 아베 때문이다. 우리들은 이를 갈았다. 이를 갈면서 우
리는 비로소 우리가 두고 온 고국을 생각했다.」
　이렇게 외친 진호는 어머니가 숨겨둔 노트에서 비로소 아베의
비밀을 알아낸다.

　　「이 놀라운 사실은 어떻게 생각하면 아베를 한국에 버리고 온 우리
　들의 죄의식이 다소 가벼워질 수 있는 성질의 것이었는지 모른다. 그
　러나 문제는 그 반대였다. 경희(진호의 여동생)와 나는 그 사실을 안
　순간부터 진정 아베에 대해 생각하기 시작한 것이다.」

　이렇게 해서 진호의 귀국은 감행된다. 그것은 일종의 회종
(回宗)과 같은 변화다. 아니면 험하디 험한 유리시즈의 귀향과 같
은 것이었는지도 모른다. 윤간을 당한 경험이 있는 어머니에게서
태어나서, 스스로 친구들과 어울려 소녀를 윤간한 적이 있는 패
륜아 진호는 이렇게 가족들의 원상으로 회귀한 것이다. 언젠가
홍수가 났을 때, 진호 스스로 방구석에 처박아 놓고 나타난 적이
있는 짐승과 같은 이복형, 아베에게로 되돌아 온 것이다. 그것은

원상에 얽힌 죄라는 탓으로 원죄라고 불러도 좋을 것의 그림자가
아직도 걷혀져 있지 않는 현장에의 귀환이었다. 범인이 그의 범
행현장에 되돌아 오는 것과 같은…….

진호의 귀국은 확실히 묘한 귀국이다.

4. 할머니의 무덤

얘기의 테(프레임)를 몇번씩 바꾸면서 작품은 추리소설처럼 전
개되어 간다. 숨겨진 비밀이라기보다 다치고 싶지 않고 말하고
싶지 않는 비밀이, 상처가, 꺼풀을 벗어가면서 작품은 펼쳐져 나
간다. 그 가혹한, 차마 눈뜨고 못 볼 그 혹독한 비밀들이 펼쳐질
때마다 독자들은 숨을 죽일 것이다. 그것은 생지옥이요, 단말마
의 수라장이다. 그리고 무엇보다 우리들 공통의 치부요, 상흔이
다. 뉘우침 없이는, 뼈를 저미는 참회 없이는 못 쳐다볼 비밀들이
고 상처다. 어느새 독자들은 눈을 밖으로 향해 한 작가의 작품에
서 남의 얘기를 보고 있는 것이 아니라, 그들 작가의 속을 들여
다보고 있다는 것을, 민족사의 암울한 늪 속을 들여다보고 있음
을 소름끼치게 깨닫게 될 것이다.

옛 친구, 그 윤간의 공범자들을 찾아서 회포를 풀다가 진호는
아베 찾기에 구체적으로 착수한다. 아베의 할머니가 계실 곳인,
그 샘골로 찾아나선다.

샘골은 저수지 물 밑에 잠기고 없었다. 아베의 할머니, 며느리
에게 자유를 주기 위해 짐짓 죄를 뒤집어 씌워서 내쫓은 그 노파
는 며느리와 병신손자를 기다리다가 헛되이 땅 밑에 묻힌 지 오
래였다. 다만 진호는 그의 가족 일행이 미국으로 떠나던 바로 전
날 그의 어머니가 아베를 데리고 이 불쌍한 할머니의 무덤에 나
타났었다는 것을 얻어 들었을 뿐이다. 오직 그뿐, 아베의 행방은
알 길이 없었다. 그러나 한국을 좋아하게 된 백인전우인 토미에
게는 소주를 먹여야겠다고 작심하면서 진호는 다짐하는 것이었다.

「황량한 들판에 던져진 그 시든 나무들의 꿋꿋한 뿌리가 돼 줄 는지도 모를 우리의 형 아베의 행방을 찾는 일도 우선 그 무덤 (할머니의)에서부터 시작해야 한다.」

여기 시든 나무들이란 것은 이미 간 시들어 가는 그의 어머니와 가슴이 빈약한 이씨의 딸과 그리고 진호 자신을 가리키고 있다.

할머니, 아베의 할머니는 모든 것을 잃은 여인이다. 남편, 자 식, 며느리에 손자, 그리고 논밭과 집을 깡그리 잃어버린 여인이 다. 전쟁은 그녀에게서 일체를 약탈해 간 것이다. 마지막엔 물에 잠기는 농지의 보상비를 안고 아들과 손자를 기다리다가 강도에 게 돈을 빼앗기고 살해당함으로써 삶을 끝장낸 할머니다. 6·25동 란은 이 할머니에게 십자포화며 융단폭격을 집중적으로 가한 것 이다.

그 할머니의 무덤은 빈 껍질뿐인 무덤이다. 거기서 진호는 시 든 나무들을 위한 뿌리찾기의 첫 삽질을 하려 든 것이다. 반편의 자식을 둔 부모를 죽인 죄책감과 공포 때문에 빈 껍질만 남은 삶 을 지닌 진호의 아버지가 그 삶을 채우기 위해 한때 이용한 아베 를 버리고 미국으로 달아난 것과는 아주 대조적이다. 스스로 전 쟁이 기른 암종(癌腫)처럼 자란 진호는 이제 무지막지한 전쟁의 상흔에서 「굳건한 뿌리」 찾기를 작심한 것이다. 스스로 빈 것 투 성이의 사나이가 빈 껍질로 묻힌 이복형의 할머니에게서 자신을 포함한 가족들의, 고국을 떠나 미국으로 건너간 무수한 사람들의 뿌리를 찾자고 든 것이다. 이 쓰라린 역설은 진호 자신의 위대한 전신이자 희종이다. 피 한 방을 섞인 일이 없는 남의 할머니 무 덤, 그 빈 껍질뿐인 무덤에서 그는 외치며 일어설 번데기고자 한 것이다. 전쟁은 사람을 먹어치웠다. 아베의 할머니를 먹어치우 고 아베를, 그리고 진호와 그 일가족을 먹어치웠다. 이제 진호 는 전쟁이 먹다 버린 빈 껍질에서 되살아 나는 나비고자 하는 것 이다.

이것은 중요한 결단이다. 전쟁이 남긴 폐허를, 아니 폐허 그 자체일 전쟁 그 녀석을 번데기 껍질로 삼아 훨훨 날아 오를 나비 이고자 작심하였기 때문이다. 그것은 전쟁에 먹힌 사람이 이제 전쟁을 먹어치우려 하는 일이라고 말해도 좋을 것이다.

할머니의 무덤은 원령(怨靈)의 무덤이다. 그것은 앙갚음과 저주하는 마음으로 옹어리쳐 있는 무덤이다. 아니 옹어리 자체다. 원한에 저리고, 원한에 사무친 무덤이다. 비가 뿌리면 넋이 호곡할 그런 무덤이다.

이 무덤은 6·25가 갓 끝난 우리들의 국토, 우리들의 한반도 그 자체의 모습인지도 모른다. 빼앗기고 부서질 것은 모조리 약탈당하고 파괴된 빈 껍질의 땅, 원한이 처절하게 서려 있을 폐허의 땅, 그것은 아베 할머니의 무덤과 다를 바 없다. 그러기에 할머니의 무덤은 아베만의 것이 아니다. 우리들 모두의 것이다. 시들어 가는 모든 목숨의 뿌리가 거기 있다면, 그 무덤은 저 위대한 천지모신(天地母神)의 상을 지니고 있을 게 분명하다. 자신의 주검 위에 풀이 돋게 하고 나무가 자라게 하고, 그리고 목숨 있는 온갖 것이 목숨 부지하게 한 천지전신이야말로 아베의 할머니 아닌 우리들 모두의 할머니의 무덤이다.

진호 개인의 전신과 회종은 무덤을 전신케 하였고 그 무덤이 대유하고 있을 국토까지도 전신케 한 것이다. 이 두 겹의 전신이야말로 전쟁이 끝난 폐허에서 작가가 그의 말에 담아서 해야 할 모든 일의 으뜸이다. 물리적인 폐허 위에 그리고 육체적인 상처 위에 정신적인 것이 돋아나고 있음을 〈아베의 가족〉은 얘기하고 있는 것이다.

그러기에 이 작품은 박행하게 죽은 원령을 대지모신화하는 과정을 제의화(祭儀化)한 작품이다. 전쟁하는 사람들에게 있어 최종적으로, 그리고 결정적으로 중요한 것은 적에게 이기는 것이 아니다. 전쟁 그 자체에 이기는 일이다. 인간들의 최후의 승리는 전쟁 그 자체를 적으로 하여 쟁취해야 한다. 〈아베의 가족〉은 원령을 대지모신화하는 제의의 과정을 통해 이 최후의 승리 위에 꽂혀질 깃발로서 나부끼고 있다.

5. 아베의 귀신살

「아베가 있는 그 질식할 것 같은 집안 분위기 때문에 나는 매일 매일 미쳐가야만 했던 것이다. 그때 형표들과 산에서 계집애를 벗긴 것도 아베에 대한 분노였다고 나는 구실을 찾아 가지고 있었다. 아베에게 정상적으로 발달돼 있는 것은 그의 성기였다. 그는 어렸을 적부터 여자만 보면……나는 이미 그를 인간으로 생각하지 않았다.」

진호는 아베를 이렇게 기술하고 있다. 아베는 백치고 배냇병신이었다. 저주이며 분노의 대상이었다. 짐승이고 독이었다. 무엇보다 전쟁이 내갈긴 사생아였다. 아비 어미가 멀쩡히 있는 전쟁의 사생아. 그렇다. 아베는 전쟁이 낳은 오욕과 저주와 상흔의 사생아였다. 그리고 그는 그를 버리고 미국에까지 도망간 가족들에게 억척같이 붙어다니는 빌미고 동티고 부정이었다. 아니 살과 같은 것이었고 독살스런 귀신 같은 게 바로 아베였다. 아베 귀신이 붙으면 살아 남을 사람이 없었다. 다시 시들어갔고 병들었고 그리고 죄를 저질렀다. 아베는 귀신살이었다. 진호의 여동생이 「아베 귀신이 붙은 거야」라고 뇌인 것은 당연하다.

도망간다고 해서 될 일이 아니었다. 도망다닐수록 귀신살은 더욱 기승을 부렸다. 그래서 진호는 되돌아온 것이다. 바로 그 귀신살에게로……실제로 진호가 돌아왔을 때쯤에, 아베는 이미 귀신이 된 지 오래였는지도 모른다.

여기서 우리들은 〈아베의 가족〉이, 귀신살 아베에 대한 풀이인 것을 얘기할 수 있게 된다. 그가 어떻게 어떻게 하다가 귀신살이 되었는가를 얘기해 가는 귀신풀이란 것을 알 수가 있다. 뿐만 아니다. 진호가 얘기로서의 귀신풀이를 해나가면서 끝장에는 묘한 살풀이를 하고 있음을 얘기할 수 있다. 그리고 그것은 얼마쯤 굿에 견주어져도 좋은 속성을 지니고 있음도 아울러 지적할 수 있다. 얘기풀이의 끝장이 당장 귀신살을 떨쳐내었다고 말할 수는 없어도, 귀신살과 정면으로 맞닥뜨릴 차비를 차리고 있는 것은 확실하기 때문이다.

「시든 나무들의 뿌리가 돼 줄는지도 모를 우리의 형, 아베」를 찾아나서기로 작심하고 있기 때문이다.

개에게 물린 상처에는 바로 그 개의 털을 태워서 생긴 재를 발라야 한다고 한다. 가장 원초적인 인과율의 주술이다. 전쟁은 미친 개였다. 그것은 누구나를 물어뜯었다. 누구나 상처를 입었다.

아베는 그 상처의 집대성이었던 것이다. 멀리 도망간 미국에서 거듭 상처를 확인한 진호는, 미친 개가 날뛴 그 현장에로, 전쟁 그 자체의 현장에로 되돌아와야 했던 것이다. 그리고 그 전쟁의 자국을 찾아내어 그의 상처에 발라야 했던 것이다. 그게 바로 원상에의 회귀였다. 자꾸만 덧나가는 상처, 고름 위에 다시 딱지가 앉고, 딱지 위에 다시 종양이 생기는 그 생채기의 연쇄는 그것들의 으뜸인 원상에로 되돌아와야 비로소 고쳐질, 하다못해 고쳐질 실마리라도 잡힐 성질의 것임을 진호의 원상에의 귀환이 보여주고 있다.

전쟁이 끝남과 함께 전쟁을 잊어버림으로써 참담게 전쟁이 끝나고 모든 게 해결이 된 듯 사람들은 생각한다. 그것은 환상의 평화다. 적에게 이기는 것보다 더 중요한, 전쟁 그 자체에 이기는 인간들의 싸움은 전쟁이 끝나면서 시작한다는 것을 〈아베의 가족〉은 말해주고 있다. 그것은 전쟁 뒤에 작가들이 해야 하는 발언의 전부다. 전쟁 뒤에 비로소 전쟁 그 자체에 내던지는 선전포고, 결연한 선전포고다.

□ 全商國 年譜

1940년 3월 12일(음), 강원도 홍천군 내촌면 물걸리에서 태어
남. 8세까지의 이름은 일랑.

1950년 6·25사변과 1·4후퇴로 청주 피난민 수용소와 폐광촌을
전전함.

1957년 춘천고등학교 진학. 「봉의 문학회」「예맥문학회」등 동
인활동. 소설 〈산에 오른 아이〉가 「학원문학상」에 입
선. 〈황혼기〉가 《강원일보》 신춘학생문예에 입선.

1960년 경희대 국문과 입학.

1963년 《조선일보》 신춘문예에 〈同行〉이 당선됨.

1964년 등단 후 첫작품 〈光芒〉을 《現代文學》에 발표한 뒤 귀
향, 10년간 한 편의 작품도 못씀.

1974년 《創作과 批評》 가을호에 재기의 첫작품 〈前夜〉를 발표.

1975년 단편 〈할아버지 묻힌 날〉〈趙氏〉 발표.

1976년 단편 〈惡意時節〉〈껍데기 벗기〉〈私刑〉 발표.

1977년 〈私刑〉과 〈껍데기 벗기〉로 「現代文學賞」 수상. 첫 창
작집 《바람난 마을》 간행. 단편 〈脈〉〈바람난 마을〉
〈바다 재우기〉〈여름 손님〉 발표.

1978년 단편 〈沈默의 눈〉〈산울림〉〈高麗葬〉〈안개의 눈〉〈忘
却의 집〉, 중편 〈물걸리 稗史〉〈하늘 아래 그 자리〉
발표.

1979년 〈아베의 家族〉으로 제6회 「韓國文學作家賞」 수상. 두
번째 소설집 《하늘 아래 그 자리》 간행. 단편 〈招魂〉
〈수렁 속의 꽃불〉〈잊고 사는 세월〉〈그 먼길 어디쯤〉

〈우리들의 날개〉〈進化說〉〈암코양이의 食性〉〈겨울의 出口〉, 중편 〈아베의 家族〉〈실반지〉〈外燈〉〈공터 사람들〉 발표.

1980년 〈우리들의 날개〉로 제14회 「東仁文學賞」, 〈아베의 家族〉으로 「大韓民國文學賞」 우수상 수상. 세번째 소설집 《아베의 家族》, 네번째 소설집 《外燈》, 첫 장편소설 《늪에서는 바람이》, 《偶像의 눈물》 간행. 단편 〈偶像의 눈물〉〈이것은 기분문제가 아니다〉〈어떤 離別〉〈달평씨의 두번째 죽음〉, 중편 〈여름의 껍질〉〈追憶의 눈〉 발표.

1981년 다섯번째 소설집 《우리들의 날개》, 콩트집 《食人의 나라》 간행. 중편 〈외딴길〉 발표.

1982년 장편 〈길〉 연작인 중편 〈出郷〉, 단편 〈술래 눈뜨다〉〈離散〉〈좁은 길〉 발표. 장편소설 〈불타는 山〉을 《경향신문》에 연재. 경희대학교 대학원 국문과에 입학.

1983년 단편 〈異流 속에서〉 발표. 《불타는 山》 간행.

1984년 중편 〈허허벌판〉〈산 넘어 江〉을 발표함으로써 연작장편 〈길〉을 끝냄. 단편 〈關心〉 발표.

1985년 단편 〈악의 사슬〉〈그늘무늬〉〈왜〉〈술법의 손〉 발표. 장편 《길》 간행.

1986년 중편 〈陰地의 눈〉〈刑罰의 집〉, 단편 〈먹이그물〉〈송충이의 칩거〉 발표.

한국문학대표작선 7
아베의 가족

초판 발행 —— 1987년 8월 13일
초판 10쇄 —— 2002년 1월 30일

지은이 — 전 상 국
펴낸이 — 전 성 은
펴낸곳 — (주)문학사상사
주 소 — 서울특별시 송파구 오금동 91번지(138-858)
등 록 — 1973년 3월 21일 제 1-137호

편집부 — 3401-8543~4
영업부 — 3401-8540~2
팩시밀리 — 3401-8741~2
홈페이지 — www.munsa.co.kr
전자우편 — munsa@munsa.co.kr
대체계좌 — 010017-31-1088871
지로구좌 — 3006111

〈문학사상사의 좋은 책—인문편〉

● 이상문학전집 ① —시

〈오감도〉·〈거울〉·〈절벽〉외 90편, 이상이 남긴 시의 전부 및 해설

이상의 모든 시 작품을 간결하게 요약하면서 제대로 이해하기 어려운 부분을
해설과 주석을 달아 정밀하고 명료하게 밝힌 이상 시와 그 해설의 결정판!

이승훈 엮음

● 이상문학전집 ② —소설

〈날개〉·〈종생기〉·〈십이월 십이일〉외 13편, 이상이 남긴 소설의 전부 및 해설

천재 작가로서의 이상의 면모를 여지없이 발휘케 한 소설의 전부. 원본의 정교
한 복원과 그의 작품 세계를 완벽한 주석과 해설로 재조명!

김윤식 엮음

● 이상문학전집 ③ —수필

〈권태〉·〈혈서삼태〉·〈슬픈 이야기〉외 65편, 이상이 남긴 수필 전 작품과 해설

시와 소설에서 다하지 못한 이상의 인간과 문학의 지평을 밝혀 주는 수필을 총
망라하고, 주석과 해설로 한국 문학사상 수필 문학의 금자탑을 부각!

김윤식 엮음

● 이상문학전집 ④ —연구 논문

〈근대정신의 해체〉〈이상론〉〈이상연구〉등 14편의 논문 모음

다양한 각도에서 바라본 이상 문학 연구 논문을 엄선 수록하고, 독자들의 이해
를 돕기 위한 주석과 해제를 달았다. (부록 : 이상의 누이동생이 쓴 〈오빠 이상〉)

김윤식 편저

● 이상문학전집 ⑤ —연구 논문

이상 연구에 관한 국내외학자들의 최근 논문 모음

한국 근대 문학의 정상에 우뚝 솟은 이상. 그의 문학이 난해한 만큼 무수한 연구 논문
이 속출하는 가운데 가장 최근에 발표된 국내외 학자들의 대표적인 9편을 수록하였다.

김윤식 편저

● 윤동주 전집 ① —하늘과 바람과 별과 시

윤동주의 시 · 산문과 주석 · 해석 · 평전 · 화보 및 자료

영원한 서정 시인이며 민족 시인, 윤동주. 그가 남긴 시와 산문의 전작품과 더
깊고 바른 이해와 감상을 위한 해설과 참고 자료 수록.

권영민 편저

● 윤동주 전집 ② —윤동주 연구

주요 연구 논문 · 해설 · 자료 편

윤동주에 관한 많은 평론 · 연구 논문 · 해설 가운데 가장 무게 있고 중요한 20
편과 윤동주의 삶과 문학에 관련된 기타 관련 자료 등을 엄선 수록했다.

권영민 편저

● 한국 문학 50년

광복 50주년 기념 기획 출판—광복 이후 격동의 시대 50년에 걸친 우리 문학의
빛과 그늘, 그리고 그 성과를 권위 필진 김윤식 외 40명이 총정리·재조명하고
한국 문학 내일의 지표를 제시한다.

권영민 편저

● 시 다시 읽기— 한국 시의 기호론적 접근

20년 만에 출간되는 이어령 시 문학의 결정
시를 정밀하게 읽고 그 시적 언술의 심층 구조를 따져 가면 우리가 지금까지 잘
모르고 있던 여러 가지 풀이들이 가능해진다.

이어령 지음

● 이상 연구

이상의 개인사와 사회사를 폭넓은 시각으로 접맥시킨 연구서
한국 문학에서 '현해탄을 건너간 한 마리 나비' 이상의 참의미를 파헤친 이상문
학 연구 반세기의 결정판.

김윤식 지음

● 제3의 침팬지

"이대로 가면 100년 안네 인류는 멸망한다"는 충격의 경고
왜 보통 침팬지와 98.4%나 유전자가 같은 '제3의 침팬지'는 1.6%의 차이로 인간이 됐고, 이
젠 멸망의 위기에 섰는가? 소설처럼 재미있게 쓴 사람의 과거, 현재, 미래의 모든 것.

재레드 다이아몬드 지음/김정흠 옮김

● 총, 균, 쇠 — 무기, 병균, 금속이 어떻게 문명의 불평등을 낳았는가

미국 풀리처상·영국 과학출판상 수상
인류 문명의 수수께끼를 쉽고 재미있게 풀이하며, 인류 문명의 기원과 발달을 복합
적·과학적 시각으로 새롭게 파헤친 획기적 명저!

재레드 다이아몬드 지음/김진준 옮김

● 현대 소설의 이해

소설의 이론과 창작의 실제를 풀이한 입문서
전국 15개 대학 현직 국문학과 교수 16인의 공동 참여로 편찬·집필, 종래의 고루·난
삽한 이론서의 분위기에서 탈피해 소설 문학을 새롭고 이해하기 쉽게 풀이한 해설서.

이재인·한용환·우한용 편저

● 김윤식의 현대문학사 탐구

쉽고 흥미롭게 재조명한 한국 현대문학 100년의 발자취
우리 현대문학이 싹터서 꽃피고 열매 맺는 과정을 주인과 손님의 대화를 통해 쉽게
정리한 서울대 김윤식 교수의 역저.

김윤식 지음